Les Enfants de Mathias

Du même auteur

Autobiographie
Ensemble pour toujours, 2015

Romans
Adèle et Amélie, 1990
Les bouquets de noces, 1995
The Bridal Bouquets (Les bouquets de noces), 1995
Un purgatoire, 1996
Marie Mousseau, 1937-1957, 1997
Et Mathilde chantait, 1999
La maison des regrets, 2003
Par un si beau matin, 2005
La paroissienne, 2007
M. et Mme Jean-Baptiste Rouet, 2008
Quatre jours de pluie, 2010
Le jardin du docteur Des Oeillets, 2011
Les Délaissées, 2012
La Veuve du boulanger, 2014
Les Fautifs, 2016

La Trilogie
L'ermite, 1998
Pauline Pinchaud, servante, 2000
Le rejeton, 2001

Récits
Un journaliste à Hollywood, 1987 (épuisé)
Les parapluies du diable, 1993

Recueils de billets
Au fil des sentiments, vol. 1, 1985
Pour un peu d'espoir, vol. 2, 1986
Les chemins de la vie, vol. 3, 1989
Le partage du cœur, vol. 4, 1992
Au gré des émotions, vol. 5, 1998
Les sentiers du bonheur, vol. 6, 2003

En format poche (collection « 10 sur 10 »)
La paroissienne, 2010
Un purgatoire, 2010
Et Mathilde chantait, 2011
Les parapluies du diable, 2011
Marie Mousseau, 1937-1957, 2012
Par un si beau matin, 2012
Quatre jours de pluie, 2012
La Maison des regrets, 2013
L'ermite, 2016
Pauline Pinchaud, servante, 2016
Le rejeton, 2016

Denis Monette

Les Enfants de Mathias

roman

Les Éditions
LOGIQUES
Une société de Québecor Média

Catalogage avant publication de Bibliothèque et Archives nationales du Québec et Bibliothèque et Archives Canada

Monette, Denis
   Les enfants de Mathias
   ISBN 978-2-89644-029-0
   I. Titre.
PS8576.O454E53 2017   C843'.54   C2017-941002-4
PS9576.O454E53 2017

Édition : François Godin
Direction littéraire : Nadine Lauzon
Révision et correction : Michèle Constantineau, Sabine Cerboni
Couverture et mise en pages : Gaston Dugas, Axel Pérez de León
Photo de l'auteur : GUY BEAUPRÉ / TVA PUBLICATIONS

Cet ouvrage est une œuvre de fiction, toute ressemblance avec des personnes ou des faits réels n'est que pure coïncidence.

Remerciements
Nous remercions la Société de développement des entreprises culturelles du Québec (SODEC) du soutien accordé à notre programme de publication.
Gouvernement du Québec – Programme de crédit d'impôt pour l'édition de livres – gestion SODEC.

Financé par le
gouvernement
du Canada | Canadä

Les Éditions Logiques
Groupe Librex inc.
Une société de Québecor Média
La Tourelle
1055, boul. René-Lévesque Est
Bureau 300
Montréal (Québec) H2L 4S5
Tél. : 514 849-5259
Téléc. : 514 849-1388
www.edlogiques.com

Dépôt légal – Bibliothèque et Archives nationales du Québec et Bibliothèque et Archives Canada, 2017

ISBN : 978-2-89644-029-0

Distribution au Canada
Messageries ADP inc.
2315, rue de la Province
Longueuil (Québec) J4G 1G4
Tél. : 450 640-1234
Sans frais : 1 800 771-3022
www.messageries-adp.com

Diffusion hors Canada
Interforum
Immeuble Paryseine
3, allée de la Seine
F-94854 Ivry-sur-Seine Cedex
Tél. : 33 (0)1 49 59 10 10
www.interforum.fr

*À ceux et celles
qui m'ont été fidèles.*

Prologue

Les cloches avaient sonné durant sept minutes pendant que, avec le cercueil de madame Mathias Goudreau, on descendait les marches du parvis de l'église Saint-Édouard pour atteindre le corbillard. Les gens pleuraient beaucoup et deux jeunes garçons de neuf et sept ans suivaient tristement leur père alors que le benjamin, de deux ans seulement, s'accrochait à la jupe de sa marraine, trop petit pour comprendre que sa mère allait être portée en terre. Antoinette Goudreau, née Imbault, avait à peine trente ans lorsqu'elle rendit veuf l'homme qu'elle aimait. En plein cœur de l'été 1930, par une chaleur à faire chanter les cigales le soir. Mathias, les yeux rougis, regardait sa belle-mère qui sanglotait dans les bras de son mari pendant que sa belle-sœur, Flavie, s'occupait du petit Roger, qui tentait de s'échapper de sa garde pour rejoindre ses frères et son père, trop en avance sur lui dans ce funèbre cortège. Antoinette fut la première à être enterrée dans le lot que Mathias avait acheté pour sa famille.

Déposant une gerbe de roses sur la terre quasi séchée par la chaleur de la veille, il avait murmuré à sa bien-aimée :

— Ne crains rien, j'irai te rejoindre, ma douce. Tôt ou tard, je serai à tes côtés et, sois sans crainte, je vais m'occuper des petits.

La cérémonie terminée, il avait regagné seul son logis de la rue Bélanger, sa belle-famille ayant décidé de prendre soin des enfants pour quelque temps. Mathias devait se remettre du choc encore récent. Il avait à composer avec l'épreuve, et c'est en silence qu'il revécut, ce soir-là, les jours qui avaient précédé le décès de « Toinette », comme il l'appelait. Emportée rapidement par une agressive embolie pulmonaire. Une magnifique jeune femme rencontrée par la grâce de Dieu et dont il n'avait eu ni fin ni cesse que d'admirer la grande beauté. Que de prétendants autour d'elle ! Mais c'était sur Mathias qu'elle avait jeté son dévolu. Un garçon dont le regard débordait de bonté. Lui qui, depuis leur mariage, lui répétait chaque jour en rentrant du travail : « Comme tu es belle ! » Et d'ajouter un certain soir : « Même avec ton cache-poussière et tes cheveux dans un filet ! » Ce qui l'avait fait éclater de rire et lui répliquer : « Avec mes bas ravalés à la cheville pour laver mes planchers ? Tu m'aimes aveuglément, toi ! » Ils étaient si amoureux l'un de l'autre, si heureux ensemble, si solidaires… Mais, hélas, la vie, le temps, les ans allaient percer, tel un aigle malfaisant, ce nid douillet dans lequel s'agitaient trois garçonnets.

Le médecin de famille était venu maintes fois au logement des Goudreau. Ce même bon docteur Chartier qui avait accouché Antoinette de ses trois enfants. Lors de sa dernière visite, Mathias, impuissant devant l'état de sa femme, avait demandé au docteur :

— Elle n'est pas devenue consomption, au moins ?

— Non, et il serait plus juste de dire tuberculeuse, Mathias. La science évolue, le vocabulaire aussi.

— Ben, en autant que ça veut dire la même chose… Moi, l'instruction…

— Tu sais, sa dernière grossesse ne l'a pas aidée. Ta femme n'a pas une grosse santé, elle est fragile, tu aurais pu te contenter de deux enfants. C'est depuis le p'tit dernier que son état s'est aggravé. Des varices multiples déjà à son âge, une phlébite, le souffle court : ce n'étaient pas de bons présages.

Retournant auprès de la jeune femme, le docteur Chartier lui avait dit :

— Je crains, madame Goudreau, que ce ne soit une embolie qui se prépare. Une embolie pulmonaire.

— Bien, qu'est-ce que c'est que ça ? Je fais pourtant brûler de l'Asthmador quand j'étouffe et la fumée que je respire m'aide beaucoup…

— Madame Goudreau ! Ce remède est pour les asthmatiques. Pour dilater les bronches ! Pas pour vous, voyons !

— Mais ça m'aide, docteur…

Laissant échapper un soupir d'impatience, le médecin poursuivit devant le couple :

— Une embolie, c'est un caillot qui circule dans le sang et qui bloque la ramification artérielle irriguant le poumon. C'est souvent une complication d'une phlébite. Une anomalie respiratoire, de la basse pression…

— Bien, coudon, où c'est que j'ai attrapé tout ça, docteur ?

— Nulle part, ce n'est pas une varicelle ou une coqueluche, madame, c'est votre état de santé lamentable qui se détériore de plus en plus. Je regrette, Mathias, mais si ça empire, il va falloir hospitaliser ta femme…

— Non, pas d'hôpital pour moi ! J'ai trois enfants à prendre soin ! Ça va passer ! Ça va partir tout seul ! J'aime mieux rester à la maison, docteur. Pis toi, Mathias, arrête de le déranger pour rien, j'ai de l'huile de castor, j'ai des suppositoires, j'ai tout c'qui faut pour faire sortir le mal, mon homme !

— Je ne peux vous hospitaliser ni vous soigner de force, madame Goudreau. Si vous refusez les traitements que je vous offre, je vais vous laisser aux bons soins de la sainte Trinité.

— Ben, faites donc ça ! Je fais mes prières chaque soir, pis le bon Dieu y sait, lui, que j'ai des p'tits à m'occuper. Insistez pas ! Pour les soins, ma mère va m'aider. Paye le docteur, Mathias, pis laisse-moi me remettre sur pied toute seule. L'hôpital pis les piqûres, merci, pas pour moi ! J'ai même eu mes enfants à la maison !

Le brave docteur Chartier n'était pas revenu chez les Goudreau. Mathias n'avait pas cru bon de le rappeler. Sa femme était convaincue de pouvoir s'en sortir avec des mouches de moutarde, des comprimés Madelon pour sa fièvre, du sirop Lambert, du Castoria, des petites pilules Carter pour le foie… Bref, tout ce qui lui tombait sous la main ! Ce n'est que la veille de son décès que, désespéré, le pauvre homme avait téléphoné au docteur Chartier, qui, malheureusement, était en dehors de la ville pour ses vacances d'été. Il avait ensuite appelé l'hôpital, on lui avait envoyé une ambulance sur son insistance mais, plongée dans le coma, Antoinette était déjà morte quand on avait voulu la placer sur la civière. Morte chez elle ! Dans son lit ! Comme lorsqu'elle accouchait de ses petits ! Et c'est avec le cœur en miettes que Mathias pleura à chaudes larmes sur la dépouille de celle qu'il avait tant aimée. Devant ses jeunes enfants, dont les deux plus vieux semblaient réaliser que leur mère était partie. Leur retenue fit place à la douleur et Léo, l'aîné, s'essuya les paupières avec un coin de drap du lit de sa mère. Mathias, constatant que les petits étaient sidérés devant le drame qui venait de se jouer, se ressaisit pour dire aux enfants : «Laissez-moi seul avec elle, prenez soin du p'tit, on va venir s'occuper de vous autres… » Ces derniers mots prononcés avec hésitation, car Mathias se retrouvait maintenant sans sa femme pour élever les enfants, sans sa Toinette qu'il aimait tant. Désemparé, fils unique, sa mère décédée, son père paralysé à l'hospice, il n'avait que les Imbault vers qui se tourner. Sa belle-mère l'assura qu'elle ferait de son mieux pour l'aider et son beau-père lui prêta un peu d'argent puisque, dernièrement, il n'avait pas travaillé à la plomberie qui l'employait. Sa belle-sœur, Flavie, institutrice, en vacances pour l'été, s'occupa de Roger, le plus jeune, qui s'en accommodait grandement. Célibataire, vingt-sept ans, Flavie n'avait jusqu'à ce jour cherché aucun mari. Deux semaines après l'enterrement d'Antoinette, son père lui avait dit :

— Si tu t'en donnais la peine, tu pourrais prendre la relève, te marier avec Mathias, le p'tit dernier est déjà attaché à toi.

— Voyons, papa, je ne suis pas intéressée. Je suis maîtresse d'école, j'enseigne aux enfants, je ne les élève pas. Et Mathias…

— Quoi ! Il est bel homme ! Il a tout pour plaire ! Bon caractère…

— Allons, mon vieux, arrête ton bavardage, répliqua sa femme. On ne place pas sa fille devant une telle situation, on n'y pense même pas ! Faudrait que ça vienne d'elle pis comme tu peux voir…

— Bien oui, ouvre tes yeux, papa ! Si j'avais voulu me marier, ce serait déjà fait. J'ai refusé deux demandes, tu le sais ! Et je ne vais pas m'avancer pour Mathias parce qu'il fait pitié. J'ai ma propre vie à vivre, moi…

— Bon, ça va Flavie, va pas plus loin, j'ai compris, j'disais ça comme ça en passant parce que ton beau-frère est un bon gars, un bon père…

— Y va s'débrouiller, l'interrompit encore sa femme. Y en trouvera ben une autre qui voudra d'lui ! Y a une bonne job, quelques piastres de côté, y est pas dans les dettes, son char est payé…

— Oui, c'est vrai qu'il peut en trouver une autre, y est poli, y est bel homme, y a juste trente ans… Un sapré bon parti, ajouta-t-il en regardant sa fille.

— Oui, mon vieux, en autant que celles qu'il va courtiser veuillent bien de lui avec ses meubles pis ses trois p'tits ! s'écria la mère.

— Pas si fort, j'suis pas sourd ! Pis, c'est à Flavie que j'm'adressais !

L'été s'écoula ainsi et, avec l'aide de ses beaux-parents et de sa belle-sœur, Mathias réussit à remonter la côte, à retrouver le moral et à moins se plaindre d'avoir perdu sa douce moitié sans toutefois l'oublier. Chaque jour, il levait les yeux au ciel et demandait à Dieu : « Pourquoi elle ? Si jeune, si belle, si maternelle… Vous aviez besoin d'un ange, Seigneur ? » Puis, devant une photo d'Antoinette en costume de bain à la plage, souriante avec Gaston, son deuxième, sur les genoux, il lui lança : « T'aurais pas pu dire au bon Dieu de s'retenir ? D'aller en chercher une plus vieille ? Pourquoi tu l'as laissé faire ? » Pour ensuite s'en repentir et lui demander pardon. Toinette avait tellement souffert avant de mourir.

Madame Imbault, aidée de Flavie, gardait les enfants du lundi jusqu'au vendredi et Mathias se chargeait d'eux quand la fin de semaine arrivait. Il les sortait, il les récompensait d'avoir été sages chez leurs grands-parents en leur achetant des bonbons clairs, des lunes de miel, des *gumdrops,* des petits outils sucrés que l'aîné aimait tant, des réglisses rouges… Quand ce n'était pas un cornet à deux boules ou de l'orangeade avec des chips à cinq cennes le gros sac. Gâtés d'un côté comme de l'autre, les enfants s'entraidaient et obéissaient à leur père. Les deux plus vieux, pour le décharger des corvées, s'occupaient du plus petit pendant que Mathias faisait la lessive ou le ménage de son logis. Un veuf assez débrouillard, selon madame Mercier, sa plus proche voisine, qui lui faisait son repassage, une tâche dans laquelle le pauvre homme n'était pas habile. L'automne arriva, les enfants reprirent le chemin de l'école et le petit Roger retourna chez ses grands-parents chaque matin jusqu'au retour de son papa de la plomberie, le soir venu. L'hiver se montra à son tour, Mathias monta le sapin, acheta des jouets pour les enfants et se régala des tourtières et des ragoûts de boulettes que sa belle-mère lui faisait parvenir. Pour le souper des Fêtes, comme de coutume, c'est chez les Imbault que le veuf et ses enfants allèrent. Comme au temps où Antoinette vivait. La dinde de grand-mère, ses carrés aux dattes, ses biscuits cuits au four dans des moules aux formes de boules de neige et de guirlandes. Ce que la défunte maman devait certes apprécier de l'autre côté. Quelle joie pour ses fistons ! Et Mathias, qui buvait peu, accepta le petit verre de gros gin que son beau-père lui servait pour accueillir la nouvelle année tout en lui disant, cette fois-ci :

— Tu vas voir, tout va s'arranger, Mathias…

— Vous croyez ? Je me demande bien comment, sans Toinette.

— T'en fais pas, c'est elle qui va s'en charger. Elle ne va pas te laisser mal pris avec tes trois enfants. Elle va trouver une solution. Rappelle-toi d'elle, Mathias ! Ma fille, c'était un cœur sur deux pattes ! Et tu vas voir, mon gendre, même de l'autre bord, elle va te venir en aide.

En février, cependant, alors que le jeune veuf fêtait ses trente et un ans avec ses trois enfants, même s'il s'était juré de rester fidèle à Toinette, il ressentit le soudain besoin de refaire sa vie, de trouver une mère pour ses petits, par le fait même une femme pour lui. Qui donc lui soufflait ces idées dans la tête ? Il était méfiant, il était même inquiet… Était-ce « elle » qui, du haut du Ciel, avec l'appui de la Vierge, l'imprégnait de telles pensées ? Possible… Son beau-père le lui avait presque prédit. Mais, aussi bel homme était-il, les femmes n'allaient pas se jeter à ses pieds avec la marmaille qu'il traînait. Et les veuves de son âge étaient peu nombreuses. Certaines femmes aux mœurs douteuses auraient bien aimé le consoler, mais de là à le marier, non ! Comme Mathias n'était pas du genre à ne penser qu'à la bagatelle, il était à la recherche d'une épouse, pas d'une concubine et encore moins d'une fille de petite vertu. Il se disait que, si Dieu et Toinette le voulaient, il trouverait. Il s'en remettait à sa chère disparue, qui lui ferait sûrement signe le moment venu. Mais où et comment ? Mathias, avec son boulot et ses enfants, n'allait pas plus loin qu'à son travail et, de là, revenait à la maison. Or, les occasions de rencontrer une femme se faisaient plutôt rares.

Comme le destin se mêle un peu de tout, c'est lors d'une réparation de tuyaux crevés dans une maison privée que le propriétaire, un dénommé Ménard, apprenant qu'il était veuf avec des enfants en bas âge, lui déclara :

— Si ça vous intéresse, j'ai une cousine qui n'est pas mariée et qui aimerait peut-être bien se caser. Elle habite dans le bas de la ville, sur la rue Champlain, pis elle est caissière à l'épicerie du coin le jour et vendeuse de billets au guichet d'un cinéma le soir. Bonne travaillante, elle ne compte pas les heures. Plus vaillante qu'elle, cherchez-la !

Une femme de tête avec de l'argent de côté qu'elle ménage pour les temps creux, mais elle n'en aura pas, elle est en bonne santé pis elle a le même âge que vous ou presque. J'pourrais vous la présenter ?

— Ben, si elle a toutes ces qualités, comment se fait-il qu'elle ne soit pas déjà mariée ?

— Y en a pas un qui l'a encore intéressée… Mais, j'vous regarde, j'pense qu'a vous trouverait de son goût, vous ! Ça engage à rien, une présentation. Si de son côté elle veut bien vous rencontrer. Vous me donnez la permission d'essayer ?

— Ben, si vous y tenez… Mais, avec trois enfants sur les bras…

— Ça, j'pense que ça la dérangerait pas… Plus jeune, elle a gardé les enfants de tout le quartier. Une vraie bonne personne !

— Bon, pis elle s'appelle comment, votre cousine ?

— Maryvonne.

Le client, Fulgence Ménard, un vieux garçon habitant seul une maison payée de ses deniers, avait parlé de Mathias à sa cousine Maryvonne, et cette dernière, hésitant un peu, avait fini par accepter de rencontrer le veuf après que son cousin lui eut mentionné qu'il paraissait bien. Le problème, c'était de savoir où ils pourraient faire connaissance. Elle ne voulait pas que ce soit chez elle, où elle vivait avec sa mère, ni chez le veuf, à cause des enfants qui seraient présents. Son cousin lui offrit le boudoir de sa maison, mais elle préférait un endroit neutre où personne autour ne prêterait l'oreille. Il fut donc convenu que le couple se rencontrerait au restaurant Crystal de la rue Sainte-Catherine, près d'Amherst, vers quatre heures, avant que la clientèle afflue pour le souper, si Mathias pouvait se dégager de son travail pour s'y rendre. Elle avait ajouté qu'elle porterait une robe blanche à pois rouges pour qu'il ne se trompe pas de table, ce que le cousin «entremetteur» s'était empressé de rapporter au plombier.

Le jour venu, ayant bénéficié d'un après-midi de congé, Mathias Goudreau avait revêtu son plus bel habit pour le rendez-vous. Il avait également endossé une chemise blanche sous son veston avec une cravate fleurie. Muni de son pardessus d'hiver doublé et de ses bottes de sortie à fermetures éclair, il avait demandé à sa belle-sœur de venir après l'école s'occuper de Léo et de Gaston, les deux plus vieux, alors que le petit Roger resterait chez ses grands-parents. Au volant de sa voiture passablement usagée, il se rendit donc, par ce jour froid mais sans tempête, au lieu choisi par la fille qu'il allait rencontrer. Il ne l'avait jamais vue, elle non plus, c'était une *blind date,* comme on disait. Même que Fulgence Ménard avait refusé de lui décrire Maryvonne, prétextant que la surprise faisait toujours meilleur effet. Elle, néanmoins, savait que le veuf était bel homme et cela lui suffisait. À trente ans, vieille fille depuis cinq ans, un candidat de belle apparence, c'était inespéré pour elle. Et fort aimable, selon les dires de son cousin, qui la poussait quasiment dans les bras du veuf, plombier de surcroît, bon métier, salaires réduits en ce temps de crise économique, toutefois chanceux d'avoir encore son emploi.

Mathias stationna sa bagnole non loin du restaurant en question et, poussant la porte, il fut surpris de constater que l'endroit était quasiment vide. Un couple sirotait un café sur la même banquette et une vieille dame se régalait d'une pointe de tarte au comptoir. La serveuse voulut lui désigner une table, mais il aperçut au fond, en retrait, une dame avec une robe blanche à pois rouges qui lui souriait. Avisant la serveuse qu'il était attendu, il se dirigea vers la table de Maryvonne Ménard, qui, sans se lever, lui donna la main tout en l'invitant à prendre place en face d'elle. Il se libéra de son pardessus, de son foulard et, ayant pris place, il commanda en même temps qu'elle un petit goûter pour la circonstance. Maryvonne opta pour la *coconut cream pie* avec une tasse de thé et, pour l'accompagner, Mathias demanda à la serveuse de lui apporter un beigne allemand avec un café sans lait ni sucre, bref, un café noir, comme disaient les plus jeunes. Et ce fut le moment de la découverte. Ayant eu le temps de la regarder de face, de profil et même jusqu'aux jambes en se penchant pour fixer un lacet de ses bottes, Mathias avait devant les yeux le portrait au complet de la cousine de son client. Joli sourire, les dents pas trop jaunies, propre de sa personne, les cheveux bruns remontés en chignon, la robe blanche à pois rouges légèrement décolletée, le collier de perles à trois rangs, les mains potelées ornées de deux bagues, pas de cutex sur les ongles, un tantinet de rouge à lèvres, elle était, comment dire, « passable ». Sauf qu'elle était corpulente, corsetée, ça se voyait, avec une poitrine tellement généreuse que le regard de Mathias s'y pointa beaucoup plus que dans les yeux verts de la demoiselle. Le buste en évidence de sa compagne venait de faire des gains sur ce qui laissait à désirer du reste de sa personne.

Lui, cependant, avait vite attiré son attention avec son sourire, ses yeux bleus, sa bouche sensuelle, ses épaules carrées. Un bouton de sa chemise qui s'était détaché en cours de route permit à Maryvonne de constater que l'homme en face d'elle, en plus d'être très beau, était velu, voire viril. Ce qui lui plaisait doublement. Mais en était-il autant de lui face aux courbes compressées de la dame aux joues boursouflées? Et, comme il fallait s'y attendre, la conversation s'engagea, mais c'est elle qui rompit la glace:

— Vous avez perdu votre femme, m'a dit mon cousin, ce qui est triste…

— Oui, une grosse épreuve, mais j'ai de l'aide avec les enfants. Mes beaux-parents, ma belle-sœur et ma voisine me donnent un bon coup de main de ce côté-là.

— Vous n'avez pas de parenté?

Mathias se servit de cette question pour lui parler de sa défunte mère, de son père paralysé dans un hospice, du fait d'avoir été enfant unique, de quelques cousins et cousines par-ci par-là, de sa rencontre avec Antoinette, de son mariage à l'âge de vingt ans, de son logis, de ses trois enfants, tous des garçons, pour ensuite cesser et lui demander:

— Si on parlait de vous maintenant?

— Mon cousin ne vous a rien dit?

— Non, à part que vous avez deux emplois, que vous êtes célibataire, que vous êtes de mon âge…

— Oui, j'ai deux emplois, mais aucun ne me tient à cœur. C'est du *part time* aux deux places, rien de régulier. Pour l'âge, je vais avoir trente et un ans le 30 juillet et vous les avez eus récemment, mon cousin me l'a dit. Donc, nous sommes de la même année. Je suis célibataire parce que je n'ai pas encore rencontré d'homme intéressant. Je ne parle pas de vous, monsieur Goudreau, je veux dire avant vous, en général… Je vis dans la maison de ma mère, mon père est mort depuis cinq ans. Pas une grande maison, assez basse, juste un plancher, mais elle est à nous, ce qui est mieux que de payer un loyer. Avec le temps, j'ai racheté la maison pour une couple de piastres et elle est maintenant à mon nom. Ma mère n'avait aucune ressource pour la garder, c'est tout ce que mon père lui a laissé. Moi, avec mes deux emplois temporaires, mon sens de l'économie, la couture que je fais pour les femmes du quartier, j'ai réussi à la payer, il restait juste sept cents piastres à verser pour rembourser l'emprunt. À part ça, j'ai fait mes études chez les religieuses, d'où mes cours de couture, de cuisine, de tricot et de musique.

— Vous jouez de quel instrument ?

— Je pianote ! Pas experte, croyez-moi, convenablement, je dirais. Des morceaux populaires, rien de classique, je n'en ai pas le talent. *Le temps des cerises, Parlez-moi d'amour…* Vous saisissez ? J'ai encore un piano à la maison et je joue de temps en temps pour faire plaisir à ma mère. Ça la fait chanter ou fredonner quand elle ne connaît pas les paroles.

— Ce qui est bien. Musicienne en plus ! Vous aimez aussi les sorties ? Vous avez des goûts précis ?

— Non, et vous ?

— Vous avez sûrement des loisirs, Maryvonne.

Il l'avait appelée par son prénom sans s'en rendre compte et, elle, sautant sur l'occasion, en avait fait de même en répondant :

— Des loisirs… Si on veut, Mathias, mais rien de parti- culier. Je vais au cinéma de temps en temps, mais en anglais plus souvent pour voir les films de Greta Garbo. J'aime beaucoup cette actrice, qui a enfin tourné *Anna Christie,* son premier film parlant. J'ai hâte qu'il arrive en français dans nos cinémas. Pour ma mère, pas pour moi. Je suis bilingue, j'ai appris l'anglais avec les sœurs.

— Moi, j'me débrouille, mais j'le baragouine, l'anglais ! J'suis pas allé à l'école aussi longtemps que vous !

Il éclata de rire, elle en fit autant et, reprenant le fil, elle ajouta :

— Comme passe-temps, j'écoute la radio. J'aime les programmes qui se suivent, les romans-fleuves si vous comprenez ce que je veux dire. Et j'écoute la chansonnette française avec ma mère, qui aime bien Maurice Chevalier et Jean Sablon, ses chanteurs préférés. À part ça, pas grand-chose, je suis assez tranquille.

— Ben, moi non plus, j'mets pas le nez dehors souvent, j'sors presque jamais. Je travaille pis j'me repose le soir. Avec trois enfants...

— Oui, mais avant, avec votre femme ?

— Antoinette allait au théâtre avec sa sœur pis sa mère et je gardais les enfants. Ensemble, on allait aux vues parfois, mais pas souvent. Le dernier film qu'on a vu, c'était *Tir-au-flanc* avec Michel Simon. Des films français tout le temps, ma femme ne lisait pas l'anglais au bas de l'écran, pis moi, pas l'diable plus ! Tout en jasant, je ne vous ai pas demandé si vous aviez des frères et sœurs ?

— J'ai juste un frère, Donat, mais il vit à Regina en Saskatchewan avec sa femme et ses deux filles. Il brasse des affaires par là. Ils ont leur maison, ils ne manquent de rien, il réussit bien. Il ne reviendra pas ici, c'est certain. Pas avec le train de vie qu'ils mènent là-bas. On ne les voit pas souvent, jamais ou presque, devrais-je dire. Mon frère sait que je m'occupe de la mère, ce qui fait l'affaire de Gladys, sa femme, que j'aime plus ou moins… Une Anglaise de par là ! Pour en finir avec eux, je vous dirais que Donat a cinq ans de plus que moi et que ses deux filles, Amanda et Kay, je les ai presque jamais vues. Mon frère et sa femme sont venus une fois ou deux depuis qu'ils sont mariés. En neuf ans ! Ce qui veut dire rarement !

Ils avaient terminé leur collation et, comme la noirceur était presque de rigueur à cette heure-là, Maryvonne mit fin à leur entretien en disant à son compagnon :

— Vous allez m'excuser, Mathias, mais il faut que je rentre à la maison. C'est moi qui prépare le souper de maman tous les soirs. Et après, je dois me rendre au cinéma Strand pour m'installer au guichet.

— Vous avez bien du mérite, mademoiselle Ménard.

— Bien non, Maryvonne, voyons ! On a mis fin aux politesses !

— Comme vous voudrez. Pensez-vous qu'on pourrait se revoir ?

— Bien, on peut essayer de se fréquenter vu qu'on a des points en commun. Après, on verra bien…

— Un bon arrangement ! Je peux vous téléphoner ?

— Oui, les fins de semaine pour le moment, à cause de mon travail le soir. Je suis libre le samedi et le dimanche.

— J'ai oublié de vous dire que je ne bois pas, juste un verre dans les grandes occasions. Pis je ne fume pas non plus. C'était dangereux pour les poumons de ma femme, vous comprenez…

Mathias Goudreau avait cru bon de préciser ces qualités car, en son for intérieur, même si Maryvonne Ménard n'était pas le plus beau brin de fille qui soit, il était intéressé. Elle était vaillante, elle avait de bons bras, elle cuisinait, elle cousait, elle sortait peu, ce qui en ferait une bonne mère pour ses enfants. Et sur le plan plus personnel, quoique massive, elle avait une poitrine dont aucun homme ne se plaindrait. De son côté, la jeune femme semblait attirée par ce bel homme aux cheveux châtain clair bien peignés, aux dents blanches, assez grand, bon père, sans doute bon mari... Il se pouvait que Maryvonne prenne le risque. À moins de tourner son capot de bord et de rester avec sa mère jusqu'à la fin de ses jours. Il lui offrit de la déposer chez elle, ce qu'elle accepta et, rendus en face de sa demeure, rue Lacordaire, il lui dit avant qu'elle sorte de la voiture :

— Ça semble joli chez vous. Une belle petite maison...

— Oui, je l'aime bien, mais ce n'est pas grand. Deux chambres seulement...

Ils se promirent un autre rendez-vous, c'est lui qui allait lui téléphoner et ils décideraient alors où se rencontrer. Juste avant de la quitter, comme si Maryvonne avait déjà accepté la charge, il avait ajouté :

— N'oubliez pas que j'ai trois enfants, un pas mal jeune, les deux autres, raisonnables.

— Oui, je sais, pis vous, Mathias, n'oubliez pas que j'ai ma mère et qu'elle vivra toujours avec moi, où que je sois.

Ce que le pauvre homme n'avait pas envisagé toutefois. Or, si l'avenir allait concrétiser ce qui se tramait, Mathias aurait sous son toit une femme, trois enfants et une belle-mère. Tout un bail pour le jeune veuf, qui ne voyait pas tout ce monde-là dans son quatre pièces et demie qu'il avait allègrement partagé avec Toinette et les petits. Avec seulement deux chambres et un petit boudoir. Il avait levé les yeux au ciel comme pour interroger Antoinette sur le choix de celle qui la remplacerait peut-être auprès des enfants. Si la défunte y était pour quelque chose, elle s'était bien abstenue de lui faire rencontrer une femme aussi jolie qu'elle-même l'avait été… Comme si elle refusait que son mari l'oublie dans les bras d'une femme plus belle qu'elle… Allons! Que de sornettes! Mathias devait à tout prix s'enlever de la tête que feue sa Toinette pouvait y être pour quelque chose. Retrouvant ses sens, analysant quelque peu la situation, il se demandait si Maryvonne Ménard, déjà imposante, accepterait de vivre aussi à l'étroit si tel était le cas. Avec sa mère dormant sur un sofa? Mathias se questionnait sur le sujet sans savoir encore que, si l'union survenait de la sorte, c'était Maryvonne… qui porterait les culottes!

Chapitre 1

Mathias laissa une semaine s'écouler avant de rappeler Maryvonne chez elle un samedi soir. Il avait pris soin de réfléchir, d'en discuter avec ses beaux-parents, qui l'encouragèrent à fréquenter cette fille si le cœur lui en disait. Il était même retourné chez son client, le cousin de mademoiselle Ménard, afin d'être plus convaincu que c'était le geste à faire, et ce dernier lui avait rappelé que la célibataire était en plein celle qu'il lui fallait, surtout avec trois gars à élever. Fulgence avait ajouté : « Moi, ça ne me fait rien, monsieur Goudreau. Que vous l'appeliez ou pas, vous resterez mon plombier ! Mais c'est elle qui devrait avoir des doutes et non vous, c'est elle qui va s'embarquer en pas pour rire si vous parvenez à la marier. Pensez-y un peu ! Sa mère déjà sur les bras et là, avec un veuf pis ses trois p'tits gars à part ça, faut du courage ! Moi, à sa place, j'y penserais deux fois ! » Et c'est par crainte de la perdre, par peur de la voir changer d'idée, de l'entendre lui dire qu'elle n'était plus intéressée, qu'il composa son numéro de téléphone rapidement ce soir-là, pour l'inviter le lendemain au restaurant

chinois où l'on servait des plats gigantesques de mets qui
plaisaient. Il se disait que c'était par le ventre qu'il allait
faire tomber dans ses filets cette fille bien nourrie. Mathias
Goudreau, problèmes à venir ou pas avec elle, avait décidé
qu'il en ferait sa femme après quelques sorties, par-ci par-
là, au restaurant de préférence. Restait à voir si Maryvonne
allait se laisser prendre au piège par des mets chinois, des
spaghettis *meatballs* ou même par les *roast beefs* des salles
à manger des chics hôtels. Mathias, néanmoins, persistait à
croire que c'était par l'estomac qu'il allait conquérir cette
ronde personne, sans penser qu'il aurait peut-être plus de
chance en lui faisant la cour très habilement. Parce que,
contrairement à ce qu'il croyait, Maryvonne Ménard, malgré
ses fortes hanches étouffées dans un corset, n'était pas gourmande à souhait.

Heureuse au bout du fil, elle avait accepté la sortie pro-
posée pour le lendemain soir, et Mathias était passé la
prendre vers six heures pour avoir de la place au restaurant chinois. Ils avaient joué de chance, une table se libé-
rait au moment où ils entraient. C'était bondé de gens à
cette heure-là, même de familles complètes. C'était acha-
landé parce que ce n'était pas cher et que les assiettes étaient
généreuses. Malgré l'inconfort des lieux, Maryvonne commanda une soupe aux nouilles, un *egg roll* avec sauce aux
prunes et une légère portion de riz aux légumes, rien de
plus. Au grand étonnement de Mathias, qui, lui, opta pour le
repas complet et le dessert inclus. Sa compagne se contenta
ensuite d'un thé oriental, de *fortune cookies,* et ils causèrent
de tout… et de rien ! Elle parla de son travail de jour et du

film qu'on jouait présentement au Strand, où elle était caissière le soir. On y présentait le film *Morocco,* avec Gary Cooper, que les femmes adulaient. Gentiment, elle avait dit à son compagnon de table : « C'est drôle, mais vous avez quelque chose de lui, Mathias. Le regard peut-être, les cheveux, la bouche… » Il en avait été flatté car, ayant vu une photo de l'acteur sur la couverture d'un magazine chez une cliente, il se souvenait que Gary Cooper n'était pas piqué des vers. Or, si Maryvonne le voyait un peu comme lui, il n'aurait pas à brasser toutes ses cartes avant de jouer la bonne. Car la vieille fille qui lui semblait plutôt prude donnait l'impression de s'y connaître en beaux mâles. Ce soir-là, loin de tenter de le séduire, mademoiselle Ménard ne portait qu'une robe noire fermée au cou avec une médaille en or de la Vierge comme parure, un cadeau de Noël de sa mère. Sa montre-bracelet au poignet gauche, une bague avec deux rubis, sa pierre de naissance, un autre cadeau de sa mère, et une veste de laine beige jetée négligemment sur ses épaules. Les cheveux défaits et ondulés au fer jusqu'à la moitié du cou, elle n'était pas laide, pas belle, juste passable, comme le pensait une fois de plus son prétendant. Mathias avait enfilé son complet gris, une chemise blanche et une cravate à motifs abstraits. À l'annulaire, il portait encore son jonc en or qui l'avait uni à Toinette, ce que Maryvonne constata sans toutefois le lui reprocher. Elle songea plutôt que, veuf depuis peu, il était, dans son cœur, encore marié à celle qu'il avait aimée. Elle lui parla donc de sa mère, de la frêle santé de cette dernière, de sa maigreur, et Mathias en déduisit que sa compagne tenait sans doute du paternel, sans l'avoir encore vu en portrait, pour être aussi robuste. Il la reconduisit chez elle vers neuf heures, mais aucun geste déplacé de sa part, pas même sa main dans la sienne. Maryvonne était une fille réservée. Elle attendait probablement qu'il fasse les premiers pas… Ce que Mathias ne fit pas ce soir-là. Ils convinrent de se revoir le samedi suivant, elle voulait qu'ils aillent au cinéma ensemble, au Strand, où elle pouvait entrer gratuitement en tout temps avec un ou une amie. Elle lui avait suggéré:

— La semaine prochaine, on va projeter un autre film de Gary Cooper, *The Texan,* cette fois avec Fay Wray comme partenaire. Ça devrait vous plaire.

— Mais je ne comprends pas tellement l'anglais, je vous l'ai dit, je crois…

— Ça n'a pas d'importance, vous allez suivre quand même, c'est un film de cowboys et il y a plus de coups de feu que de dialogues dans ces films. Et après, si ça vous tente, il y a un restaurant pas loin où on peut commander un petit dessert et un café. On en profiterait pour jaser…

— Bonne idée! Je viendrai vous prendre après le souper dans ce cas-là, le temps de confier les deux plus vieux à ma voisine, madame Mercier, et de déposer mon p'tit Roger chez ma belle-mère.

Ravie, Maryvonne Ménard rentra chez elle en laissant échapper un soupir de contentement. Un homme comme Mathias Goudreau ne pouvait laisser une femme indifférente. Fulgence avait raison en affirmant qu'il était aussi beau que Randolph Scott, son acteur préféré. Grand, châtain tirant sur le blond, les yeux bleus, les épaules carrées… Dès qu'elle fut assise dans le vivoir, sa mère lui demanda:

— Pis? Comment ça se passe? Il te plaît, cet homme-là?

— Oui, mais on se connaît à peine, attendons un peu, maman. Mais, chose certaine, il est poli et pas mal… séduisant.

— Tiens, tiens ! avait répliqué la mère, sans insister pour autant.

Ce qui fut dit fut fait et, le samedi suivant, Maryvonne et Mathias se rendaient au cinéma où le jeune veuf constata que Gary Cooper était plus beau que lui mais qu'il avait, en effet, un petit quelque chose de ressemblant. Ce que Maryvonne lui signifia une seconde fois en sortant du cinéma. Ils se rendirent au restaurant tout près et, lui ouvrant la porte, il lui prit la main pour la guider jusqu'à une table à deux en coin. Charmée, troublée… par la main chaude qui avait saisi la sienne, la jeune femme, vêtue de bleu cette fois, avec le chignon enroulé dans un foulard de soie et portant des boucles d'oreilles bon marché en forme de boutons bleus, regardait maintenant son cavalier avec un peu plus d'ardeur. Un morceau de gâteau aux pêches pour elle, une pointe de tarte au sucre pour lui, et deux cafés chauds devant les assiettes, elle semblait gênée d'engager la conversation après l'audace de son compagnon. Lui, plus calme, plus posé, sûr d'avoir bien agi, lui parla du film qu'il avait apprécié et s'empressa de la remercier d'avoir été admis sans avoir à payer. Non pas qu'il était près de ses sous, loin de là, mais il était si rare de bénéficier de tels privilèges qu'il en avait été honoré. Plus détendu encore, vêtu d'un veston gris sur une chemise blanche déboutonnée, Maryvonne pouvait se délecter du préambule de sa virilité. Ils parlèrent du confort des sièges du théâtre, de la qualité sonore du film, de ceux à venir avec d'autres vedettes cette fois et, alors qu'elle lui demandait s'il comptait la revoir la semaine prochaine, il lui répondit :

— Oui, Maryvonne, mais à une condition.

Inquiète, le regardant la bouche entrouverte, elle prononça :

— Laquelle ?

— Qu'on arrête de se vouvoyer, toi pis moi. On sort ensemble, on a des projets, faudrait être un peu plus familiers, tu trouves pas ?

Échappant un soupir de soulagement, elle répondit :

— Bien sûr, Mathias, j'attendais que tu le demandes. Je n'osais pas... C'est à l'homme de décider de ces choses-là.

— Alors, c'est fait ! Et comme tu as terminé ton café, faudrait bien songer à partir. Madame Mercier, la voisine, m'attend pour que je couche les enfants.

— Allons-y, ma mère ne dormira pas tant que je ne serai pas rentrée. Je la connais, tu sais... Non pas qu'elle s'inquiète pour moi, mais elle a peur quand elle est seule dans la maison. Au moindre bruit, elle sursaute. Elle craint les voleurs et elle a peur des rats qui se promènent dans la cave. On a pourtant un chat !

Mathias éclata de rire et, au volant de sa voiture, il se permit encore une fois d'encercler les doigts de sa belle entre les siens tout en conduisant de la main gauche. Ravie, Maryvonne ne retira pas sa main potelée de celle musclée de son cavalier. Rendus devant la maison, l'auto encore en marche, ils parlèrent un peu et Mathias en profita pour lui demander :

— Ça te dirait de rencontrer mes enfants ? Ce serait un commencement.

— Bien certain, n'importe quand ! Et j'aimerais aussi que tu fasses la connaissance de ma mère, elle m'en parle sans arrêt.

— Donc, entendu, la semaine prochaine, une petite visite chez moi et une tasse de thé chez vous avec ta mère avant d'aller souper quelque part.

— Non, pas quelque part cette fois, chez nous, Mathias, à la maison. Tu verras que ma cuisine vaut celle de bien des restaurants. Tu aimes le rôti de porc ?

— Je mange de tout, j'suis pas difficile, tu vas voir. Du bœuf, du poulet, du poisson, du foie de veau, de la cervelle frite, des rognons dans la moutarde, n'importe quoi !

— Bien, parle-moi de ça ! Un homme qui n'a pas le bec fin ! Papa, lui, ne mangeait presque rien. Faut dire que ma mère n'était pas une cuisinière hors pair, tout était trop cuit ou pas assez !

Maryvonne allait ouvrir la portière lorsqu'il la retint par la manche pour déposer un baiser sur sa joue fardée. Surprise, gênée, mais fort heureuse, elle le remercia du geste courtois et descendit avant de perdre contenance. À trente et un ans ou presque, Maryvonne Ménard n'avait jamais été approchée de la sorte par un homme, encore moins embrassée. Fixant le trottoir et les marches de sa maison, elle se demandait si elle allait pouvoir les monter sans trébucher après ce qui venait de se passer.

La semaine suivante, comme convenu, Mathias était allé chercher Maryvonne pour qu'elle rencontre ses enfants. Il avait demandé à ses beaux-parents de les garder afin de faire d'une pierre deux coups et de leur présenter celle qui risquait de prendre la place d'Antoinette dans un assez bref délai. Flavie avait également décidé de rester à la maison afin de voir de près la fille qui remplacerait sa sœur dans le cœur de son beau-frère. Donc, tous attendaient la visite en question, et Léo et Gaston, les deux plus vieux, avaient été mis au courant que cette dame allait peut-être devenir leur maman dans peu de temps. Récalcitrants, contents de leur sort actuel avec leurs grands-parents, ils ne voyaient pas d'un bon œil la venue de cette femme dans leur vie avant même de la connaître. Mathias se présenta chez ses beaux-parents avec Maryvonne, qui, pour la circonstance, avait endossé un tailleur brun sous un blouson beige et remonté ses cheveux en chignon pour mettre en évidence des boucles d'oreilles en or offertes par sa mère. Deux petites roses de la grosseur d'un pois vert. Sans être trop intimidée, la nouvelle venue tendit la main à monsieur Imbault, qui l'accueillit avec un «Enchanté» et un large sourire. Puis, à madame Imbault, qui, elle, lui donna la main sans pour autant lui sourire et, enfin, à Flavie, qui, étonnée du choix de son beau-frère, se montra toutefois courtoise et empressée auprès de l'imposante personne. Léo et Gaston, en retrait, avaient répété à tour de rôle : «Bonjour, madame» quand elle leur avait tendu la main. Mais quand elle voulut prendre Roger dans ses bras, le benjamin se dégagea pour aller se réfugier dans le tablier de sa grand-mère, qui n'insista pas pour qu'il embrasse l'étrangère. Car, pour madame Imbault, cette femme allait prendre la place de la mère des enfants, sa Toinette qu'elle pleurait encore. Elle trouvait que la vieille fille avait un air sévère. Elle redoutait sa fermeté à l'endroit des garçons, bref, elle ne l'aimait pas. Monsieur Imbault, par contre, avait vite décelé en Maryvonne une femme forte et en santé. Exactement ce qu'il fallait pour prendre trois enfants à sa charge. Flavie trouvait que son beau-frère était trop bel homme pour Maryvonne, ce à quoi son père aurait pu lui répondre : *C'était à toi de t'en emparer avant elle !* Mais elle se tut, souhaitant du fond du cœur que ses neveux apprennent à l'aimer et qu'en retour cette femme, quand même courageuse d'entreprendre une telle corvée, allait leur témoigner autant d'amour que leur mère leur en donnait. Une tasse de thé, quelques questions de la part de monsieur Imbault, un échange banal avec Flavie, un silence total de la belle-mère et le couple quitta la maison des grands-parents non sans avoir embrassé les enfants, sauf le petit, qui détourna la tête quand l'étrangère s'en approcha. Après leur départ, monsieur Imbault s'était empressé de dire à sa femme et à sa fille :

— Elle a l'air d'une bonne personne, je pense qu'elle sera une bonne mère et une bonne épouse. Qu'en pensez-vous ?

— Pour s'embarquer avec un veuf et trois enfants, elle doit être en peine d'un homme, la chère fille, répondit Flavie. Je me demande toutefois si Mathias ne se sacrifie pas pour ses petits en jetant son dévolu sur une femme comme elle.

— Que veux-tu dire ?

— Bien, l'apparence, papa ! Antoinette était si belle, si délicate… Sans vouloir médire sur son compte, cette femme n'a rien pour attirer un homme. À moins qu'il soit mal pris…

— C'est son cas, ma fille, pis Mathias est assez vieux pour savoir ce qu'il a à faire. Faut pas nous en mêler… Pis vous autres, les p'tits gars, comment vous la trouvez ?

— Ben… j'sais pas, répondit Léo. Elle a été fine avec moi…

— Moi, j'en veux pas, j'ai eu une mère, j'en veux pas deux… riposta Gaston.

— Et toi, ma femme, t'as encore rien dit sur elle ?

— Je l'aime pas, si tu veux le savoir. Pas du tout ! Pis j'espère que Mathias va changer d'idée. Même le p'tit a eu peur d'elle ! Juste à la voir, c'est ben assez !

Dans la voiture, alors qu'ils se dirigeaient chez madame Ménard, Mathias avait demandé à Maryvonne ce qu'elle avait pensé de ses trois gars et de sa belle-famille :

— Comment dire… Ton beau-père a été charmant, il m'a très bien accueillie, mais sa femme ne semble pas m'aimer. Faut dire que je prends en quelque sorte la place de sa fille. Ça se comprend un peu, mais le sourire était absent. Ta belle-sœur a été courtoise et de bonne foi avec moi. Une maîtresse d'école, ça sait vivre. Elle est jolie, celle-là, elle ressemble à son père. Quant aux enfants, le plus vieux m'a souri une fois ou deux, l'autre, pas du tout, sans doute gêné, et le p'tit, fallait s'y attendre, il est très attaché à sa grand-mère. De toute façon, Mathias, on n'apprivoise pas des enfants en quelques instants. Il faut un peu de temps. Je le sais, j'en ai tellement gardé, plus jeune…

Mathias n'ajouta rien et, tournant vers l'est du bas de la ville, il atteignit la rue Champlain et se stationna devant la porte de la petite maison qu'il n'avait pas encore visitée. Précédé de Maryvonne qui avait sa clef, il entra, se défit de son parka et de ses bottes, chaussa ses souliers sortis du sac de papier et suivit sa dulcinée jusqu'au salon où une petite dame chétive les attendait avec un sourire. Mathias resta surpris, la dame était si menue, si osseuse, qu'il ne pouvait l'associer à sa fille si costaude, si baraquée. Mais voyant du coin de l'œil une photo du père sur le piano, il comprit vite que Maryvonne était son portrait… tout craché ! Le même visage rond, les mêmes épaules carrées, les mêmes bras potelés… Madame Ménard, selon lui, ne lui avait donné que la vie, rien d'elle, même en sursis. Mathias lui avait tendu la main et crut un instant que la petite main maigre qui s'allongeait allait se détacher du bras de la dame tellement elle ne tenait qu'à un fil au poignet. Gentille mais timide, madame Ménard ne faisait que répondre brièvement aux questions de l'ami de cœur de Maryvonne. Discrètement ! Elle semblait impressionnée par cet homme qui s'intéressait à sa fille. Elle osait à peine le croire. Lui, si beau, elle… Elle fit dans sa tête un signe de croix pour avoir eu cette image négative. Maryvonne servit un jus de fruits à Mathias avant d'aller s'affairer à la cuisine et, resté seul avec la mère, le pauvre homme ne savait que dire tellement le climat était enclin à la timidité. Il lui désigna le piano et laissa échapper :

— Y paraît que votre fille joue très bien ?

— Oui.

— Vous avez un air préféré ?

— Oui.

— On peut savoir lequel ?

— *Le rêve passe.*

— Une autre chanson aussi ?

— Toutes.

Ayant écouté de la cuisine, Maryvonne revint pour dire à sa mère :

— Maman, voyons, dégêne-toi ! Mathias est comme nous autres, pas plus, pas moins ! Il aime la conversation, il aime jaser… Tu voulais tellement le connaître.

La vieille dame, plus à l'aise en présence de sa fille, répondit :

— Oui, c'est vrai, monsieur Goudreau, mais je suis impressionnée, je ne vous imaginais pas comme ça.

— Que veux-tu dire, maman ? Comme quoi ?

— Bien, disons que je le voyais un peu comme ton père, plus gros, moins grand… Vous êtes tellement différent.

— Est-ce que c'est un reproche ou un compliment ? demanda Mathias en riant.

— Oh ! Un compliment ! Mon défunt mari n'était pas aussi… Regardez sa photo sur le bahut…

— Aussi quoi, maman ?

— Bien… aussi beau… murmura la dame en baissant les yeux.

Flatté une fois de plus, Mathias s'éprit de cette vieille dame qui, selon ses rides, avait certes été mère à un âge avancé. Embarrassé toutefois, il lui répondit :

— Merci pour le compliment, mais je suis bien ordinaire, vous savez. Des gars comme moi, y en a partout. C'est au cinéma qu'on en voit des différents…

— Heu… pas sûre de ça, moi. Ils sont grimés les acteurs, tandis que vous, au naturel… Mais là, j'arrête, faudrait pas que je devienne trop familière, tout de même !

Pendant que le souper mijotait, Maryvonne s'était versé une liqueur douce aux agrumes et avait servi à sa mère un verre de bière. Surpris, voyant la bouteille presque vide sur la table, Maryvonne avait ajouté à l'endroit de son cavalier :

— Ma mère aime bien prendre une Black Horse de temps à autre. Elle en prenait avec papa. C'est son tonique, ça la garde en forme, paraît-il. Une bière, c'est bon pour la santé, dit le docteur, mais pas la caisse !

Mathias rit de bon cœur et, pour détendre l'atmosphère encore un peu contractée, il demanda à Maryvonne de se mettre au piano et de lui jouer un morceau ou deux parmi ses favoris. Hésitante, répliquant qu'elle jouait mal, elle finit par se laisser convaincre et interpréta, en les enchaînant ou presque, *Parlez-moi d'amour* et *Le rêve passe…* pour sa mère ! Ce qui enchanta le jeune veuf, qui trouvait qu'un piano ne serait pas de trop dans son logement lorsque viendrait le temps. Mais où l'installer ? Dans sa chambre à coucher ? Il n'eut guère le loisir d'y penser, le souper était prêt. En compagnie de madame Ménard et de sa fille, il dégusta le meilleur rôti de porc qui soit. Avec des patates brunes au four, des haricots verts en conserve puisque c'était encore l'hiver, des betteraves marinées par madame Ménard, du pain croûté… C'était tellement bon qu'il en accepta une seconde assiettée. Et un fait venait de germer dans sa tête, Maryvonne cuisinait comme pas une, ce qui lui faisait oublier tout ce qui l'avait fait hésiter. Pour dessert, un bon gâteau aux biscuits Village encore fait de ses mains habiles, une tasse de thé et, rassasié, Mathias n'en finissait plus de les remercier toutes deux. Maryvonne pour son souper, sa mère pour ses betteraves et son hospitalité.

Madame Ménard, moins timide au cours du repas, déplorait que madame Goudreau soit morte si jeune d'une maladie sournoise. Ce qui indisposa Maryvonne, qui ne voulait pas s'étendre sur le sort de la femme de son prétendant. Elle changea vite de sujet pour dire à Mathias :

— Quand tes enfants viendront ici, je leur servirai des biscuits Whippet de Viau avec du lait. Les enfants les ont adoptés depuis qu'on les a mis sur le marché il y a quelques années. Moi aussi, d'ailleurs, mais je me retiens, ça fait engraisser !

Maryvonne riait de bon cœur et sa mère, comme pour la contrarier sans faire exprès, ajouta :

— Le pain aussi, ma chère ! Surtout celui au four que tu cuis souvent.

Mal à l'aise, Maryvonne ne savait plus sur quel pied danser et c'est Mathias qui la délivra de son trouble temporaire en lui disant :

— Un si bon repas n'a pas de prix. La prochaine fois, si tu veux bien, j'aime aussi le foie de veau avec des raisins chauds.

— Avec des raisins ? questionna Maryvonne, sceptique.

— Oui, des raisins rouges bouillis, ça rehausse la sauce. Ma femme en faisait régulièrement à la maison. J'imagine que tout le monde connaît ça !

Ce qui avait dérangé mademoiselle Ménard une fois de plus. L'entendre parler de sa défunte femme devant sa mère la contrariait. Il y avait tellement d'autres sujets…

Pour s'évader des confidences, Maryvonne remit ses mains sur le clavier et interpréta successivement *Amapola* et *Le fiacre,* que sa mère apprécia vivement en lui disant :

« Tiens ! Une nouvelle ? Tu l'as encore jamais jouée, celle-là ! »

— Non, c'est vrai, c'est une vieille chanson, *Le fiacre,* mais le rythme met de la vie dans une ambiance trop lourde.

Ce qui revenait à dire que Maryvonne ne voulait plus qu'on parle d'Antoinette et de tout ce qui s'était passé entre Mathias et elle ! Connaissant sa mère, elle était certaine qu'elle aurait questionné le veuf jusqu'à ce qu'il lui raconte en détail la perte de cet être cher, ses enfants orphelins de mère… Madame Ménard adorait nager dans le mélodrame. Mieux valait couper court à cette conversation et poursuivre la soirée aux sons du piano et de quelques propos plus portés sur l'avenir que sur le passé. Mathias quitta la maison des Ménard vers dix heures, non sans avoir dit à la mère que sa demeure était jolie, bien décorée, chaleureuse et plaisante, mais sans embrasser Maryvonne devant elle, de peur de la voir sourciller.

Après son départ, madame Ménard, ayant retrouvé son fauteuil, avoua à sa fille, qui lavait la vaisselle :

— Tout un homme que ce Mathias Goudreau ! Poli, aimable, belle apparence… Je serais ravie qu'il devienne mon gendre !

— Pas si vite, maman… Je n'ai pas encore dit mon dernier mot. Il a trois enfants…

— Pis après ? Ça change quoi si tu décroches un homme comme ça ? Passe pas à côté, ma fille, t'en trouveras pas un autre comme lui de sitôt. De toute façon, t'en trouveras pas un autre pantoute !

Quelques jours passèrent et, enfin décidé, Mathias invita Maryvonne à manger un steak dans un restaurant de son quartier. Pas chic, cet endroit, mais propre et de bon goût. À table, après le plat principal et juste avant le pouding chômeur qui suivait, Mathias avoua à sa compagne :

— Si tu acceptes de m'épouser, je suis prêt à le faire le plus tôt possible. Qu'en penses-tu ?

Étonnée de la demande aussi brève que rapide, la robuste fille regarda par terre, releva la tête et répondit :

— Je veux bien, Mathias, mais j'ai des conditions. Si tu les acceptes, on peut se marier dès que tu le voudras.

— Lesquelles ?

— Bien, je veux bien élever tes trois gars, mais j'aimerais en avoir un ou deux à moi aussi. Es-tu prêt à me faire des enfants ?

— Autant que t'en voudras, Maryvonne ! Je te le promets !

— Bon, ensuite, j'ai une autre demande importante. Comme on finira par être une grosse famille avec ma mère qui suivra, il faudra déménager. On ne peut pas rester chez toi ni chez moi avec tout ce monde-là.

— C'est bien simple, on va louer un plus grand logement. Y en a en masse dans ma paroisse pis dans la tienne aussi.

— Non, Mathias, pas un logement. J'veux qu'on achète une grande maison, qu'on soit chez nous comme je l'ai toujours été avec mes parents.

— Acheter ? Ben, j'aimerais bien, mais j'en ai pas les moyens… Tu l'sais pourtant, avec mon salaire pis mes trois enfants…

— Oui, je comprends, et c'est moi qui vais l'acheter. Je vais vendre ma maison actuelle et, avec le profit, on pourra en avoir une plus belle et plus grande surtout. Va te falloir me laisser le contrôle des finances, Mathias, je pense être plus douée que toi dans ce domaine-là.

— Ben, j'veux bien, mais en plus des profits de ta maison, y va falloir avoir un peu d'argent à donner, non ? J'en ai pas, Maryvonne ! J'ai juste mon salaire pis quelques piastres à la banque…

— T'en fais pas pour ça, j'en ai, moi ! J'ai des économies, j'ai tout ce qu'il faut. Laisse-moi trouver la maison, examine-la vu que tu connais ça les bâtiments, pis, après, je vais m'arranger avec la banque et les paiements si j'ai pas assez d'argent pour la payer comptant.

— Dans ce cas-là, tes désirs sont des ordres, j'ai pas un mot à dire, Maryvonne. T'as l'air de savoir où tu t'en vas !

— Oui, je le sais, fais-moi confiance, ça va marcher, tu vas voir. J'ai toujours bien dirigé les affaires de la maison depuis la mort de mon père. Ma mère n'avait jamais payé un seul compte. Pis les contrats de notaires, ça m'connaît, t'as pas à t'inquiéter.

— J'm'en fais pas, Maryvonne, j'me fie sur toi, pis les enfants vont être contents si c'est plus grand ailleurs…

— Oui, tes chers garçons… Le plus vieux, j'aurai pas de misère avec, mais les deux autres, va falloir que je les gagne un par un, ils sont réticents, les p'tits verrats !

— T'en fais pas, je suis leur père et je vais leur apprendre à t'accueillir et à te respecter comme leur mère. Ils vont t'appeler maman, Maryvonne, compte sur moi.

— T'as pas d'objections à ce que ma mère vive avec nous ?

— Pas une miette ! Je l'aime beaucoup, elle est fine et elle pourra te donner un coup de main avec les enfants. Le p'tit Roger risque de s'y attacher comme il l'a fait pour sa grand-mère.

— Bien, puisqu'on est d'accord sur à peu près tout, il ne reste plus qu'à songer à une date pour le mariage.

— Veux-tu faire ça au plus vite, Maryvonne ?

— Disons que j'aimerais mieux au mois d'août, après mes trente et un ans révolus. On va être du même âge, Mathias, on va boucler ça en nous mariant. Je vais regarder sur le calendrier, je vais aller voir le curé et je te donnerai la date choisie. T'as pas d'objections à ce que je m'arrange avec ça aussi ?

— Non, non, vois à tout, moi j'ai déjà été marié…

— Pis on invitera qui, Mathias ?

— Ta parenté pis la mienne. Pas mon père, y est à l'hospice, mais au moins ma belle-famille. Je vais demander à mon beau-père de me servir de père.

— Comme tu voudras ! Moi, de mon bord, il y aura ma mère, mon oncle et ma tante, mes cousines avec leur mari, et mon cousin Fulgence qui va me servir de père… À peu près ça.

— Pis ton frère, Maryvonne ?

— Donat ? J'pense pas qu'il viendra de Regina avec sa femme et ses filles pour un mariage intime. Je vais lui envoyer une carte d'invitation par politesse, mais ça me surprendrait… Qu'il vienne ou pas, ça changera pas grand-chose. Sa Gladys, tu sais… Passons !

— Tu as pensé à une petite réception ?

— Oui, chez moi, le salon est assez grand pour ça. J'vais faire un tas de sandwichs, j'vais commander des hors-d'œuvre, j'vais faire cuire des *cupcakes* aux bananes, j'ai les moules pour ça, et on va acheter de la bière et du vin. Pas trop, juste pour lever nos verres et un surplus pour le lunch qui va suivre.

— Tu veux faire un voyage de noces ?

— Non, Mathias, ça va coûter cher pour rien. On va juste louer une chambre d'hôtel pour notre nuit de noces et, le lendemain, on sera de retour dans notre maison pour notre vie à deux...

Maryvonne éclata d'un rire plus fort que franc pour ajouter :

— Pour notre vie à six, devrais-je dire !

Mathias avait souri, il sentait qu'il avait bouclé une bonne affaire. En plus d'avoir une mère pour ses enfants et une femme en santé dans son lit, il venait de découvrir que Maryvonne arrivait avec une dot assez impressionnante. Une maison neuve presque payée, des économies de côté, celles de sa mère... Ce qui n'était guère à dédaigner pour un veuf qui n'avait rien d'autre à étaler que ses enfants et un emploi plus ou moins bien rémunéré. Parce que, sans constructions nouvelles dans les environs, la plomberie de tous les jours, les tuyaux crevés d'une maison à l'autre, ça n'avait rien pour faire croire qu'il pouvait avoir du *foin* dans ses poches et encore moins dans son compte de banque. Ils se quittèrent très heureux tous les deux, ce soir-là. Il la reconduisit chez elle, rentra chez lui et, la tête sur l'oreiller, il n'avait plus qu'à espérer être comblé par la fille bien en chair que le Ciel avait mise sur sa route par le biais d'un client qui avait eu de la compassion pour un veuf avec, à sa charge, trois garçons en bas âge. Maryvonne décidait de tout, de la date du jour de leur union, de la réception, de leur prochaine maison et… de leur nuit de noces. Bah! à quoi bon la contrarier? Il n'avait rien à perdre, tout à gagner. Pourquoi s'en faire pour le moment? Tôt ou tard, comme tous les hommes de son entourage, il allait certes reprendre le contrôle de sa femme et de sa marmaille.

Le lendemain, Mathias avait fait part à son beau-père, par téléphone, de sa décision de se remarier au mois d'août avec Maryvonne. Heureux pour lui, ce dernier avait ensuite annoncé la bonne nouvelle à sa femme, qui, sans broncher, lui avait rétorqué :

— Pauvre Mathias! Y a pas l'choix! Y prend c'qui passe!

Flavie, quant à elle, avait sourcillé en l'imaginant partager son oreiller avec… Pour ensuite demander pardon à sainte Anne d'avoir intérieurement offensé la future mariée avec de telles pensées. La pauvre fille faisait pourtant preuve de courage… trois enfants à sa charge… Se repentant d'avoir tenté de médire sur le compte de mademoiselle Ménard, Flavie fit un chemin de croix à l'église comme pénitence pour ensuite allumer un lampion en guise de contrition. Trois jours plus tard, Maryvonne, qui n'avait pas perdu de temps avec le curé de sa paroisse, qu'elle connaissait déjà, avait rappelé Mathias avant le souper pour s'exclamer au bout du fil :

— C'est réglé pour la date, mon homme! J'ai réservé! C'est le samedi 8 août qu'on va se marier!

Chapitre 2

Le clocher de l'église de la paroisse de Maryvonne Ménard vibra le samedi 8 août 1931 pour souligner un mariage intime dans la sacristie. Pas longtemps, juste assez pour qu'on sache qu'il y avait un événement ce matin-là. Assez exigu comme endroit, mais avec quelques bancs pour les invités. Accompagné de son beau-père, Mathias fit son entrée et se dirigea vers le prie-Dieu où sa future femme le rejoindrait sous peu. Vêtu de son complet brun du dimanche, il avait acheté un nœud papillon de la même teinte pour faire plus solennel. Il avait certes belle apparence pour ceux qui, dans l'assistance, le regardaient attendre sa promise. Les cheveux bien peignés, la barbe rasée de près, les souliers cirés, ses enfants semblaient fiers de lui. Maryvonne Ménard, vêtue d'une robe de mousseline beige avec un boléro de dentelle brun et un petit chapeau de paille avec voilette tombant sur son chignon, fit son entrée au bras de son cousin Fulgence, qui lui servait de père. Munie de ses petites roses en or aux lobes d'oreilles, légèrement maquillée, un bouquet de corsage épinglé à la hauteur de l'épaule droite, elle tenait dans sa main gauche le missel nacré que sa mère lui avait offert pour sa confirmation. Elle avait belle allure toutefois, en dépit de ses rondeurs bien camouflées. Madame Ménard, pour sa part, portait un tailleur bleu poudre sur une blouse blanche, ainsi qu'un léger bonnet de nylon marine sur le côté de la tête. Léo et Gaston, les fistons du marié, étaient au premier rang avec leur tante Flavie. Madame Imbault, prétextant une migraine, avait préféré s'abstenir d'y assister, incapable de voir le veuf de sa chère Antoinette prendre femme. Devant son refus de s'y rendre, le petit Roger avait décidé de rester avec sa grand-mère, qu'il ne quittait guère. La cérémonie fut courte, il fallait s'y attendre, les mariés échangèrent leurs vœux ainsi qu'un anneau d'or pour lui comme pour elle, que Maryvonne avait acheté quelques jours avant, refusant que Mathias porte, durant son deuxième mariage, le jonc qu'il avait fait bénir lors du premier avec Antoinette. Et c'est madame Ménard qui avait tout payé, en guise de cadeau de noces à sa fille et à son gendre. Peu d'invités, deux cousines avec leur mari, Fulgence venu seul, monsieur Imbault et sa fille Flavie. Pas le père de Mathias, il était à l'hospice, ni Donat, le frère de Maryvonne, qui avait répondu ne pas pouvoir être présent ce jour-là, ce qui ne déplut guère à Maryvonne, qui, par cette absence, évitait la venue de sa belle-sœur Gladys qu'elle ne pouvait supporter. Les invités, chacun dans leur voiture, s'étaient rendus au domicile de la mariée afin de regarder ses cadeaux de noces, entre autres la nappe fleurie de son frère et le très beau tableau d'oiseaux en vol, tissé aux petits points par les mains de Flavie, sans oublier les draps et les taies d'oreiller des Imbault, pour ensuite se gaver de tout ce que Maryvonne avait préparé la veille avec sa mère. Fulgence, discrètement, s'était avancé vers sa cousine pour lui remettre, en guise de cadeau, un chèque de dix dollars que la nouvelle mariée semblait apprécier. Léo et Gaston se vautrèrent dans les *cupcakes* aux bananes, les autres dans les sandwichs et les salades, et l'on trinqua au bonheur du couple avec le vin blanc que madame Ménard avait décidé d'acheter en plus grande quantité que prévu. On s'amusa, les époux dansèrent sur un air connu qu'on jouait à la radio, et Maryvonne en surprit plus d'un, dont le jeune Léo, avec son talent au piano. Les invités, la panse bien remplie, quittèrent l'endroit les uns après les autres. Fulgence, quant à lui, semblait rivé à sa chaise et Flavie partit avec son père prendre soin du petit Roger. Les mariés s'excusèrent ensuite auprès des quelques retardataires encore sur place, car ils devaient se rendre à l'hôtel pour leur nuit de noces. Après leur départ, madame Ménard, aidée de Fulgence, mit de l'ordre dans le salon et la cuisine. Les verres traînaient partout, surtout ceux des jeunes garçons qui avaient accepté et siroté toutes les boissons gazeuses que la mère de « leur mère » leur servait à volonté.

Néanmoins, la journée avait été belle pour la veuve Ménard, sa fille était casée, elle n'aurait plus à craindre le pire pour elle advenant son décès. Mariée et sans doute mère avant longtemps... Épouse d'un bel homme vaillant, charmant et en très bonne santé. Que demander de plus quand on s'inquiète pour l'avenir de son enfant ? Devant son crucifix, le soir même, sa jaquette de coton rose sur le dos, son bonnet de nuit sur la tête, Rosalie Ménard remerciait le Seigneur d'avoir enfin exaucé ses prières.

La chambre de l'hôtel était agréable, on y avait d'ailleurs ajouté quelques bouquets de fleurs sachant qu'il s'agissait de jeunes mariés. Fatigués par la longue journée, monsieur et madame Goudreau se dégagèrent de leurs vêtements de cérémonie pour revêtir, elle, une robe de nuit d'un bleu tendre, lui, un simple sous-vêtement blanc. Sous les draps, dans sa virginité totale, Maryvonne se donna à son homme pour la première fois comme s'il s'agissait de la vingtième. Sans crainte et sans reproches. Parce qu'elle avait été comblée et que Mathias, avec précaution, l'avait délicatement déflorée, tout en profitant sans retenue de sa généreuse poitrine et de ses courbes bien en chair auxquelles il pouvait s'agripper. Puis, l'acte accompli, ils s'étaient endormis tous les deux, dos à dos, dans un « Bonne nuit » mutuel, sans aucun « Je t'aime » de leur part. Loin des nuits amoureuses de Mathias avec sa… Toinette ! Mais il en était ainsi. Un second mariage de raison n'était certes pas comparable au premier dans une brûlante passion. Pour Maryvonne, c'était le paradis ! Enfin, un époux bien à elle et la découverte du corps du mâle dans toute sa force et sa beauté. Elle allait le protéger, le choyer, le combler, cet homme qui venait de l'aimer. Au petit matin, la tête sur sa poitrine, elle aurait peut-être eu envie de recommencer, mais Mathias, se frottant les yeux pour ensuite s'étirer les bras et regarder l'heure sur le cadran de la table de nuit, lui avait signifié :

— On devrait se lever, j'ai faim, ils servent le déjeuner à la salle à manger.

Dans les semaines qui avaient précédé le mariage, Maryvonne s'était affairée à trouver une maison après avoir rapidement vendu la sienne, avec profit, à un vieux couple des alentours. En furetant d'un quartier à l'autre, elle jeta son dévolu sur un duplex du nord de la ville, rue Casgrain, entre les rues Guizot et Liège, mais plus près de Guizot. Un beau sept pièces avec des locataires en haut, ce qui réduirait les dépenses. Chacun aurait sa place, la cuisine était grande, le piano était déjà dans l'atelier de couture de madame Ménard et de sa fille, la glacière et les lits étaient rentrés, bref, la vaste demeure était prête à être habitée. Maryvonne l'avait meublée de ce qu'elle et sa mère avaient déjà, et Mathias en fit autant avec le mobilier de ses garçons. Donc rien à acheter. La chambre principale était spacieuse, celle de madame Ménard minuscule, mais convenable pour une personne seule. Celle des garçons, plus vaste, avec un lit double pour Léo et Gaston et un lit simple pour Roger, ressemblait à celle qu'ils avaient quittée dans le logement de leur père. La quatrième chambre, de grandeur moyenne, allait servir de boudoir à Maryvonne et à sa mère, pour leur tricot, leur moulin à coudre, leurs loisirs individuels et leur détente avec le piano, bien entendu.

Habile en affaires, Maryvonne, qui avait empoché un assez bon bénéfice avec la vente de sa maison, avait même réussi à faire baisser de plusieurs centaines de dollars sa nouvelle acquisition minutieusement inspectée par Mathias avant l'achat. Les locataires du haut, un couple avec deux fils quasi adultes, avaient vu leur loyer augmenter de quelques piastres, ce qu'ils avaient fini par accepter. Tout compte fait, avec ses économies jumelées à celles de sa mère, Maryvonne n'aurait qu'un minime montant à rembourser avant que la maison soit entièrement payée. Ce qui gonfla d'aise Mathias Goudreau, qui, enfin, se sentait propriétaire. Mais il allait devoir travailler fort, sa femme, comme elle se le devait, avait quitté ses deux emplois à temps partiel. Donc toutes ces bouches à nourrir de son maigre salaire… Mais avec l'*overtime* qu'il prévoyait faire, ils n'allaient manquer de rien. Toutefois, seule ombre au tableau, il n'y avait qu'une salle de bain pour tout ce monde avec une baignoire et une pomme de douche cette fois. Ce que trouva commode madame Ménard, qui allait s'en servir très souvent.

Donc, le lendemain du mariage, après un bref déjeuner à l'hôtel, les Goudreau emménagèrent dans leur maison avec la mère de madame et les fistons de monsieur, sauf le petit Roger, qui n'avait pas voulu suivre. Il avait même fait une crise à son père, accroché au tablier de sa grand-mère, qui insista pour le garder un jour ou deux de plus. Très heureuse dans son rôle de femme mariée, contente de son nouveau quartier où les commerces s'étaient établis sur la rue Saint-Denis, quelques-uns sur la rue Jarry, mais plutôt rarement sur la rue Guizot, sauf une cordonnerie qu'elle avait aperçue, disait-elle. L'école ne semblait pas loin, l'église non plus… Au fait, Maryvonne ne savait pas à quelle paroisse elle appartenait, elle habitait entre Saint-Vincent-Ferrier et Saint-Alphonse d'Youville, la locataire du haut allait certes les renseigner. *À moins de choisir elle-même celle qu'il lui plairait de fréquenter,* pensait-elle. Or, pendant que tous s'installaient tant bien que mal en ce dimanche du mois le plus chaud, Mathias sentait qu'il avait fait un bon choix en épousant Maryvonne Ménard. Femme d'affaires, bonne ménagère, il ne lui restait plus qu'à être une excellente mère pour ses enfants. Pour ce qui était de cette dernière au lit, même si ce fut plutôt court et précis, il s'était vite rendu compte que, ronde et charnue, sa femme avait tout ce qu'un homme pouvait désirer sur l'oreiller. Et que dire de plus d'elle qui, dès sous les draps, humant l'eau de Cologne de son mari, lui avait murmuré le soir de leur nuit de noces : « Tu sens bon ! C'est quoi ton parfum ? » Il l'avait embrassée pour ne pas lui répondre, c'était un cadeau de sa première femme. Pour ensuite l'encercler de ses bras musclés, une prise dont la nouvelle mariée ne s'était pas dégagée. Et pour cause ! Mais, comme cette nuit d'alcôve était déjà derrière elle, Maryvonne s'employait à faire de sa maison un petit palais ou presque. Avec l'aide de tout un chacun. En fin de matinée, Gaston, le plus indiscipliné des deux garçons, sortit de la toilette alors qu'elle était dans les parages. Indifférente au fait qu'il ne l'aimait guère, elle lui cria de la chambre d'à côté : « Aie ! On tire la chaîne quand on a fini de pisser ! »

Après une semaine d'installation complète, aidée de tous, Fulgence inclus, Maryvonne pouvait constater que sa demeure était prête à être convenablement habitée. Avec sa mère, elles avaient changé la tapisserie jaune du salon et de sa chambre pour la remplacer par une bleue avec des fleurs. Les autres pièces étant peinturées, on avait pu les laver et conserver la teinte apposée depuis un an ou deux. Les garçons semblaient s'accoutumer à leur nouvelle mère, qu'ils appelaient « maman » sur l'ordre formel de leur père. Gaston avait rechigné mais Léo, plus obéissant, avait dit à son frère : « T'es bien mieux de t'y faire, sinon tu vas finir dans un collège avec les frères.» Et Gaston, frondeur mais peureux à la fois, avait fini par appeler «maman» celle qu'il considérait comme une intruse dans la vie de son père. Toutefois, le petit Roger, qui était venu les rejoindre depuis peu, ne pouvait supporter cette femme qui tentait de lui tendre les bras. Du haut de ses trois ans, il la repoussait et se mettait à hurler lorsqu'elle l'empoignait pour le laver. Il se défendait en lui assénant des coups de pied et pleurait à longueur de journée. Même ses grands frères ne pouvaient en venir à bout, le petit réclamait sa grand-mère chaque jour malgré les semonces et les sourcils froncés de son père. Si bien qu'après sept jours de cette atmosphère insupportable, Maryvonne avait dit à son mari:

— Je regrette, Mathias, mais il va falloir faire quelque chose avec le petit, je n'en viens pas à bout!

— Je sais, j'y pense et je me demande si on ne pourrait pas le retourner chez mes beaux-parents pour un bout de temps.

— Pas pour un bout de temps, Mathias, pour longtemps! Qu'ils se chargent de lui, j'en ai déjà deux sur les bras!

— Bien, c'est mon p'tit gars lui aussi… Je ne tiens pas à m'en éloigner, Maryvonne. Ma défunte femme…

— Lâche ta défunte femme et pense à moi! Je me fends en quatre pour faire marcher la maison, élever tes garçons, faire les repas, le lavage, le ménage… Ma mère m'aide, mais avec sa maigreur, elle arrive à peine à tenir le balai entre ses mains! Et puis, si tes beaux-parents se chargeaient de Roger, ils auraient le petit dernier de leur fille dans leur maison. Tu pourrais aller le voir autant que tu veux… De toute façon, il n'est même pas attaché à ses frères, il les repousse, il les mord, il leur donne des coups de pied. Cet enfant va tomber malade ou devenir fou s'il ne retrouve pas sa grand-mère, qu'il réclame à longueur de journée. Fais quelque chose, Mathias !

Le pauvre homme, triste et pensif à l'idée de se séparer de son petit bonhomme, se rendit quand même chez ses beaux-parents afin de discuter du problème avec eux. Il ne pouvait infliger plus longtemps à sa femme la garde de cet enfant devenu exécrable avec elle. Maryvonne avait tout sacrifié pour lui en l'épousant, il se devait de lui rendre la tâche plus aisée. Aussi austère semblait-elle être, elle avait tout fait pour conquérir le cœur du petit Roger, mais sans succès. La douceur comme la sévérité, rien n'avait marché. C'est en soirée d'un jour du début de septembre qu'il se présenta chez les Imbault, qui le reçurent à bras ouverts. Sa belle-mère s'informa du petit dès qu'elle vit son gendre et Mathias lui avoua que l'enfant la cherchait constamment, qu'il pleurait et criait du matin jusqu'au soir, qu'il était réticent, malheureux et enclin à faire de la folie si on ne lui venait pas en aide à cause de ses crises d'hystérie. Prise de compassion, madame Imbault essuya une larme et regarda son mari, qui, à son tour, demanda à son gendre :

— Je suppose que tu suggères qu'on le reprenne avec nous ?

— Bien, ce serait une solution… Il réclame sa grand-mère depuis son arrivée à la maison, il ne veut rien savoir de Maryvonne ni de ses frères. C'est un enfant solitaire, peu sociable et qui s'embarre dans sa chambre quand il est fâché.

L'autre jour, Léo a dû rentrer par la fenêtre pour aller ouvrir la porte. Ça n'arrête plus !

— On va le reprendre, de murmurer madame Imbault, je m'en ennuie aussi. Ce petit garçon est tout ce qu'il nous reste de notre fille. Tu penses qu'on peut faire ça pour Antoinette, mon vieux ?

— Oui, je voudrais bien, mais c'est que nous allons partir, Mathias. Nous allons vendre et déménager au Manitoba, où Flavie a trouvé un poste d'institutrice plus payant qu'ici. Nous comptons acheter une plus petite maison et nous installer tous les trois... Remarque que ce n'est pas le p'tit qui prendrait bien d'la place, mais faut quand même que j'en discute avec Flavie...

La porte s'ouvrit et cette dernière, qui avait entendu prononcer son nom, fit irruption dans la maison et s'écria en apercevant son beau-frère :

— Tiens ! Mathias ! Tu t'ennuies déjà de nous ?

— Peut-être un peu, on venait si souvent ici, Toinette pis moi. Mais ce n'est pas juste pour vous revoir que je suis là...

— Laisse-moi lui expliquer la situation, mon gendre.

Et le père Imbault d'exposer à sa fille la requête de Mathias. D'abord estomaquée, Flavie demanda à son beau-frère :

— Ça ne te dérange pas qu'on déménage ? Qu'on aille vivre dans une province éloignée ? Tu vas être séparé de ton fils pour longtemps, il risque même de t'oublier...

— Dis-en pas plus, Flavie, j'ai déjà le cœur en boule, mais je n'ai pas le choix. J'ai deux autres enfants, Maryvonne qui en veut un ou deux, ma belle-mère, je travaille comme un fou... Je l'aurais bien gardé, Roger, ma femme aussi, mais comme ça va là, c'est elle qui va devenir folle à cause de lui. Y la bardasse sans arrêt, le p'tit verrat !

— Ben, va pas plus loin ! s'écria la grand-mère. Je le reprends et je l'emmènerai avec nous, je vais l'élever, moi, ce petit gars-là, et en faire un homme en pleine forme et très cultivé avec les enseignements de Flavie. Tu veux bien, ma fille ?

— Certainement ! Ça va mettre du soleil dans nos vies ! On dit que c'est assez monotone à Winnipeg où on s'en va. Avec Roger, on aura de quoi se désennuyer et comme je ne compte pas me marier, ça va me faire un petit à prendre soin.

— C'est d'abord sa grand-mère qu'il veut revoir ! clama madame Imbault.

— Oui, bien entendu, mais si jamais tu partais, maman, c'est moi qui poursuivrais avec lui, tu ne crois pas ? Et si papa…

— Arrêtez avec vos si ! l'interrompit son père. Moi entendre parler de mort quand on est encore en vie…

— Ramène-le, ton p'tit dernier, Mathias, on va l'aimer comme tu l'aurais fait si t'avais pu le garder. Ta belle-mère va s'en occuper, elle l'adore cet enfant-là. Et pis, du haut du Ciel, j'suis certain que Toinette va être enchantée de voir un de ses trois garçons sur les genoux de son père et dans les bras de sa mère.

Madame Imbault s'essuyait les yeux et Flavie, encore sous le coup de l'émotion, servit un dernier avertissement à son beau-frère :

— N'oublie pas qu'il va parler l'anglais avec ses amis au Manitoba.

— Oui, j'imagine, mais garde-lui son français, Flavie. T'es bilingue, donc tu peux lui enseigner les deux langues… Et on ira le voir quand j'aurai un peu d'argent de côté. Vous comptez déménager quand ?

— Dès qu'on aura trouvé un acheteur, ce qui ne devrait pas tarder, répondit le beau-père. Flavie va partir pour Winnipeg d'ici quelques jours pour dénicher une petite maison et nous suivrons juste après avec le p'tit dans nos valises ! ajouta-t-il en riant de bon cœur.

Un sourire aux coins des lèvres, Mathias Goudreau embrassa sa belle-mère et sa belle-sœur et réussit à prononcer quelques mots dans l'émotion qui l'étranglait en songeant à la séparation :

— Merci ! Merci beaucoup ! Vous êtes des personnes de grand cœur, Toinette va m'aimer d'avoir pensé à vous pour Roger… Elle l'adorait, son p'tit dernier. Écoutez, je fais ses valises dès demain et je vous l'amène, madame Imbault, c'est-tu correct ?

— Oui, le plus vite possible, Mathias ! J'veux pas l'voir pleurer une minute de plus. Ramène-le, ce p'tit trésor !

Et c'est ainsi que, le lendemain après-midi, Roger, du haut de ses trois ans, se jetait dans les bras de sa grand-mère, qui l'étreignit fortement. Puis dans ceux de son grand-père. Sans s'attarder plus longtemps sur son père qui, triste et heureux à la fois, retournait chez lui retrouver sa famille. Sans même avoir pu embrasser son fiston, qui tournait la tête quand il s'en approchait. Ce qui fit dire à Mathias :

— Ce petit gars-là veut vraiment être juste un Imbault comme sa mère, pas un Goudreau ! Ben, j'le laisse à vos bons soins, pis si l'bon Dieu le veut, j'irai le voir de temps en temps avec ses frères. À moins que vous veniez pour un petit voyage par ici…

— Tout est possible, mon gars, lui répondit son beau-père. À la grâce de Dieu !

De retour au volant de sa voiture, Mathias Goudreau, la larme au coin de l'œil, le cœur pas mal gros, ne savait rien de ce que la vie allait lui réserver, mais il n'allait pas revoir son p'tit dernier avant plusieurs années.

L'automne faisait sa trace, les enfants avaient déjà pris le chemin de l'école avec des professeurs qu'ils aimaient bien, de nouveaux amis, des petites sorties en famille, et Gaston, moins rebelle face à sa nouvelle mère, acceptait ses semonces quand il était turbulent. Son père lui avait appris que c'était elle qui était en charge de la maison, qu'elle en était responsable et autorisée à le reprendre dès qu'il s'écartait de sa bonne conduite. Léo, de son côté, plus soumis, voire gentil, faisait le bonheur de Maryvonne, qui se fiait à lui pour de petites corvées ménagères, des courses à l'épicerie, le ramassage des feuilles qui tombaient peu à peu dans la cour. Bref, Léo était devenu, en quelques semaines seulement, le fils entier et dévoué de sa deuxième mère par alliance. Mathias avait un emploi presque régulier, des petits contrats ici et là dans le quartier, et l'argent rentrait en assez bons montants que sa femme gérait. De son côté, heureuse avec Mathias, dont elle aimait à peu près tout ou presque, Maryvonne faisait de la couture pour des femmes du quartier, ce qui lui procurait d'autres petites rentrées d'argent à déposer à la banque. Le «presque» qu'elle reprochait à son mari était de ne jamais lui dire qu'il l'aimait lorsqu'ils étaient au lit et qu'elle le questionnait sur le sujet. Et Mathias de lui répondre chaque fois : « C'est-tu bien nécessaire ? Tu l'sais ! »

Le premier Noël sur la rue Casgrain se passa fort bien. Avec ses économies, Maryvonne avait pu se payer quelques verges de tissu afin de se confectionner une robe identique à celle de la vitrine d'un magasin de la rue Saint-Denis, près de Jarry. Juste en l'observant et en prenant des notes. Mais pour ne pas qu'on sache qu'elle l'avait copiée, elle avait choisi un tissu vert alors que la toilette de la vitrine était mauve. Rosalie Ménard, pour sa part, tricotait des mitaines pour les jeunes, des foulards qu'elle revendait aux voisins et, le soir venu, écoutait sa fille jouer du piano. Un petit récital auquel Léo assistait souvent, Gaston un peu moins. Or, pour célébrer la naissance de l'Enfant-Jésus, Maryvonne avait fait cuire un dindon et sa mère avait cuisiné trois tourtières. Pour le souper, on avait invité le cousin Fulgence, que les enfants appelaient « mon oncle », ainsi qu'une cousine avec son mari et leur fille de onze ans. Sur le buffet du salon, on pouvait voir trois ou quatre cartes de Noël reçues de la parenté, dont une de Winnipeg de la part des Imbault et de leur fille, dans laquelle on parlait de santé et de paradis à la fin de leurs jours, sans pour autant mentionner le petit Roger. Ce qui avait attristé Mathias, qui ne savait pas que ses beaux-parents avaient évité de mentionner l'enfant pour ne pas tourner le fer dans la plaie. Flavie enseignait, monsieur Imbault brettait ici et là, et tout semblait aller pour le mieux au Manitoba. Leur maison était jolie, le quartier aussi, et les voisins, charmants. Somme toute, les Imbault avaient été fort bien accueillis par le voisinage, et le petit Roger, sans jamais avoir paru contrarié de ne plus voir les visages de son père et de ses frères, s'était accroché aux jupes de sa grand-mère pour ne plus les lâcher. Sauf lorsque tante Flavie arrivait avec un sac de bonbons assortis du *drugstore*. Le jour de l'An suivit et Mathias, en bon père, avait acheté quelques étrennes pour les enfants. Sans oublier Maryvonne, qu'il avait comblée d'un collier plaqué or qui venait de chez le bijoutier, sans oublier sa belle-mère à qui il avait acheté un poudrier qui fit son bonheur et qui remit à son gendre, en retour, une tuque grise tricotée de ses mains pour les temps froids. La table fut encore bien garnie et, au retour de la messe, on mangea peu pour se garder de la place pour le souper. Et c'est à ce moment précis que Maryvonne Ménard, devenue madame Mathias Goudreau, annonça à la famille encore à table :

— Préparez-vous, je vais avoir un petit cette année !

— Tu es sérieuse, ma femme ? Tu es certaine de ton coup ?

— Oui, tu as bien fait les choses et j'étais en mode de fertilité, cette fois. Donc, pas de retenue. Tu vas être grand-mère, maman !

— Bravo ! Quel beau cadeau du Ciel ! Ça commence bien l'année ! Dieu soit loué ! de s'exclamer madame Ménard en faisant son signe de croix devant Léo et Gaston, qui, étonnés, en firent autant.

— On va l'avoir quand cet enfant-là ? demanda Mathias.

— Pour la fin de juillet ou le début du mois d'août d'après mes calculs, à moins que le bébé décide de sortir un peu plus vite ! ajouta-t-elle en riant.

Ce qui laissa perplexes les deux garçons, qui ne savaient pas encore comment, au juste… se faisaient les enfants !

La grossesse de Maryvonne se déroula fort bien. Aucune nausée, rien de dérangeant, tout le contraire de Toinette lorsqu'elle attendait ses enfants. Elle prit du poids, bien sûr, ce qui n'était pas trop apparent avec le surplus qu'elle avait déjà. En juillet, alors que la fin approchait, Léo avait dit à son père un soir :

— Tu sais, papa, contrairement à ce que tu penses, je sais comment se font les enfants. Je l'ai lu dans un livre de la bibliothèque. Mais je ne voulais pas le dire devant Gaston. Qu'il le découvre comme moi !

— Non, je lui expliquerai après que l'enfant sera né. Vous êtes maintenant assez grands pour apprendre ces choses-là. Fais attention à ta mère et aide un peu plus ta grand-mère. Les derniers temps, c'est pas facile pour une femme en famille.

Et pourtant, c'est sans trop de douleurs ni trop d'efforts que madame Mathias Goudreau donna naissance à une fille le 5 août 1932. Une belle grosse fille de neuf livres avec la tête bien ronde. Madame Ménard était ravie, la petite lui rappelait Maryvonne à ses premiers jours. Mathias, déjà père de trois garçons, était très excité d'avoir enfin une petite fille dans les bras. Maryvonne, épuisée tout de même par l'accouchement, avait dit à son mari :

— Tu peux aller chercher les garçons chez Fulgence, j'ai hâte qu'ils voient leur petite sœur.

Léo se montra fort empressé devant ce beau bébé enveloppé dans ses langes et Gaston, plus timide, la regardait de loin, de peur d'avoir à embrasser « sa mère » pour la féliciter. Profitant du moment où ils étaient tous réunis, Maryvonne, s'adressant à Mathias, lui dit :

— On va garder la petite dans notre chambre pour un bout de temps, mais il faudra ensuite lui en trouver une, car une fille ne partage pas celle des garçons. Je pense que le boudoir que ma mère et moi avons fera l'affaire. On déménagera le piano au salon et la machine à coudre dans le fond de la cuisine. Qu'en dis-tu ?

— C'est toi qui décides, ma femme. Moi, j'ai les bras pour transporter tout ça quand le moment viendra. Dis donc, t'as trouvé un prénom pour cette enfant ?

— Ma mère en avait un ou deux en tête, mais ça ne me plaisait pas. Moi, j'avais fixé mon choix depuis longtemps sur Danielle. C'est doux au son et ça devient de plus en plus à la mode. Qu'en penses-tu ?

— Ton choix est le mien, Maryvonne, Danielle Goudreau, ça se dit bien.

— Oui, pis j'ai vu dans une revue la photo d'une jeune actrice française de quatorze ans qui vient de jouer dans le film *Le Bal* et qui s'appelle Danielle Darrieux. C'est là que j'ai aimé le prénom. Elle est si belle…

— Bien, tant mieux ! de renchérir madame Ménard. Ta Danielle sera encore plus belle que l'actrice ! Regarde-la, Maryvonne ! Elle a les yeux bleus et la blondeur de son père ! Elle va lui ressembler et ce sera à son avantage !

Ce qui n'eut pas l'heur de plaire à la nouvelle maman, qui s'en trouva quelque peu offusquée.

1933 se leva avec l'hiver qui était prometteur et, après avoir répondu aux bons souhaits de sa parenté de Montréal et des alentours, Maryvonne envoya aussi une carte à son frère en Saskatchewan sans ajouter le moindre mot à part ceux imprimés en anglais dans le texte. Puis, comme madame Imbault, la belle-mère de Mathias, avait eu cette fois la bonne idée de lui parler du petit Roger, qui était fin comme un ange avec elle, Mathias ajouta au verso de la carte que Maryvonne lui retournait qu'il allait faire parvenir un jouet par la poste à son fils dès qu'il le pourrait. Et c'est ainsi que le bambin reçut trois semaines plus tard des soldats de plomb avec en plus, dans un sac, des *gumdrops* aux fraises et des BB Bats au chocolat ! Il s'en régala, sans pour autant se soucier de son père qui les lui avait fait parvenir de bon cœur. Puis, sans attendre davantage, Maryvonne annonça à son mari ainsi qu'à sa mère qu'elle était de nouveau enceinte et que le bébé naîtrait une fois de plus au mois d'août. Décidément, ça s'appelait ne pas perdre de temps, la petite Danielle ne marchait pas encore à quatre pattes. Madame Ménard, désappointée, avait dit à sa fille :

— Tu aurais pu attendre un peu, on va finir par être tassés dans cette maison. C'est pas un palais, ton logement ! Même grand…

— Écoute, maman, il n'y aura rien de dramatique dans la venue d'un autre enfant. Si c'est un garçon, il sera avec ses frères dans le lit que devait occuper Roger et, si c'est une fille, dans la petite chambre avec Danielle. De plus, tu devrais savoir que j'avance en âge ! Je suis dans la trentaine, maman, je n'ai pas vingt ans ! Pas de temps à perdre avec les accouchements !

— Bien, moi, je n'ai eu que toi… Tu en as déjà deux autres de ton mari. Une petite, ça aurait pu te suffire… Comme moi, dans le temps…

— Je ne suis pas toi, maman, et je ne veux pas que Danielle soit l'unique enfant du deuxième lit de Mathias. Pense à plus tard !

— Bien, si c'est comme ça que tu le prends… Mais je persiste à dire qu'une seule en plus des deux garçons…

Mais Rosalie n'avait pu terminer sa phrase, sa fille avait quitté le boudoir pour ne plus l'entendre lui reprocher… de vouloir, avec l'aide du bon Dieu, un, deux ou trois enfants de plus !

Le sujet fut donc clos brusquement entre la mère et la fille alors que Mathias, de son côté, était fort content de la venue prochaine d'un autre bébé à aimer. *Quand on peut en nourrir trois, on peut en nourrir quatre !* pensait-il. *Deux pains sur la table au lieu d'un, ça ruine pas son homme !* Et le 15 août, cette fois, le jour de la fête de l'Assomption, une autre fille vit le jour dans la maison des Goudreau, où le bon docteur du quartier était venu accoucher la mère. Très contente, elle demanda cette fois à une cousine et son mari d'être dans les honneurs vu que sa mère et Fulgence l'avaient été pour Danielle. Madame Ménard, faisant référence à la fête de la Vierge Marie, avait suggéré à sa fille :

— Tu devrais me laisser choisir son prénom, cette fois-là. Tu sais, moi, la mère de Dieu, je la prie fort souvent.

Maryvonne se plia de bonne grâce et la petite fut baptisée Marie-Jeanne avec, en plus, sur son baptistaire, le nom de la mère de Jésus devant son prénom. Deux fois « Marie » pour combler la grand-mère. Regardant la petite de près, Rosalie Ménard remarqua que, cette fois, l'enfant était le portrait de sa mère. Et de son défunt mari, par le fait même. Ce qui la désappointa, elle aurait tant souhaité que cette petite, tout comme Danielle, ressemble à son père. Il était évident que cette enfant n'allait pas être aussi belle que sa sœur aînée en vieillissant, mais la grand-mère espérait toutefois qu'elle ait plus de charme et d'attraits que... Maryvonne !

Tout allait assez bien dans le couple Goudreau-Ménard, mais pour ceux qui avaient connu Mathias au temps de sa première femme, il était facile de constater que la chimie passait un peu moins avec la deuxième. Non pas qu'ils ne s'aimaient pas, mais Maryvonne ne serait jamais pour le veuf ce que sa Toinette avait été pour lui. Pas sur le plan du quotidien, mais sur le plan personnel, sur celui des sorties en public, sur celui de sa fierté. Car Maryvonne, plus lourde que jamais, n'avait plus la coquetterie qu'elle affichait lors de leurs fréquentations. Plus souvent en jaquette qu'en robe le soir venu, elle passait ses journées dans son *duster,* les cheveux attachés avec des bobépines sur la nuque, sans rouge à lèvres, sans fard à joues. Lors de sorties, elle se pomponnait un peu, mais pas assez pour qu'on la remarque et la félicite. Une robe plus souvent confectionnée qu'achetée, les cheveux sans cesse roulés en beigne sur un ressort flexible, un peu de rose sur les joues, un peu de rouge sur les lèvres et ses éternelles boucles d'oreilles grosses comme des poux qui se perdaient dans le gras de ses lobes. Mathias, toujours bel homme, athlétique et souriant, attirait souvent le regard des femmes, mais il restait fidèle à Maryvonne, même si quelques-unes le tentaient sûrement. Du coin de l'œil seulement. Il avait juré devant Dieu et les hommes de n'aimer qu'une seule femme. Et il le faisait malgré l'absence du verbe dans son couple. De sa part beaucoup plus que de celle de Maryvonne. Les relations intimes étaient encore régulières entre eux, quoique moins fréquentes et aussi ardentes qu'avant, puisque ce n'est que deux ans plus tard, dès les premiers caprices de Marie-Jeanne qui brisait tout sur son passage, que Maryvonne donnait naissance à un troisième enfant, un garçon cette fois, qu'on prénomma Raymond. Un petit gars qui allait s'accommoder avec le temps du petit lit de la chambre de Léo et Gaston qui, eux, grandissaient à vue d'œil. Rosalie Ménard avait sourcillé, mais elle n'avait rien dit. Non pas qu'ils étaient trop à l'étroit, mais le tapage des enfants, le bruit et les cris de sa fille quand elle les disputait la rendaient inconfortable. Elle aurait peut-être choisi d'aller habiter avec une vieille amie qui, parfois, lui rendait visite, mais comment faire quand le couple comptait sur la maigre pension hebdomadaire qu'elle leur versait pour acheter le nécessaire. La maison avait beau être payée que ça ne roulait pas sur l'or chez les Goudreau. Jamais un mot plus haut que l'autre entre eux cependant. Mathias n'élevait jamais la voix lors d'un différend avec sa femme, ni elle avec lui. Sauf une fois où, lui disant qu'il allait écrire à ses beaux-parents pour avoir des nouvelles de Roger, elle avait riposté fermement :

— Écoute, Mathias ! Ils ne sont plus de la famille, ces gens-là ! Ta belle-mère, c'est ma mère, pas la bonne femme Imbault qui m'a toujours regardée de haut. Arrête de leur écrire et contente-toi de nous autres...

Elle n'avait pas eu le temps d'aller plus loin que son mari, pour la première fois, s'emporta vivement :

— Non, toi, écoute-moi bien, ma femme ! Les Imbault sont les grands-parents de Léo pis de Gaston. Ils sont les parents de leur mère, tu comprends ? Pis mon p'tit Roger grandit avec eux ! Tu m'empêcheras jamais de leur écrire et encore moins de garder contact avec eux ! C'était ma famille avant de t'connaître ! J'ai eu Antoinette dans ma vie, t'es pas la première ! C'est-tu assez clair ?

Devant le ton bouillant de son homme, Maryvonne préféra se taire et baisser la tête. Madame Ménard, qui de sa chambre avait entendu la remarque de Maryvonne et la riposte de Mathias, avait hoché de la tête positivement en pensant à son gendre. Il était temps, selon elle, qu'il la remette à sa place avant qu'elle prenne le contrôle de tout le monde dans cette maison, elle incluse. Mathias Goudreau était loin d'être un mouton, il venait de le prouver. Et ce n'était pas Maryvonne Ménard qui allait lui faire oublier Toinette, celle qu'il avait tant aimée, celle qu'il allait souvent visiter au cimetière avec ses fils sans en avertir sa femme. Sauf qu'à partir de ce jour-là Mathias ne se retint plus pour lui lancer avant de partir avec les garçons :

— On s'en va mettre des fleurs sur la tombe de leur mère.

Sans que Maryvonne s'emporte et sans qu'elle trouve rien d'autre à répondre que :

— Ben correct, mais ne revenez pas trop tard, on va souper de bonne heure, le blé d'Inde en épi trempe déjà dans l'eau froide du chaudron.

Pour ensuite reprendre sa vadrouille et dire à ses deux filles qui se chamaillaient de s'enlever de ses jambes pour qu'elle puisse soulever le tapis. Fort consciente que son mari, malgré le respect qu'il lui portait, n'oublierait jamais celle qu'il avait d'abord choisie. Sa chère « Toinette » que le Ciel lui avait ravie.

Chapitre 3

L'année 1936 se leva et, le 20 janvier, le roi d'Angleterre George V rendait l'âme, passant ainsi la couronne à son fils Édouard VIII, qui, lui, abdiqua pour épouser Wallis Simpson et ensuite remettre le trône à son frère, qui allait régner sous le nom de George VI. Une histoire dont tous les pays du Royaume-Uni et des dominions, dont le Canada et l'Australie, parlèrent longuement. Même Mathias Goudreau trouvait impardonnable qu'Édouard VIII abdique pour l'amour… d'une femme ! Une divorcée de surcroît ! Et, le 30 juillet de cette année, le jour de son anniversaire, Maryvonne mit au monde un quatrième enfant qui allait être le dernier du couple. Une fille qu'on prénomma Yvette. Assez jolie, châtaine, et la lèvre inférieure charnue, la grand-mère était ravie de constater que la benjamine allait ressembler à son père avec un léger côté de sa mère. Le meilleur des deux, quoi ! Remise de son accouchement en quelques jours à peine, Maryvonne eut la surprise de voir arriver chez elle un accordeur de piano qui remit en forme son instrument devenu défectueux. C'était le cadeau de son mari pour ses trente-six ans. Sa mère avait aussi puisé dans sa sacoche de paille blanche pour lui acheter, chez un bijoutier de la rue Jarry, une épinglette en forme de papillon avec des boucles d'oreilles s'y appareillant. Un ensemble de qualité, mais minuscule comme Maryvonne les aimait. Étant grosse, elle voulait que tout soit petit sur elle, ses bijoux aussi.

Léo, maintenant âgé de quinze ans, devenait un beau jeune homme que les filles du quartier reluquaient du coin de l'œil, tandis que Gaston, de deux ans son cadet, s'intéressait beaucoup plus au hockey l'hiver et au baseball l'été qu'aux petites filles de la paroisse. Mathias, encore plus bel homme à trente-six ans, plus en forme que jamais, plus athlétique à force de travailler dur, avait fait dire à sa belle-mère, qui parlait de lui à Maryvonne en son absence :

— T'es chanceuse qu'y soit fidèle, ton mari, parce qu'avec son apparence, y a pas beaucoup de femmes qui lui résisteraient.

Ce à quoi la corpulente Maryvonne avait répliqué :

— Ça m'dérangerait pas ! Il va vieillir bientôt et c'est moi qui aurai eu le meilleur de lui !

Une réponse assez ferme pour que madame Ménard se taise et reprenne le cerceau dans lequel elle brodait des oies sauvages.

En septembre, alors que les classes recommençaient et que Gaston rangeait ses bâtons de baseball, on apprenait que le père de Mathias venait de mourir à l'hospice où il avait été placé quelques années plus tôt. Sans en être affecté, pas vraiment près de ce père qui n'avait guère été présent dans sa jeunesse, Mathias recueillit la dépouille, la fit embaumer et l'enterra dans la fosse de sa grand-mère et de sa mère décédées toutes deux depuis plusieurs années. Un service religieux avait été célébré, rien de plus. Mathias avait remis son chapeau en sortant de l'église avec Maryvonne à son bras et les enfants qui suivaient, en acceptant les condoléances de quelques voisins qui ne savaient même pas que monsieur Goudreau avait encore son père. Madame Ménard n'avait pu être présente, minée elle aussi par la maladie depuis quelques mois. Mathias fit inscrire le nom de son paternel sur la pierre tombale en place et Maryvonne, compatissante, y déposa une gerbe de fleurs en hommage aux parents du mari qu'ils lui avaient donné. Sans oublier de faire une courte prière pour la mère de la mère de son mari. Que c'était compliqué dans cette famille dont elle ne savait rien ou presque ! Mathias ne se souvenait même plus où son grand-père reposait !

Quelques flocons, une fin de novembre assez froide et, par un soir, alors que Maryvonne était affairée à la cuisine et que Mathias bûchait sur la galerie arrière en prévision de l'hiver, la petite Danielle, du haut de ses quatre ans, était venue dire à sa mère :

— Viens voir, maman ! La tête de grand-mère est tombée !

Ne comprenant pas ce qu'elle voulait dire, Maryvonne la suivit jusqu'à la chambre où sa mère écoutait la radio chaque soir dans sa chaise berçante, pour l'apercevoir inerte, la tête penchée sur le côté, dans le vide, à la hauteur de la poitrine. S'approchant d'elle, elle constata qu'elle ne respirait plus. Appelant à l'aide, criant à Gaston d'aller chercher son père dehors, elle soutenait sa mère dans ses bras, incapable, en état de choc, de la coucher sur son lit toute seule. Mathias arriva en trombe et, réalisant à son tour que sa belle-mère était décédée, il la prit dans ses bras et la déposa sur le lit déjà préparé pour la nuit. Ainsi s'était éteinte Rosalie Ménard. Sans faire de bruit. Dans sa chaise en écoutant des chansons françaises à la radio. Comme un petit poulet ! dirait-on lors de la visite de quelques cousines et amies au salon funéraire, sans oublier Fulgence, qui avait sincèrement pleuré sa mort. Maryvonne semblait triste, mais en femme forte qu'elle était, les larmes n'étaient guère de ses coutumes. Les enfants cependant étaient inconsolables de la perte de cette grand-mère qui les choyait. Léo l'aimait bien, Gaston lui était serviable et la petite Marie-Jeanne faisait des efforts pour grimper sur ses genoux alors que Danielle la poussait par terre pour prendre sa place. Mathias avait de la peine, il avait de l'affection pour madame Ménard, elle était si gentille avec lui. Et que dire de sa contribution versée chaque semaine qui aidait le couple dans ses dépenses ? Sans doute le seul regret de Maryvonne.

Rosalie eut un beau service, un magnifique cercueil d'ébène, selon les curieux qui étaient venus à l'église, et on enterra la chétive disparue avec son défunt mari dans le lot réservé pour eux au cimetière Notre-Dame-des-Neiges. En peu de temps, la même année, une naissance et deux décès. Ce qui avait fait dire à Mathias :

— Une chance qu'il n'y a plus de vieux dans la famille, ça commence à coûter cher, les morts subites !

Maryvonne, hochant de la tête comme pour approuver ses propos, ajouta :

— Tu sais, ça me fait bien de la peine ce qui est arrivé à ma mère, mais d'un autre côté, ça va nous faire de la place ici dedans. Une chambre de plus pour les filles, ça va être apprécié. On commençait à être maudetement tassés !

Après le temps des Fêtes, où les étrennes des jeunes avaient été moins abondantes cette année-là, Mathias avait emmené Maryvonne au restaurant pour être seul avec elle. Léo, très fiable, et Gaston, un peu moins, gardaient les plus petits pour la soirée. Attablés tous deux dans un restaurant chinois du centre-ville, Mathias avait commandé l'un des spéciaux numérotés composés d'un peu de tout pour sa femme et pour lui, ce qui coûtait moins cher que les mets à la carte. Profitant de la bonne humeur de Maryvonne, il lui demanda à brûle-pourpoint :

— On est en 1937, le temps passe, tu ne penses pas qu'on pourrait trouver une maison à deux étages seulement pour nous ? Un peu comme celles en bois qu'on voit au cinéma ?

— Voyons, Mathias, on n'a pas les moyens ! Le loyer que nous versent les locataires d'en haut chaque mois nous aide énormément pour nos comptes quand vient le temps de les payer. On arrive juste, comme c'est là ! Pis avec huit bouches à nourrir, ça coûte pas mal cher maintenant. Tu rêves, mon mari, des unifamiliales avec un beau terrain, c'est pour les mieux nantis, pas pour nous autres.

— Ben, avec le petit héritage de ta mère et le profit qu'on pourrait faire en vendant la nôtre… J'suis pas sûr qu'on n'arriverait pas, ma femme. Quitte à travailler encore plus fort.

— Même à ça, Mathias ! Un *cottage*, comme disent les Américains, y en a un peu plus au nord ou dans les beaux quartiers, mais les taxes sont plus élevées. On est de la classe moyenne, Mathias, pas de celle à gros salaires. Avec ce que tu gagnes et toutes ces bouches à nourrir, comme j'disais, penses-y pas ! On va pas se mettre dans les dettes pour ensuite se retrouver dans l'trou si on peut plus payer l'hypothèque ou les taxes. S'y fallait que tu tombes malade ?

— Ça risque pas de m'arriver, j'suis en parfaite santé, j'ai le cœur solide, le médecin m'a même félicité. J'fume pas, j'bois peu...

— Ah ! j'sais pas ! Laisse-moi au moins calculer quand on reviendra à la maison. Mais avec six enfants, le linge à acheter pour les plus vieux, les robes pour Danielle qui ne servent pas à Marie-Jeanne parce qu'elle est trop grosse pour les porter après elle... Pis Raymond qu'y faut habiller en neuf parce qu'y a trop de différence entre les plus vieux pis lui. En plus des souliers, des parkas pour l'hiver, des vêtements pour toi et moi...

— On pourrait s'contenter de c'qu'on a, Maryvonne. Pour où c'qu'on va ! Si on ménage par-ci par-là, j'suis pas sûr, moi...

— On verra, laisse-moi manger astheure, c'est tellement bon, les *spare ribs* avec leur sauce... Pis le poulet roulé avec la sauce aux cerises... Tu veux pas ton *chow mein* ? J'peux le prendre ?

Mathias observait sa femme qui se vautrait si goulûment que le gras des *spare ribs* s'échappait des coins de sa bouche. Lui, mangeant peu, se contentant du riz et des rouleaux au chou, regardait ailleurs et non Maryvonne pour tenter de garder intact le peu d'appétit qu'il avait. Après un dessert sucré pour elle, deux *fortune cookies* pour lui et les tasses de thé, ils repartirent et, en cours de route, elle s'appuya sur son bras pour rajouter :

— Comme j'le disais, j'vais calculer tout ça, mais ça m'surprendrait qu'on puisse vivre dans une maison juste à nous quand le logement du haut nous rapporte actuellement vingt-deux piastres par mois. Ça nourrit les enfants, cet argent-là ! Ça paye au moins le nécessaire !

Mathias, avec ses idées de grandeur, n'ajouta rien. Il se voyait très bien propriétaire d'une unifamiliale avec une galerie qui en ferait le tour, plusieurs pièces et de l'aisance, alors que Maryvonne, sans trop le descendre de son piédestal, trouvait que son mari avait les yeux plus grands que la panse !

Malgré la vive opposition de sa femme, Mathias ne dérogea pas de son idée de déménager et de s'installer dans une maison vaste et détachée avec sa famille. Suivant le conseil d'un entrepreneur de la construction qui lui avait dit : «Cherche plus au nord, près de la rivière, y a des aubaines dans ce coin-là», il avait décidé d'aller mettre les pieds dans Cartierville où il y avait des maisons de bois avec stucco à deux étages à vendre pour pas cher. D'anciennes résidences de cultivateurs qui, eux, s'étaient éloignés encore plus au nord, de l'autre côté de la rivière. Mathias jeta son dévolu sur une maison de la rue Cousineau qui, ça se voyait, demandait des réparations. La galerie, qui faisait effectivement presque le tour, tombait en ruines. Les planches défonçaient juste à y poser le pied. Avec son savoir-faire,

Mathias allait certes les changer en un rien de temps, tout comme il allait repeindre la devanture en bois qui s'écalait de sa couche d'origine. Mais l'intérieur était assez intact, quoique les tapisseries laissaient à désirer, mais qu'était-ce donc que de rafraîchir un peu cette maison ? Il rencontra le propriétaire, qui était prêt à la lui céder pour moins de cinq mille dollars, une aubaine que Mathias ne pouvait refuser. Il signa promptement une offre d'achat au brave homme sans en parler à Maryvonne et il lui laissa même un chèque de cent vingt-cinq dollars, signe de sa bonne foi. C'en était donc fait, Mathias Goudreau allait posséder la demeure dont il rêvait dès qu'ils auraient signé les papiers définitifs. Et ce, sans en glisser le moindre mot à sa femme. Un *cottage* avec trois chambres à l'étage, une autre au rez-de-chaussée, un vivoir pour le piano et les passe-temps de Maryvonne, une grande cuisine et une salle à manger assez vaste pour y mettre une table à panneaux deux fois plus longue que celle qu'il avait. Avec une seule salle de bain en haut, mais en brave plombier qu'il était, il se promettait bien d'en installer une autre, plus petite, avec juste un lavabo et une cuvette, à deux pas de la cuisine, là où les tuyaux descendaient derrière le mur. Fier de son coup, content de ses trouvailles et de sa journée, il rentra à la maison le soir venu et, après le souper, alors que les enfants s'affairaient à enfiler leurs pyjamas et leurs jaquettes et que Maryvonne avait fini de nourrir la petite dernière, il la pria de se rendre avec lui au salon où, dès qu'elle fut assise, il lui annonça d'un trait :

— Prépare-toi à faire nos valises, ma femme, on déménage !

La bouche ouverte, ne saisissant pas tout à fait ce qu'il voulait dire, il ne la laissa pas questionner et ajouta rapidement :

— J'ai acheté une maison à Cartierville ! Une grande maison à deux étages, Maryvonne ! Une maison familiale ! On va être heureux là-bas, les enfants vont avoir un grand terrain pour courir...

Rouge comme une pivoine, les deux mains sur les hanches, elle lui lança avec véhémence :

— J'ai-tu bien entendu, Mathias ? T'as fait ça sans m'en parler ? C'est moi qui mène ici...

Il l'interrompit pour lui répondre avec fermeté :

— Non, plus maintenant, Maryvonne ! C'est moi l'homme de la maison, c'est moi le père, c'est moi qui décide à présent ! Je sais compter autant que toi et il va te falloir apprendre à respecter mes décisions ! La maison est achetée, les enfants seront heureux là-bas et toi aussi.

Étonnée du ton ferme de son mari, Maryvonne, malgré son bouillant caractère, n'osa plus le contrarier et remit ses mains levées dans les poches de son tablier. Pour ensuite lui dire :

— Écoute, Mathias, je sais où ça se trouve Cartierville, c'est pas loin du parc Belmont où les enfants veulent toujours aller, mais on n'est pas des colons, pour aller habiter là ! Y a rien dans ce coin-là à part des habitants, c'est la campagne à perte de vue, y a pas de magasins, je m'demande même s'il y a une école...

— Tu te trompes, ma femme, y a une école, une église pis des magasins un peu plus loin. Ceux qui vivent déjà là s'approvisionnent quelque part, non ? Pis on a une auto si y faut nous déplacer. Pis, comme tu l'as dit, le parc Belmont attire beaucoup de gens qui viennent avec leur char ou par le tramway 17 qui les débarque juste au coin. Tu vas voir que c'est pas tout à fait la campagne comme tu l'penses. C'est pas comme ici, c'est certain, mais ça va tellement se développer que, dans dix ans, notre maison va valoir le double de ce que j'vais la payer.

— Avec quoi, Mathias ? On arrive juste comme c'est là avec le loyer des locataires…

— On va prendre l'argent de ta mère que t'as mis à la banque…

— Aie ! Je l'ai placé pour qu'y profite, cet argent-là !

— Ben, y profitera pour les enfants, Maryvonne ! Tu vas collaborer un peu, faire ta part aussi ! Tu vas être encore à la maison, toi, c'est moi qui va travailler comme un bœuf pour…

Maryvonne l'interrompit pour lui crier ou presque :

— J'ai pas envie de m'isoler pour aller crever d'faim dans ce patelin-là, moi ! On manque de rien ici !

— Et tu manqueras de rien là-bas non plus ! On va arriver, tu vas voir, les chantiers ont besoin de plombiers, ça se développe beaucoup dans ce coin-là. Je vais avoir de l'ouvrage en masse, y a même un entrepreneur qui m'a approché pour un contrat à l'année longue. Pis, un jour, j'aurai peut-être ma propre compagnie…

— Tu rêves, mon mari ! Quand on est né pour un p'tit pain…

— Va pas plus loin, tu vas avoir à t'en excuser dans pas grand temps. J'compte pas travailler pour les autres toute ma vie !

— Ben, c'est pas mal parti pour ça… T'avances en âge… Pis, on a-tu au moins un voisin sur la rue… quoi déjà ?

— La rue Cousineau ! Plus qu'un voisin, y a cinq ou six maisons des deux côtés de la rue, mais distancées les unes des autres. Juste le terrain va valoir plus cher que la maison avec le temps parce que, de chaque côté, y a d'la place pour en construire deux autres. Alors…

— Bon, alors, si tu y crois, si tu l'as inspectée, la cabane…

— La maison, Maryvonne, pas la cabane ! Elle a besoin de rénovations, mais je vais m'en charger, je vais même installer une autre toilette en bas. Les tapisseries sont pas laides, mais un peu défraîchies…

— Tiens ! J'savais que j'aurais du ménage à faire et des choses à changer ! La tapisserie, la peinture, le nettoyage… Il fallait qu'on arrive encore dans un endroit crotté !

— Ben, à c'prix-là, ma femme…

C'est donc vers la fin des classes que Mathias et sa famille déménagèrent à Cartierville après que le brave homme eut installé la toilette dont il parlait et réparé la galerie qui tombait en ruines. Maryvonne avait visité la maison, elle l'avait trouvée grande et confortable, elle se sentait davantage propriétaire en ces lieux plus discrets, mais elle ne raffolait pas du quartier, qui n'était pas tellement développé, même si elle avait repéré une épicerie pas très loin et un cordonnier un peu plus à l'est, ce qui lui était indispensable pour les souliers des jeunes qu'elle faisait ressemeler au fur et à mesure qu'ils étaient troués. Les enfants semblaient apprécier le grand terrain sur lequel Mathias avait installé des balançoires à des branches d'arbre en plus de deux chaises berçantes sur la galerie, lieu de surveillance de sa femme. Il avait finalement pris le contrôle des finances et les guides de leur avenir. Maryvonne avait fini par courber l'échine et le laisser être le maître à bord du paquebot familial. Tout comme sa plus proche voisine, une autre femme au foyer, elle avait appris à tout déléguer à son mari et à se contenter d'être au poêle, à sa machine à laver, à son moulin à coudre, et de voir aux achats des vêtements des enfants et des denrées alimentaires hebdomadaires. Car, pour ces choses, les femmes étaient mieux renseignées sur les aubaines des marchands des alentours qui se livraient concurrence et elles étaient plus aptes à épargner quelques cennes chaque semaine.

Léo avait donné un bon coup de main à ses parents pour le déménagement, Gaston en avait fait tout autant, mais en maugréant, il était mécontent d'avoir à quitter ses amis et à s'en chercher d'autres à Cartierville. Les fillettes, trop jeunes pour se plaindre, avaient suivi avec leurs poupées et leurs jouets, tandis que la petite dernière, Yvette, accrochée au sein de sa mère, allait où bon la vie la menait. Mathias, sans s'en cacher cette fois, avait écrit à ses beaux-parents au Manitoba pour les aviser de sa nouvelle acquisition tout en s'informant de son petit Roger. Le garçonnet, huit ans déjà, ne s'intéressait pas outre mesure à ce qui se passait à Montréal. Très affable envers sa grand-mère, premier de classe avec l'aide de sa tante Flavie, il s'était fait des amis, anglophones pour la plupart, et sa vie au sein de sa véritable famille semblait loin derrière lui. Un de ses copains l'avait même surnommé « Roy Rogers » comme le célèbre cowboy de l'écran, à cause de son prénom Roger, peu populaire au Manitoba. Très attaché à sa grand-mère, affectueux et obéissant, il aimait aussi son grand-père, qui le gâtait d'une certaine manière en lui donnant souvent de la monnaie pour des bonbons ou des cornets de crème glacée à deux boules au restaurant du coin. Flavie avait répondu qu'ils viendraient un jour à Montréal leur rendre visite, mais c'était ce qu'elle leur promettait dans chaque lettre. Occupée par son travail à longueur d'année ou presque, elle partait en voyage avec d'autres institutrices, célibataires comme elle, quand elle en avait l'occasion. Or, au lieu de venir à Montréal, c'était en Belgique cette fois qu'elle se rendrait, après avoir visité la France l'an dernier et l'Italie l'année d'avant. Puisque son fiston allait bien et qu'il semblait heureux dans la famille de sa chère Toinette, Mathias respirait d'aise. Il n'avait plus à se préoccuper de l'éducation de Roger, sachant que Flavie y voyait, ni de l'affection qu'il ne pouvait lui donner, sûr qu'il était très choyé de ce côté par grand-père et grand-mère, qui n'avaient de cesse de le gâter. Ce qui lui enleva toute culpabilité de l'avoir, selon lui, abandonné, alors que le petit jouissait avec ses grands-parents et Flavie d'une plus belle vie que celle qu'il aurait pu avoir avec lui.

Maryvonne, de son côté, n'avisa même pas son frère Donat et sa femme de leur nouvelle adresse. Elle comptait les éloigner à tout jamais, si possible, de sa famille. Le seul fait de penser à cette belle-sœur qu'elle détestait lui donnait de l'urticaire ! Mathias, bon travaillant, en forme, s'était vite trouvé un boulot dans la tuyauterie des nouvelles maisons, engagé par un constructeur qui lui versait de meilleurs gages que le précédent. Et ce, sans compter les suppléments qu'il pouvait se faire quand des voisins l'appelaient pour des petits troubles d'évier ou de toilettes bloquées. Le bouche-à-oreille avait fait son effet et monsieur Goudreau était vite devenu l'indispensable plombier de son quartier. Maryvonne avait emmené ses enfants au parc Belmont une fois au cours de l'été, et Gaston et Léo y étaient retournés seuls afin de flirter avec les filles aux cheveux blonds ou bruns qui se trémoussaient sur des talons hauts, les lèvres barbouillées de rouge à treize ou quatorze ans à peine. Et c'était sans cesse sur Léo qu'elles jetaient leur dévolu. Parce qu'il était plus vieux, plus grand, plus beau que Gaston. Tout en gardant ce dernier en réserve au cas où l'aîné ne leur prêterait pas attention. L'automne venu, les deux jeunes Goudreau se faisaient des muscles en ramassant les feuilles sur l'immense terrain de la maison. Pour ensuite les faire brûler près d'un hangar qui tenait encore debout, on ne savait comment avec tous ces vents. Maryvonne avait changé les tapisseries, elle avait aussi peinturé les chambres à l'étage en rose et bleu, laissant à Mathias les pièces du bas à haut plafond qu'il couvrit en vert pâle, des restants de gallons obtenus à rabais du quincaillier où il allait s'approvisionner. Vers la mi-novembre, on aurait pu dire que tout était terminé et que la maison quelque peu délabrée lors de l'achat avait maintenant fière allure. C'était, aux dires de Mathias, la plus belle de la rue Cousineau, la presque plus belle du quartier. Et Maryvonne, contente du constat, partait la tête haute avec sa sacoche sous le bras le dimanche pour que ses voisines la considèrent comme une femme venant… de la ville !

Seule ombre au tableau en cette fin d'année 1937, le grand-père Imbault décéda d'une pneumonie à Winnipeg après avoir été transporté à l'hôpital. Sa veuve le pleura, Flavie aussi, le petit Roger quelque peu, car, pour lui, en autant que sa grand-mère soit en vie... Mathias avait fait parvenir une carte de condoléances signée du nom de sa femme et de tous ses enfants. Flavie lui avait répondu, après la mise en terre de son père dans le terrain acheté à Winnipeg, qu'elle allait être, avec l'aide de sa mère, en mesure de se débrouiller et de voir au bien-être de Roger. La présence d'un homme à la maison allait certes leur manquer, mais madame Imbault avait rassuré sa fille en lui disant : «On a déjà notre p'tit homme qui va grandir et remplacer son grand-père. D'ici là, on va venir à bout de tout, toi et moi.» Monsieur Imbault leur avait laissé assez d'argent pour qu'elles ne soient pas en peine, et comme Flavie gagnait bien sa vie... D'autant plus que leur maison était payée et qu'aucune dette ne venait les troubler.

Mathias avait néanmoins dit à Maryvonne :

— C'est dommage que Roger ne veuille pas venir vivre avec nous. C'est mon petit gars comme les autres...

Maryvonne, levant les yeux de son tricot, lui avait répondu :

— Ben non, c'est leur fiston depuis longtemps. Sa grand-mère, c'est sa mère pour Roger ! Pis y a sa tante Flavie pour l'éduquer... Tu penses pas qu'on en a plein les bras comme c'est là, Mathias ? Danielle pas encore très grande, Marie-Jeanne à mes jupes, la p'tite dernière à mes seins, pis j'en élève déjà deux qui sont pas les miens ! C'est pas assez ?

— Heu… oui, ben sûr, mais mon p'tit dernier, c'est pas…

L'interrompant brusquement, Maryvonne s'écria dans un quasi-râlement :

— Après tout c'que j'viens de t'dire, t'insistes encore ! T'as rien compris ? Maudit !

Chapitre 4

Dix années s'étaient écoulées en ces lieux devenus leur habitat familial à tout jamais, selon le père. Mathias Goudreau, toujours bel homme, avait fêté ses quarante-sept ans en février et Maryvonne, encore aussi dodue, allait célébrer les siens en juillet qui venait. L'année 1947 était à ce jour assez calme, et l'on sentait l'espoir renaître de plus belle dans les cœurs des citoyens du monde entier depuis la fin de la guerre. Mathias, père de six enfants, avait échappé à la conscription alors que Léo et Gaston avaient été appelés au front pour en revenir tous deux indemnes grâce aux prières de leur grand-mère Imbault, à Winnipeg. Roger, trop jeune pour l'armée, s'en était sauvé au grand bonheur de sa tante Flavie, et Fulgence, le cousin de Maryvonne à Montréal, quoique célibataire, était déjà trop âgé et pas assez en bonne santé pour qu'on l'appelle sous les drapeaux. Les Goudreau, à l'instar de nombreuses familles de Cartierville et des autres municipalités du Québec, avaient souffert du rationnement dans tous les domaines. Maryvonne trouvait parfois, grâce à son épicier, un quart de livre de beurre et deux sacs de sucre, mais on se contentait bien souvent de substituts ou de dérivés pour sucrer le thé ou pour beurrer les rôties. Ils avaient, par contre, toujours mangé à leur faim malgré ces privations, Maryvonne faisait des miracles lorsqu'elle était à son poêle. Des pâtés chinois et des macaronis aux tomates bien souvent, mais comme Mathias trouvait la plupart du temps le moyen de mettre du pain croûté sur la table, les ventres étaient assez remplis après chaque repas. Raymond, de plus en plus malappris malgré son jeune âge, revenait régulièrement avec des beignes sans qu'on sache où il les avait pris. Sa mère sourcillait, questionnait, mais Marie-Jeanne, gourmande, l'interrompait en lui disant : « On a au moins du dessert ! Laisse-le faire ! » Le travail avait été irrégulier durant ces années d'austérité et Mathias et Maryvonne avaient parfois tiré le diable par la queue, sans sombrer dans les dettes pour autant. Des petits contrats de plomberie à rabais par-ci par-là dans les temps les plus durs, mais les quelques piastres rentraient régulièrement, ce qui aidait le ménage Goudreau pour les denrées et les médicaments nécessaires. Les enfants étaient en assez bonne santé, sauf Marie-Jeanne, qui, asthmatique, passait ses crises en reniflant de l'Asthmador en poudre que Maryvonne faisait brûler dans un petit récipient de fer-blanc. Surtout l'hiver lorsque c'était froid et humide. De plus, souffrant d'embonpoint comme sa mère, la pauvre Marie-Jeanne s'essoufflait à seulement monter et descendre l'escalier intérieur de leur maison familiale. Au point que Mathias avait décidé de faire une chambre à sa deuxième fille au rez-de-chaussée et de réduire de moitié le petit refuge de sa femme pour ses lectures et ses casse-tête de mille morceaux qu'elle faisait et défaisait sans cesse sur une table à cartes. Sans pour autant se départir du piano qu'elle jouait assez souvent pour le plaisir de ses enfants. Surtout de sa plus vieille, Danielle, qui écoutait les chansonnettes françaises à la radio pour ensuite demander à sa mère de lui interpréter *Amapola* que Tino Rossi chantait si bien. Ce que Maryvonne réussissait à jouer à l'oreille seulement, sans feuille de musique, comme elle l'avait toujours fait.

Ces hauts et ces bas de la vie, ces beaux et mauvais jours d'un laps de temps de six années intenses de guerre à travers le monde étaient maintenant derrière eux et le soleil brillait plus souvent dans le cœur des filles Goudreau que les sombres nuages qui les avaient effrayées. Elles s'étaient tellement inquiétées de leurs frères, Léo et Gaston, mais Mathias les avait rassurées en leur disant : « Ne vous en faites pas, leur mère veille sur eux. Toinette nous les ramènera sains et saufs. » Ce qui avait fait sourciller Maryvonne, qui s'était contentée de respirer par le nez pour éviter de rouspéter. Parce que Toinette, la première femme de Mathias, était toujours dans le cœur de son mari malgré les années qui passaient. L'inoubliable Antoinette, à qui il rendait encore visite au cimetière afin de fleurir sa tombe de roses rouges ou de branches de lilas durant le temps de la guerre. Bref, les mauvais jours étaient maintenant derrière eux et les jeunes filles de la famille songeaient de plus en plus à leur avenir. Danielle, jolie demoiselle de quinze ans, portait déjà, avec la permission de sa mère, des souliers à talons hauts et du rouge à lèvres, ce qui excitait les garçons des environs. Marie-Jeanne, pour sa part, avec ses quatorze ans, n'avait pas le succès de sa sœur aînée. Peu coquette, grasse et lente à cause de son manque de souffle, elle se passionnait cependant pour la lecture et se tirait très bien d'affaire en arithmétique à l'école. Raymond, du haut de ses douze ans, était plutôt du genre voyou. Un jeune rebelle à comploter des coups, à faire crier sa mère et à subir les foudres de son père. « Rien d'encourageant avec lui ! » s'exclamait Mathias chaque fois qu'il avait à le disputer pour une mauvaise conduite. Et Yvette, la petite dernière, avec ses onze ans seulement, enviait sa grande sœur Danielle, qui n'était plus une enfant. Belle à ravir cependant, Yvette promettait déjà d'avoir la cuisse légère si l'on se fiait aux baisers furtifs qu'elle échangeait avec des petits voisins derrière la remise du jardin. Le soir, seule dans sa chambre, elle s'employait à remonter ses cheveux, à se barbouiller du rouge à lèvres de sa sœur, à se parer de ses bijoux et à se chausser de ses souliers. Non pas pour jouer à la mère, mais pour jouer à la femme en s'imaginant déjà dans les bras d'un beau gars comme elle en voyait dans les revues américaines que Danielle achetait avec son argent de poche quand elle gardait les enfants du voisinage. La voir se pavaner ainsi dans ses affaires impatientait l'aînée, qui lui lançait : « Toi, tu enlèves ça tout de suite ! Et va jouer avec tes poupées, c'est plus de ton âge ! » Ce qui enrageait la petite dernière, qui lui répliquait : « Tu vas voir ! Je vais être plus belle que toi dans trois ans et c'est moi que les garçons vont regarder, pas toi ! » Et c'est la mère qui, chaque fois, les rappelait à l'ordre à la demande de Marie-Jeanne, qui lui criait de sa chambre : « M'man, viens les séparer ! Danielle et Yvette sont encore pognées ! »

Depuis quelque temps, Léo, beau mâle comme son père l'était à son âge, fréquentait la fille d'un chauffeur d'autobus du nom de Gloria Delpeau. Pas extrêmement belle, elle était tout de même assez jolie pour plaire à un brave garçon comme lui. Léo, vingt-six ans maintenant, vendeur de tapis dans un magasin spécialisé, aurait souhaité se marier pour quitter le toit familial et libérer ainsi la moitié de la pièce qu'il partageait encore avec Gaston. La maison avait beau être assez vaste pour une trâlée d'enfants, elle l'était moins avec ceux-ci devenus grands. Gaston, de son côté, vingt-quatre ans, apprenti électricien, sans se presser pour autant, avait un œil sur Desneiges Clément, la fille d'un gars de la construction pour qui travaillait parfois son père. Il avait remarqué cette dernière en allant porter un lunch à Mathias sur un chantier, alors qu'elle bavardait avec le paternel et quelques confrères. Elle l'avait regardée, elle aussi, et il avait senti que le courant passait entre eux. Belle comme un cœur, les cheveux blonds bouclés, les yeux verts, Desneiges était fille unique. La vingtaine à peine, elle travaillait dans un bureau comme secrétaire. Très courtisée, elle n'avait toutefois jeté son dévolu sur aucun garçon, cherchant sans doute celui que son cœur allait lui désigner. Était-ce lui ? Allaient-ils se fréquenter ? Gaston, toujours aussi distant, attendait qu'elle fasse les premiers pas. En ayant fait part cependant à son frère Léo, ce dernier lui avait dit : « Bien, invite-la pour aller aux vues ! C'est à toi de faire les premiers pas ! Comme moi avec Gloria. Déniaise un peu, Gaston ! Fonce ! Avance-toi si t'as un *kick* sur elle, parce qu'un autre va te l'enlever bien vite, mon p'tit frère ! » Et Gaston, timidement, osa l'aborder le jour suivant.

Après le vouvoiement passé, il l'invita à aller au cinéma. La jeune fille, souriante, les dents blanches bien en vue, lui avait répondu :

— Je veux bien, mais lequel ? Pas un film français, au moins ?

— Celui que tu voudras, Desneiges, je te laisse le choisir.

— Bien, j'aimerais voir *The Razor's Edge* avec Tyrone Power. Il paraît que c'est un film d'action et j'aime beaucoup cet acteur. Tu le connais ?

— Oui, de nom seulement, je n'ai pas vu ses films, c'est plutôt ma sœur Danielle qui sait tout sur les acteurs.

Et c'est ainsi que Gaston Goudreau, digne fils de Mathias, entreprit une belle et longue relation avec Desneiges Clément, une des plus jolies filles du quartier. Curieusement, c'était le moins beau des deux frères qui avait déniché la plus belle fille des environs. Néanmoins, peu esthète, Léo trouvait sa Gloria aussi jolie que l'actrice Linda Darnell, dont il aimait le minois.

À Winnipeg, Roger, dix-neuf ans, comptait entreprendre des études en médecine après sa dernière année qu'il terminait au *high school*. Très raffiné, élevé par sa grand-mère qui ne laissait rien passer et Flavie qui l'instruisait de plus en plus, Roger était bilingue et ambitieux. Loin d'avoir envie d'être instituteur comme sa tante, il avait peu à peu jeté son dévolu sur la médecine. Il n'avait pas revu son père depuis son déménagement au Manitoba. Tant d'années pour Mathias à se morfondre de ne pouvoir le voir autrement qu'en photo que Flavie lui faisait parfois parvenir. Peu fortuné, il avait trouvé que le voyage s'avérait trop coûteux pour songer à s'y rendre, surtout durant ces années de la guerre qu'il avait difficilement traversées. Et Roger, sans ressource à cause des études que sa tante payait et du rationnement comme partout ailleurs, ne voulait quémander à celle-ci le coût d'un tel déplacement, en plus de l'hospitalité qu'il aurait eue à demander à son père au moment où le pain arrivait avec peine sur sa table. Mais il comptait s'y rendre cette année, ne serait-ce que pour un long week-end, revoir sa famille qu'il connaissait peu, renouer avec ses frères aînés et se recueillir avec eux sur la tombe de leur mère. Mathias, à l'annonce de sa visite prochaine, était fou de joie. Il voulait que Maryvonne le reçoive en grande pompe, ce qui offusqua sa femme, qui lui lança :

— Écoute, c'est ton fils qui s'en vient, pas le premier ministre !

— Un fils que je n'ai pas revu depuis son enfance. Il faut l'impressionner, je vais lui donner la chambre d'Yvette durant son séjour.

— C'est ça ! Sors notre fille de sa chambre pour son demi-frère qu'elle n'a jamais vu ! Tu charries, Mathias ! Pourquoi pas lui donner la nôtre, un coup parti ? Je veux bien croire que ce sont des retrouvailles d'importance pour toi, mais de là à tout chambarder… Une chambre privée pour monsieur Roger alors que ses deux frères plus âgés en partagent une à deux.

— Écoute, y sera ici pour quelques jours seulement, je veux qu'il ait envie de revenir nous voir. Un futur médecin à part ça !

— *So what!* C'est pas plus honorable que le travail de tes deux autres gars ! Pis pas plus impressionnant que Danielle, qui veut être garde-malade !

Cette dernière, qui n'était pas loin du salon, reprit sa mère :

— Infirmière, maman, pas garde-malade.

— Ben, deviens pas trop hautaine, toi ! Quand on va à l'hôpital, on appelle de sa chambre : « Garde, garde... » Pas vrai ?

— Oui, c'est une vieille habitude, mais d'après les religieuses, c'est « infirmière » qu'il faut dire.

— Tiens ! Les religieuses à présent ! On dit « les sœurs » à l'école, Marie-Jeanne me parle des sœurs, pas des religieuses. Es-tu en train de te prendre pour une autre, ma grande ?

— Non, je m'instruis, maman. Il faut évoluer, voyons... C'est quand je vous entends, Marie-Jeanne et toi, parler des consomptions à l'hôpital du Sacré-Cœur. On dit « tuberculeuses », parce que c'est la tuberculose, leur maladie. Il est temps de faire un pas en avant, voyons !

— Hé ! la snob, tu viendras pas nous dire comment parler ! lui cria Marie-Jeanne de la pièce voisine. Tu vas être juste une garde-malade, pas une avocate ! Reviens sur terre !

Mathias, impatienté par les propos de sa femme et de Marie-Jeanne à l'endroit de sa fille aînée, leur ordonna :

— Arrêtez toutes les deux et laissez Danielle nous instruire ! Elle est plus en avance que toi, Marie-Jeanne, et elle en connaît plus que toi, Maryvonne ! Prends donc les conseils qu'elle te donne !

— On sait bien, toi, Danielle, ta préférée...

Mathias n'ajouta rien et ouvrit son journal pour s'évader de la conversation. Car il était vrai que la plus vieille de ses filles était sa préférée. Parce qu'elle était jolie, qu'elle s'instruisait et qu'elle lui ferait honneur avec le temps. Tandis que Marie-Jeanne et Yvette… Pour ce qui était de Raymond, c'était déjà hors de question.

Deux semaines plus tard, Roger Goudreau atterrissait à l'aéroport de Dorval où son père l'attendait. Le reconnaissant après toutes ces années, Mathias l'interpella et le jeune homme, ayant oublié quelque peu le visage du paternel, ne l'ayant vu qu'en photo au cours des ans, comprit qu'il s'agissait de lui et le rejoignit en lui souriant. Mathias l'étreignit et lui dit sans plus attendre :

— Toute une pièce d'homme, mon gars ! On dirait que tu travailles dans un chantier ! Tu fais de la culture physique ?

— Non, papa, c'est naturel chez moi d'avoir des muscles. *Something from you, I guess…* Oh ! excuse-moi, il faut que je parle strictement français ici. Flavie m'a averti.

— Tu appelles ta tante par son prénom seulement ?

— Heu… oui, c'est elle qui me l'a demandé, c'est comme ça au Manitoba. Les Anglais sont plus familiers avec leurs proches et leurs *friends,* pardon, je veux dire leurs amis. Nous, on dit *you* à tout le monde, tandis qu'ici, il faut dire vous et tu… Je fais quoi ?

— Avec moi, ce sera *tu,* mon homme, mais avec ma femme, tu pourras dire *vous.* On n'est pas habitués aux familiarités par ici.

— Et je dis quoi avec mes frères et mes sœurs ?

— Bien, *tu,* voyons ! Ils sont de ta génération ! Les filles sont même plus jeunes que toi ! Dis donc, t'as que cette valise comme bagage ?

— Oui, c'est suffisant, je ne serai ici que pour quatre jours seulement.

— Pas plus longtemps ?

— Non, j'aurais bien voulu, mais j'ai des études qui reprennent assez tôt à Winnipeg. J'ai des livres à lire sur la médecine plein mon *desk* !

— Docteur ! J'peux pas l'croire ! Mais j'suis fier de toi, Roger ! Et ta mère doit être heureuse de l'autre côté de voir où tu t'en vas.

— Je l'espère, c'est si long ! Mais j'aime la santé, je veux que les gens soient en forme. Je veux être un *family doctor*, pardon, je veux dire un médecin de famille.

— Excuse-toi pas quand tu te trompes de langue, Roger, j'connais pas mal de mots en anglais. J'suis pas instruit, mais j'apprends avec la vie. Dans la construction, on a des Anglais qui parlent pas un maudit mot de français pis on s'débrouille avec eux !

Comme Roger avait un très bon vocabulaire, Mathias faisait quelques efforts pour tenter d'être à la hauteur, mais chassez le naturel, il revient au galop… Ils causèrent de tout et de rien jusqu'à ce qu'ils arrivent à la maison et, dès qu'entré, Roger fit face à Maryvonne, qui l'accueillit par ces mots :

— Bon, c'est toi, le plus jeune ? Tu dois avoir faim, j'ai un pâté au poulet au four pis y a des betteraves marinées sur la table. Tu étais si petit quand tu es parti que je ne t'aurais pas reconnu…

— Oui, c'est difficile après quinze ou seize ans d'absence, je ne m'en souviens plus, mais vous êtes très gentille de me recevoir ainsi. C'est ma demi-sœur que j'aperçois dans le salon ?

— Oui, lui répondit Mathias, en criant à sa fille Marie-Jeanne : Lève-toi de ta chaise et viens saluer ton frère, voyons !

Lourdement, Marie-Jeanne se leva pour serrer la main de son demi-frère, après avoir déposé le roman qu'elle lisait sur le sofa. Roger se montra chaleureux avec elle, mais elle était distante. Un peu gênée aussi… Un futur médecin ! Puis, sortant on ne savait d'où, Yvette arriva tout excitée avec son sourire enjôleur pour lui dire :

— Moi, j'avais hâte de te connaître. Tu vas rester longtemps ici ?

Roger regarda cette « petite bête » curieuse et lui répondit :

— Non, juste pour le week-end, je repars lundi soir, j'ai mon billet d'avion dans ma poche.

— En avion ? Chanceux ! Je l'ai jamais pris, moi !

Se rapprochant de son frère, elle aurait aimé lui tâter le biceps ou encore le mollet qu'elle sentait musclé sous son pantalon de velours côtelé beige. Sa mère, devinant ses mauvaises pensées, lui ordonna :

— Bon, ça va, la p'tite, viens m'aider avec la vaisselle et laisse ton frère tranquille ! Il est à peine rentré, on lui a même pas encore offert une chaise. Tiens, prends celle-là, mon gars, je vais te servir…

— Non, madame, ne vous donnez pas la peine, j'ai mangé dans l'avion. Il y avait un repas avec le billet que Flavie m'a acheté. Je suis en première classe ! On nous fournit même l'alcool, mais je bois très peu. J'ai accepté une bière, rien de plus. Une chance que j'ai l'air plus vieux que mon âge, parce que je ne suis pas majeur et on m'en a servi, ajouta-t-il en riant.

— Quel âge que t'as ? lui demanda effrontément Yvette.

— Dix-neuf ans, pas encore vingt et un comme la loi le veut.

— Wow ! T'as l'air aussi vieux que Gaston ! T'as-tu une blonde ?

— Yvette ! Arrête avec tes folles questions ! lui cria sa mère.

Mathias la regarda en sourcillant et, comprenant qu'elle était trop indiscrète, la jeune fille qui avait piqué un peu de rouge à lèvres à sa sœur s'éloigna pour ne plus le quitter des yeux. Après que Roger soit monté pour déposer sa valise en compagnie de son père, sa mère, regardant Yvette, lui lança :

— P'tite vicieuse !

— Ben quoi, j'ai rien dit de mal ?

— Non, t'as pas à parler, toi, juste ta façon de le regarder de la tête aux pieds, ça promet ! C'est ton demi-frère, Yvette, pas un étranger ! T'es pas avec Aurèle derrière le hangar, cette fois !

La petite fille rougit et, affrontant sa mère, rétorqua :

— Quoi ! On fait rien de mal, Aurèle pis moi, on parle…

— Oui, j'imagine de quoi vous parlez ensemble ! Marie-Jeanne t'a déjà surprise avec lui. Le langage des doigts, Yvette !

Se tournant vers sa sœur, Yvette lui cria dans sa colère :

— Grosse maudite ! Panier percé ! T'es jalouse parce que les gars te regardent pas, toi ! T'en auras jamais un ! Tu fais dur…

Ce qui lui valut de la part de sa mère une taloche derrière la tête.

Au souper, tous étaient rassemblés autour de la table pour manger et jaser avec Roger et ce dernier, enthousiasmé par la présence de ses frères et sœurs, lui qui était « fils unique » au Manitoba, les questionna tour à tour sur leurs études, leurs projets, leurs goûts personnels… Il trouvait Danielle très jolie et s'entretint un moment sur sa vocation d'infirmière, qui rejoignait un peu la sienne. Il parla avec Léo de son travail, avec Gaston de sa copine, avec Yvette de l'école, mais peu avec Marie-Jeanne, qui mangeait sans regarder personne. Mathias observait la scène sans trop intervenir. Il désirait que ses enfants se rapprochent et fassent d'abord connaissance avec leur demi-frère. À un certain moment, alors que le dessert était sur la table, Roger déplia une enveloppe qu'il avait dans la poche intérieure de son veston sur le dos de sa chaise et en sortit trois ou quatre photos de sa mère que Flavie avait choisies pour Léo et Gaston. Mathias leur jeta un coup d'œil et on sentit l'émotion l'étrangler. Sa belle Antoinette sur une balançoire. Puis une autre d'elle et lui avec Léo dans les bras de sa maman. Une troisième où sa Toinette, souriante, soulevait un pan de sa robe du dimanche. Les filles regardaient aussi, Maryvonne à peine. Danielle, constatant que sa mère était incommodée, fit remarquer à Roger qu'il lui ressemblait beaucoup. Marie-Jeanne ne releva rien, mais Yvette, le nez sur les photos s'écria : « Wow ! Elle était donc bien belle ! » Ce que Maryvonne avala de travers.

La soirée se déroulait bien entre les enfants et Mathias, sentant que son fils du Manitoba s'intéressait plus ou moins à lui, le laissa aux bons soins de Léo et Danielle, qui lui posèrent mille questions. Roger leur parla de sa grand-mère Imbault qui l'avait élevé, de sa tante Flavie qui l'avait tellement secondée, de son grand-père décédé qui le gâtait lorsqu'il était petit… Il leur parla aussi de Winnipeg, du *high school* qu'il fréquentait, des cinémas où il allait, du dernier film qu'il avait vu avec Humphrey Bogart, pour finalement leur avouer qu'il n'avait pas encore de blonde *steady,* qu'il se consacrait à ses études. Yvette, qui le reluquait du haut de ses presque douze ans, avait répliqué :

— Pas de blonde ? Un beau gars comme toi ? Ici, t'en aurais des centaines ! Mon amie Paulette dirait pas non !

— Voyons, Yvette ! clama Danielle, elle a douze ans, Roger en a dix-neuf ! Raisonne un peu ! Et arrête de te mêler de nos conversations si c'est pour dire des sottises.

Insultée, la benjamine de la famille se leva et, se dandinant comme une femme, se rendit jusqu'au salon en espérant que son demi-frère ait observé son manège.

La soirée prit fin sur ces retrouvailles et, seul dans sa chambre, Roger songea qu'il s'accommoderait fort bien de Léo qui était très aimable, aussi de Gaston, même si ce dernier avait moins de conversation, et de Danielle avec qui il avait beaucoup échangé. Pour les autres, c'était moins important. Maryvonne était correcte avec lui, mais sans empressement, elle le regardait souvent avec méfiance. Raymond, après les présentations d'usage et quelques bouchées, s'était éclipsé pour aller « aux vues » avec un jeune voyou semblable à lui. Pour ce qui était de son père, Roger le respectait, mais il ne pouvait avoir un comportement aussi filial envers lui que ses deux frères, ayant été élevé par ses grands-parents. Le lendemain, le petit troupeau composé de Mathias, Léo, Gaston et Roger se rendit au cimetière sur la tombe d'Antoinette afin d'y faire une prière et d'y déposer quelques fleurs. Roger avait demandé à son père d'arrêter chez le fleuriste afin d'y acheter six roses blanches, qu'il disposa avec soin devant le monument de sa mère. Et, avant de partir, il sortit de sa poche un étui dans lequel se trouvait un chapelet, qu'il enroula autour de la petite croix de marbre sur le dessus de la pierre tombale. Un chapelet satiné gris que sa tante Flavie lui avait remis en espérant que le vent ne l'emporte pas. Ce que Roger allait prévenir en serrant d'un nœud qui le retiendrait en place. Mathias, ému par ce geste, pria Roger de remercier Flavie de sa bonne pensée et les trois fils Goudreau du premier mariage de Mathias se rendirent dans un restaurant non loin du cimetière pour un léger dîner que le paternel leur offrit. La fin de semaine s'écoula, Roger partagea les repas de sa famille, leurs longues soirées sur la grande galerie, et le jour vint où il dut repartir non sans avoir remercié sa belle-mère de son hospitalité, d'avoir salué ses frères, embrassé ses sœurs et étreint son père, attristé de son départ. Roger, bien sûr, les avait tous invités à venir les visiter à Winnipeg et Mathias avait répondu :

— Tu sais, c'est assez coûteux comme voyage, je ne crois pas…

Mais Léo l'avait interrompu pour répliquer :

— T'en fais pas, papa, avec quelques économies, nous pourrons y aller toi et moi, juste nous deux, à moins que Gaston décide de nous accompagner. Quant aux autres, ils ne sont pas de la famille Imbault, inutile pour eux de se déplacer pour des gens qu'ils ne connaissent pas.

À bord de l'avion qui le ramenait à Winnipeg, Roger était content de sa visite à Montréal, mais il se demandait vraiment s'il aurait pu prolonger son séjour. Selon lui, c'était suffisant, ça devenait lourd de temps en temps... Il avait hâte de retrouver sa grand-mère, Flavie, sa tranquillité et ses quelques amis. Il avait certes apprécié son séjour à Montréal, mais pas au point d'avoir envie d'appartenir à une grosse famille, lui qui avait été élevé seul par sa grand-mère qui l'adorait. Il souhaitait bien cependant revoir Léo, quitte à ce qu'il vienne sans son père, pour que les Imbault, mère et fille, connaissent un peu ce beau grand garçon de leur chère Toinette. Et parce que Léo était celui avec qui il avait le plus d'affinités.

Mais Léo n'allait pas se rendre à Winnipeg, il avait d'autres plans, et Mathias, content d'avoir revu son fils Roger, ne tenait pas tellement à ressasser de tristes souvenirs avec la mère de sa première épouse. Il avait réussi tant bien que mal à faire le deuil de sa Toinette, sans pour autant cesser de l'aimer. Car Maryvonne, malgré son dévouement et sa bonne compagnie, n'avait jamais pu devenir ce que sa première femme avait été pour lui. Et pour Léo, un autre projet plus important qu'un voyage éventuel se traçait à l'horizon. Gloria et lui avaient décidé de se marier avant la fin de l'année, en novembre si possible. Et de s'installer dans un logement à eux. Ce qui laisserait plus de place à ses frères et sœurs à la maison. Maryvonne, ravie de la nouvelle, en soupirait d'aise. Un de moins à faire manger et à laver les vêtements chaque semaine. Un de moins « sur les bras », comme elle le répétait souvent quand elle était fatiguée. Et Gloria était une si gentille fille ! Elle allait certes prendre soin de

Léo autant qu'elle, sinon plus. Ce qui plairait à Mathias, qui voyait cette future bru d'un très bon œil. Habile cuisinière, économe, dévouée, elle s'avérait à ses yeux la femme complète toute désignée pour son aîné.

C'est donc en novembre 1947, le samedi 15 plus précisément, que Léo Goudreau et Gloria Delpeau se mariaient pour le meilleur et pour le pire à l'église de la paroisse de la jeune femme. Un mariage peu onéreux que le père de la mariée paya en entier. Gloria avait choisi une jolie robe longue de velours blanc d'un magasin de la rue Saint-Hubert, avec un voile de soie attaché au petit caluron qui complétait sa toilette. Léo, pour sa part, avait loué un smoking, et Mathias, pour ne pas passer pour pauvre, en avait fait autant puisqu'il conduisait son fils à l'autel. Pour la réception, les parents de Gloria avaient choisi une salle avec buffet et avaient engagé un accordéoniste pour la musique. Et c'est aux sons de la mélodie de *The More I See You* que le couple ouvrit la danse. Yvette, les admirant de loin, trouvait que son grand frère avait l'air d'un acteur dans son smoking. Danielle les félicita chaudement, Marie-Jeanne était présente mais quasi absente, sauf au buffet qui, d'un seul coup d'œil, la faisait saliver. Raymond, dans son coin, reluquait une des serveuses et Gaston, bien habillé, était en compagnie de Desneiges Clément, vêtue d'une robe évasée d'un rose tendre et de souliers de soie qu'Yvette lui enviait. L'oncle Fulgence, unique membre de leur parenté, avait été invité et, du côté de la mariée, plus de personnes présentes, plus de cadeaux évidemment. Mathias et Maryvonne avaient offert au jeune couple une belle literie qui allait rehausser leur

« *set* de chambre ». La journée prit fin, les applaudissements recommencèrent lorsque les nouveaux époux revinrent dans leurs atours de voyage de noces. Elle dans un tailleur de gabardine bleu avec chapeau de feutre gris souris, et lui dans un complet marine avec une chemise blanche, une cravate bleu ciel et des boutons de manchettes plaqués or qui appartenaient à Mathias. Les jeunes mariés quittèrent la salle pour se rendre en Montérégie dans l'automobile de monsieur Delpeau, le père de Gloria, pour y effectuer un court séjour dans une auberge des alentours. Les autres invités rentrèrent chez eux à la noirceur, avec une pluie soudaine en ce soir de novembre. Sans empêcher qu'Yvette, à l'insu de tout le monde, glisse son numéro de téléphone dans la poche de veston d'un gars de quatorze ans du côté de la mariée. De retour à la maison, Mathias disait à Maryvonne : « En v'là un de casé ! » pendant que Marie-Jeanne se payait une crise d'asthme que sa mère tentait de soulager avec la poudre à respirer qui ne sentait pas bon et qui empestait chaque fois la cuisine, selon Yvette, qui s'en plaignait sans la moindre compassion pour sa sœur qui étouffait.

1948 s'écoula, 1949 se leva et Gaston annonçait à son tour à son père qu'il allait épouser Desneiges Clément avec la venue du printemps. Desneiges, fiancée depuis peu, avait choisi le samedi 21 mai pour devenir madame Gaston Goudreau dans une paroisse voisine. Fille unique, elle avait invité quelques cousins et cousines de sa famille, des tantes, des oncles, quelques amis de son père, et Mathias avait loué un autre smoking pour conduire son fils à l'autel. Maryvonne, qui préférait Gloria à Desneiges, n'avait même pas pris la peine de s'acheter une nouvelle toilette, se contentant d'une robe qu'elle n'avait pas portée souvent. Un bouquet de corsage allait suffire à ce qu'on la considère dans les honneurs. Elle n'aimait pas particulièrement Desneiges, qu'elle trouvait gâtée et capricieuse et qui, fait surprenant, menait Gaston par le bout du nez. Cette Desneiges qui exhibait sa bague à diamants à tous ceux qui se présentaient chez elle ou chez ses futurs beaux-parents. Cette chère Desneiges Clément qui cuisinait à peine, qui détestait faire le ménage et qui n'était pas folle des enfants. Pas tout à fait au goût de Mathias, celle-là, mais comme Gaston l'aimait… Après la messe et les vœux échangés, très élégante dans une robe à traîne de haute couture, Desneiges fit tourner bien des têtes alors qu'on prenait des photos dans les marches de l'église. Yvette, qui les regardait, avait songé, tout bas pour une fois : *Elle est bien trop belle pour lui ! Y a les pattes croches pis une face de poisson, Gaston !* La réception avait eu lieu dans un restaurant où un orchestre de quatre musiciens avait été engagé par le père de la mariée pour faire danser les invités. Gaston s'était loué un smoking gris pâle et la nouvelle épouse, dans sa robe de dentelle exclusive, avait fait sensation lorsqu'elle avait monté l'allée de l'église au bras de son père. Léo était en compagnie de sa femme Gloria qui, enceinte, attendait leur premier enfant pour septembre. Danielle était seule, vêtue comme une princesse, bien tournée et somptueuse dans une robe de mousseline jaune qui se mariait à ses magnifiques cheveux blonds. Avec ses dix-sept ans depuis quelque temps, elle plut à plusieurs cousins de la mariée, qui l'invitèrent tour à tour à danser. Ce qui fit rager Yvette, qui, encore habillée en fillette avec ses treize ans, enviait la popularité de sa sœur aînée. Pour sa part, en ce jour des noces, Marie-Jeanne, seize ans bientôt, avait choisi dans le fond de sa garde-robe un tailleur trop vieux pour elle qui avait appartenu à Maryvonne et qu'elle avait tenté de rajeunir sans succès pour que sa fille le porte. Jasant avec l'oncle Fulgence, qui se sentait seul dans son coin, la digne fille de sa mère l'entraîna au buffet où tant de bonnes choses et de desserts l'attiraient. Fulgence mangeait peu, Marie-Jeanne mangea pour deux. Elle termina même, à l'insu des invités, ce que l'oncle maigrelet avait laissé de son gâteau dans son assiette. Et, contrairement à Léo, parce que son beau-père avait plus d'argent, Gaston partit avec sa femme pour un voyage de noces d'une semaine à New York. En avion par-dessus le marché ! Aux frais du constructeur qui engageait souvent Mathias sur ses chantiers depuis la fin de la guerre. De retour à Montréal, Desneiges s'employa à convaincre Gaston d'acheter une maison à ville Saint-Laurent. Un duplex de préférence et avec Léo et Gloria, s'ils voulaient bien s'embarquer dans l'aventure avec eux. Léo, simple vendeur de tapis, se promit d'y réfléchir, ce n'était pas comme Gaston, qui faisait plus d'argent comme électricien avec les contrats de son beau-père. Et comme Gloria attendait leur premier enfant… Mais Mathias lui conseilla d'emprunter et de sauter sur l'occasion pendant que le prix des maisons était encore à la baisse. C'est ainsi que Léo et Gloria s'emparèrent du bas du duplex à cause du petit qui venait et que Desneiges et Gaston prenaient le haut sans se sentir inférieurs pour autant. Desneiges aimait beaucoup Gloria et vice versa. Les deux belles-sœurs allaient donc très bien s'entendre, au grand dam de Maryvonne, qui voyait déjà la complicité entre elles au détriment de ses propres enfants. Car Desneiges n'aimait pas Danielle, qui allait être plus belle qu'elle, et Gloria ne prisait guère sa belle-mère, qui s'intéressait beaucoup moins aux fils qui n'étaient pas d'elle. Aucun compliment de sa part quand elle lui avait annoncé qu'elle était enceinte. Comme si elle avait été une étrangère, comme si Léo, qui avait pourtant été si bon pour elle, n'était que le « produit » de la première femme de son mari. Ce qui éloigna Gloria, qui se ligua bien vite avec Desneiges contre cette supposée belle-mère. Et, par conséquent, contre Danielle qui semblait la préférée de son père. Mais les fils étaient casés, ce qui rassurait Mathias sur l'avenir des enfants du premier lit de son mariage, sans toutefois recevoir plus de nouvelles qu'il le fallait de son fils Roger qui écrivait rarement. Ce dernier, toujours à Winnipeg, était maintenant à l'université en plein cœur de ses études ardues pour devenir médecin comme il le prévoyait. Madame Imbault, vieillie, souffrante, n'était plus que l'ombre d'elle-même, malgré les bons soins de son petit-fils, et Flavie, inquiète, priait la Vierge et Antoinette pour que la perte de santé de sa mère ne soit que passagère.

Malgré le bel été et l'automne qui suivirent en douceur, madame Imbault n'allait pas voir l'hiver. À la fin de novembre, hospitalisée depuis plusieurs jours, l'affectueuse grand-mère de Roger rendit l'âme non sans l'avoir embrassé et serré contre son cœur. Le diabète dont elle souffrait depuis plusieurs années avait provoqué une infection rénale qui avait eu raison du peu de force qu'il lui restait. Roger, en larmes, avait téléphoné à son père pour lui faire part de la mort de sa grand-mère. Mathias, attristé par la nouvelle, en fit part à Maryvonne qui, n'ayant pas oublié la froideur de madame Imbault envers elle, lui déclara : « Ça me fait de la peine, mais vient un âge où on part... C'était son tour, faut croire ! » Mathias, ne pouvant se rendre au Manitoba, fit parvenir la carte de condoléances la plus chère qu'il put trouver dans laquelle il glissa un chèque pour que Roger lui fasse chanter une messe. Et grand-mère Imbault, entre les pleurs de Flavie et la tristesse infinie de Roger, fut portée à son dernier repos aux côtés de son mari, au cimetière de Winnipeg. De retour après l'enterrement, seul avec sa tante Flavie, il lui avait demandé :

— Qu'est-ce qu'on va faire maintenant ?

Elle lui avait répondu :

— On va continuer à deux, Roger, si tu le veux...

L'étreignant contre sa poitrine, il lui avait répliqué :

— Si je le veux ? Bien sûr, Flavie ! Et c'est moi qui vais prendre soin de toi à partir d'aujourd'hui.

Chapitre 5

Quatre années de plus et 1953 apparut avec son hiver assez froid pour faire hurler ses vents sur Montréal et ses environs. Léo et Gloria étaient maintenant parents de deux garçons, Robert et Claude, et Desneiges avait accouché d'une petite fille baptisée Lucie, mais qu'on appellerait bien vite Lulu et qui allait être fille unique comme sa mère.

Danielle, vingt et un ans, infirmière diplômée, n'avait pu se trouver un emploi à l'hôpital du Sacré-Cœur et dut en accepter un autre dans un plus petit centre hospitalier de l'ouest de l'île de Montréal. Comme elle était bilingue, aucun problème de communication pour elle avec les patients de cet arrondissement et, jolie comme elle l'était, la plupart des collègues masculins de la pratique médicale avaient un œil sur elle. Les célibataires surtout, sans négliger un ou deux docteurs mariés qui lui tournaient autour. Mais, aussi sage que belle, Danielle avait passé outre aux avances de ses confrères. Ayant fréquenté durant presque deux ans Jean, un garçon de sa paroisse, on croyait qu'elle allait se fiancer lorsqu'elle rompit, expliquant à sa mère qu'elle ne comptait pas faire sa vie avec lui. Il était bien pourtant, ce garçon, il n'était pas laid, son père avait de l'argent, mais il n'avait pas le raffinement que Danielle recherchait chez un homme. Ce qui avait fait dire à Yvette du haut de ses seize ans : « C'est pas moi qui aurais passé à côté d'un gars comme Ti-Jean ! Musclé, beau sourire, de l'argent... Ça lui prend quoi, la snob ? Un docteur ? Un avocat ? Maudite folle ! »

Ce n'est pourtant pas sur un avocat ni sur un docteur que Danielle jeta son dévolu quelques mois plus tard, mais sur un ingénieur civil, Darren White, dont le père hospitalisé était sous les bons soins de l'infirmière dévouée qu'elle était. C'était lui, le paternel, qui l'avait présentée à son fils lors d'une de ses visites et ce dernier, sous le charme, avait invité Danielle pour un café dans un restaurant des alentours. Il était bilingue, Dieu merci ! Il était beau et passablement grand, il avait les dents blanches, un physique attrayant, il avait vingt-sept ans, était libre et aimait le cinéma et les voyages. Monsieur White père, un homme fortuné, trouvait que l'attrayante infirmière était toute désignée pour son fils. Selon ce qu'il racontait à son épouse, ils feraient de beaux enfants en santé ensemble. Danielle, conquise par le jeune homme distingué que Darren était, en tomba amoureuse. Au grand bonheur de ses parents et au grand dam d'Yvette, qui aurait bien souhaité que l'ingénieur soit pour elle lorsqu'elle le dévora des yeux la première fois qu'elle fit sa connaissance.

Pour ce qui était de Marie-Jeanne, c'était le laisser-aller total. La deuxième fille de Maryvonne avait terminé sa neuvième année de justesse et était ensuite restée à la maison pour aider dans les corvées. Vingt ans maintenant, elle était assez robuste, pour ne pas dire grosse, ayant tout hérité de sa mère, le nez épaté inclus. Très repliée sur elle-même, elle passait ses soirées devant le petit écran du téléviseur que Mathias avait acheté ou avec un roman entre les mains, une histoire d'amour la plupart du temps, ce qui ne risquait pas de lui arriver. Aucun garçon ne lui avait encore fait la cour et, pour combler le vide, elle avait fini par accepter un emploi d'été au parc Belmont qui consistait à vendre les billets d'entrée du *Merry-go-round*, le manège de chevaux de bois situé au fond de l'endroit, non loin des bancs de parc. Marie-Jeanne prenait l'argent des gens à son petit guichet, remettait la monnaie quand il le fallait, ainsi que le ou les billets d'entrée du fameux manège que les enfants aimaient tant. Sans jamais leur sourire ni bavarder avec les mamans qui tentaient un rapprochement. Le soir venu, elle marchait jusque chez elle, retrouvait sa mère, ses pantoufles, son sofa, la télévision avec ses programmes préférés ou ceux de ses parents, et allait ensuite se coucher pour se relever sur un lendemain qui serait semblable. Raymond, dix-huit ans, avait abandonné ses études après une septième année pour aller travailler dans une ferronnerie d'un quartier voisin, à vendre des tuyaux et des outils aux clients qui se présentaient. Du genre vaurien, pas beau ni laid, il avait quand même les doigts longs avec les filles et plusieurs d'entre elles n'osaient plus revenir chez le commerçant sans leur mère ou un parent avec elles.

L'année précédente, il avait fait la connaissance de Marjorie Brunet, une femme séparée de vingt ans son aînée, avec qui il alla s'installer. Une femme avec assez d'argent pour en prendre soin avec ce que son ex-mari lui avait donné pour s'en débarrasser. Parce que Marjorie buvait et que Raymond se saoulait avec elle. La bière qu'elle achetait la plupart du temps, rarement lui. Mais comme il était jeune et ferme, la femme mûre qu'elle était appréciait son savoir-faire intime. Sur ce plan, Raymond la comblait, sans toutefois s'abstenir d'en satisfaire des plus jeunes dès qu'il en avait l'occasion. Mauvais garçon, peu prometteur, sa mère comme son père ne s'étaient pas opposés à son départ quand il leur avait annoncé qu'il allait vivre avec Marjorie. Pas encore majeur, ils en étaient responsables, mais Mathias priait pour que rien de désagréable ne lui arrive avant qu'il le devienne. Après, ce ne serait plus de leurs affaires, Raymond allait être garant de ses paroles et de ses actes. Au grand soulagement de Maryvonne, qui n'avait jamais prisé ce seul fils de sa progéniture à elle. Pas plus d'ailleurs que la petite dernière, qui la rendait hors d'elle avec son appétit démesuré pour les hommes. Car Yvette devenue femme, sa généreuse poitrine en évidence, ses chandails moulants, ses jupes serrées et ses talons hauts, faisait tourner bien des têtes. Maquillée à outrance, se déplaçant en se déhanchant, elle réveillait les sens des garçons et des hommes mariés et s'adonnait à leurs vices, quel que soit leur âge, pourvu qu'elle ait envie d'eux. Aurèle avait depuis longtemps pris le bord dans ses pensées, même s'il avait souhaité faire un bout de chemin avec elle. Yvette avait d'autres visées. Elle ne cherchait pas un mari, loin de là, mais de la compagnie pour la sortir, l'emmener en bas de la ville ou à leur chalet quand ils en avaient un. À seize ans seulement ! Malgré la défense de sa mère de sortir le soir ou l'obligation de rentrer

avant onze heures, Yvette s'éclipsait parfois jusqu'au milieu
de la nuit et revenait les cheveux défaits, la jupe de travers, alors qu'on entendait le moteur d'une voiture qui repar-
tait après l'avoir déposée. Rarement ivre, Yvette Goudreau
savait ce qu'elle faisait et si son père était plus menaçant que
sa mère sur sa conduite, elle l'affrontait de haut en lui disant
qu'elle allait se marier avec le premier venu s'il l'empêchait
de sortir les fins de semaine. Peu attaché à cette faiseuse de
troubles, Mathias avait fini par baisser les bras et lança à son
épouse : « Laisse-la faire ce qu'elle veut, c'est de la mauvaise graine comme Raymond, celle-là aussi ! On n'en fera
rien de bon, ma femme ! Avec les gars qu'elle rencontre,
fais juste des prières pour qu'elle arrive pas avec le ventre
rond ! » Et Maryvonne pleurait d'avoir échoué deux fois,
quasiment trois en comptant Marie-Jeanne, dans les enfants
qu'elle avait donnés à Mathias. Dans son cœur de mère,
elle refusait d'avoir une fille que tous les hommes tâtaient,
un fils ivrogne qui vivait avec une séparée plus vieille que
lui, et une autre fille à la maison chaque soir, celle-là, mais
aussi gourde qu'elle pouvait être lourde. Bref, il n'y avait
que Danielle qui faisait honneur à ses parents dans cette
deuxième famille qu'elle avait donnée à Mathias. Danielle !
La seule qui avait réussi à s'instruire, à bien se conduire et à
être la promise d'un ingénieur civil. Ce qui choquait davantage Maryvonne, c'était de voir que les garçons de la première union de son mari étaient tous bien établis et fort bien
partis dans la vie. Les enfants de Toinette, à qui elle en voulait d'avoir réussi là où elle avait échoué, en priant chaque
soir pour que son époux ne lui reproche pas de lui avoir
donné, à part Danielle, une progéniture frisant la pourriture.

Ce que Mathias ne pensait pas, comptant sur le bon Dieu pour remettre ses deux derniers dans le droit chemin et de combler Marie-Jeanne de quelques réelles joies de la vie à travers sa maladie. Surtout avec l'hiver et son humidité qui l'empêchaient presque de respirer sans l'Asthmador que Maryvonne faisait brûler. Ce qui avait fait dire à Yvette un soir :

— As-tu fait brûler deux cuillerées, la mère ? Ça pue le diable dans c'te maudite maison !

— Allons, sois indulgente, Yvette, ta sœur étouffe…

— Oui, dans sa graisse !

Au mois d'août de cette même année, Danielle épousait en grande pompe Darren White, le bel ingénieur qui la courtisait depuis un an. Un beau mariage comme personne dans la famille Goudreau n'en avait vu à ce jour. Darren avait demandé à sa sœur aînée, Leslie, d'être la dame d'honneur de sa future épouse. Cette dernière, mariée à un riche armateur, vivait en Californie dans un domaine digne des plus grandes célébrités. Sans enfants, ils naviguaient autour du monde et brassaient des affaires dans tous les ports où ils s'arrêtaient. Venue expressément pour les noces de son frère, son époux ne s'était pas joint à elle cependant, retenu par une grosse transaction financière. Danielle, émerveillée de faire sa connaissance, la trouva fort jolie avec ses cheveux auburn comme ceux de Rita Hayworth. Parce qu'elle venait de Los Angeles, Leslie se devait d'être aussi belle que les actrices selon sa nouvelle belle-sœur qui arrivait à peine dans le milieu des grandeurs.

Blonde et bouclée, les traits délicats comme ceux de son père, Danielle Goudreau fit son entrée à l'église au bras de ce dernier, vêtue d'une robe de satin brodée de perles jusqu'à la poitrine. Un long voile s'échappait de la tiare qu'elle portait et quelques pétales du superbe bouquet de roses blanches et pêche qu'elle tenait de sa main gantée se détachaient, agités par le vent. Plus magnifique qu'elle, il fallait la chercher ! Et Mathias, dans son smoking encore plus de qualité cette fois, était fier de sa fille. Darren était somptueux à ses côtés et on sentait le bonheur dans son regard comme dans son sourire lorsqu'il posait les yeux sur elle. Très beau, dans la force de l'âge, il avait tout ce dont une femme pouvait rêver. Une respectable profession et... l'argent de son père en plus ! Maryvonne, au premier banc avec son mari, n'avait pas regardé à la dépense pour arriver avec une toilette digne de la femme d'un dignitaire. Son ensemble bleu nuit camouflait bien ses courbes rondes et son chapeau dernier cri avantageait son visage trop joufflu. La vendeuse y avait été sûrement pour quelque chose dans cette transformation d'un jour qui avait plu à son mari. Yvette, fort jolie toutefois, portait une robe si ajustée que sa démarche osée en était accentuée. Les cheveux teints roux jusqu'aux épaules, elle avait choisi un vert émeraude pour sa robe et des bijoux étincelants pour être bien en vue. Accompagnée pour la journée d'un beau gars que personne ne connaissait, elle était très regardée par les autres hommes, ce qui lui plaisait. Dans la rangée suivant celle de Mathias, du côté de la mariée, Gloria, Léo, Desneiges et Gaston, endimanchés, avaient emmené leurs enfants, dont le plus jeune de Léo, passablement turbulent. Et, quatre bancs derrière, Marie-Jeanne accompagnait l'oncle Fulgence pour la cérémonie dans une robe marine avec un petit collet blanc, un vêtement bien ordinaire acheté dans un magasin où rien n'était trop cher. Pas de bijoux, sauf une bague en argent à son auriculaire, et chaussée de souliers noirs à talons plats. Rien pour la mettre en valeur, la pauvre ! Ce qui avait fait dire à Desneiges à l'oreille de Gloria :

— T'as vu où on l'a flanquée, Marie-Jeanne ? Le plus loin possible pour qu'on oublie qu'elle est de la famille !

Gloria de lui répondre :

— Comme s'ils en avaient honte ! Surtout la belle-mère qui préfère avoir derrière elle la guidoune des Goudreau avec un gars d'occasion plutôt que Marie-Jeanne, plus distinguée, mais pas trop belle à regarder…

Elles allaient poursuivre lorsque Léo, les sourcils froncés, se pencha pour avertir Gloria :

— Ce n'est ni l'endroit ni le moment pour descendre les parents ! Tu devrais aller prendre l'air avec Claude qui dérange tout le monde avec ses mauvaises manières.

Gloria s'exécuta et, lorsqu'elle fut à l'extérieur, Desneiges murmura à l'oreille de son beau-frère :

— T'aurais pu sortir avec ton gars, toi aussi. Pourquoi, elle ?

Ce qui lui avait valu :

— Mêle-toi pas de nos affaires, Desneiges, chacun sa vie comme on se l'est promis. Pis, arrête de pomper Gloria contre la mère ! C'est toujours toi qui commences !

Desneiges ne sut quoi répliquer, d'autant plus que Gaston semblait approuver son frère. Puis, dans le calme depuis que le petit était sorti avec Gloria, Danielle et Darren purent échanger leurs vœux devant la parenté en une église pleine aux trois quarts de curieux. Après la cérémonie et la photo de groupe prise sur les marches grises, une première limousine emmena les mariés au banquet qui serait servi dans un chic hôtel, alors que les White prenaient la deuxième et que Maryvonne, Mathias, Yvette et son chum suivaient dans la troisième, louée également par le père de Darren. Les fils avaient fait le trajet dans la voiture de Léo avec leurs femmes et leurs enfants et, quatre autos derrière eux, la Chevrolet usagée de Fulgence suivait avec Marie-Jeanne à bord. La réception fut somptueuse, on n'avait lésiné sur rien, un dîner d'apparat avait été servi, la boisson coulait à flots, les apéritifs d'abord et les vins capiteux sur chaque table ensuite. Danielle et Darren ouvrirent la danse sur *Till the End of Time* que l'orchestre entama pour que les invités suivent dans l'ordre convenu sur le parquet ciré de ce grand hôtel du centre-ville. La journée s'éternisa et, revêtus de tailleur et complet légers pour leur voyage de noces, les nouveaux mariés revinrent saluer les invités. Danielle, dans les bras de ses parents, leur disait: «Je suis si heureuse, vous ne pouvez savoir comment!» Et Mathias, fier de son aînée lui avait répliqué: «C'est mérité, ma fille, tu nous as jamais fait honte, toi!» Ce que Maryvonne prit comme un reproche face à ses autres enfants. Puis, pendant que chacun parlait à tout un chacun, Yvette s'était glissée près de la sœur de son nouveau beau-frère pour être plus remarquée, ce qui lui réussit puisque Leslie, la regardant avec attention, lui avait dit en anglais: «*You are a very lovely girl! And quite sexy! You could make your way in Hollywood!*» N'ayant pas tout à fait saisi, ne parlant que très peu l'anglais, c'est le chum temporaire d'Yvette qui lui avait traduit ce que la dame venait de dire. Ne portant plus à terre, surexcitée, regardant Leslie comme si elle était une directrice d'un studio de cinéma, Yvette Goudreau, dix-sept ans depuis quelques jours à peine, se voyait déjà comme actrice dans un film aux côtés de... Clark Gable, Victor Mature, Kirk Douglas, William Holden ou le p'tit nouveau, Marlon Brando! Qu'importait donc lequel! Elle fantasmait sur chacun d'eux!

Les jeunes mariés s'envolèrent pour Los Angeles, lieu de leur voyage de noces, ce qui rendit Yvette verte de jalousie et Maryvonne fort contente de voir sa fille aînée dans les hautes sphères avec cette famille si bien établie. La visite des studios de cinéma, celle des maisons d'acteurs célèbres, une promenade sur Hollywood Boulevard, jusqu'au théâtre chinois de Grauman, où ils purent voir dans le ciment du trottoir, les empreintes de Joan Crawford datant de 1929, celles de Judy Garland de 1939 et, plus récemment, celle de Cary Grant en 1951. Danielle était ravie! Quel heureux privilège pour une cinéphile des cinémas de quartier! Sa belle-sœur Leslie leur avait même obtenu un laissez-passer pour assister à l'enregistrement d'une émission de télévision en privé. Sans toutefois être en pâmoison devant les artistes comme l'était sa jeune sœur, Danielle fut enchantée de manger dans un grand restaurant, à la table voisine de Veronica Lake qu'elle avait vue dans le film *Saigon* aux côtés d'Alan Ladd quelques années plus tôt. Elle lui jeta quand même un regard ou deux pour se rendre compte que la blonde actrice était vraiment jolie, mais c'est toutefois Darren qui eut droit à un sourire de la vedette lorsqu'elle jeta un œil en leur direction, elle l'avait sans doute trouvé beau garçon. Ce qui avait fait dire à Danielle après leur départ :

— L'homme en face d'elle était sûrement son agent, ça discutait affaires. De toute façon, elle n'aurait jamais osé regarder un autre homme devant son mari.

Levant les yeux sur elle, sourire en coin, Darren lui avait rétorqué :

— Jalouse, ma chérie ? Possessive ?

— Mais non, voyons ! Et que veux-tu qu'une actrice fasse avec toi quand elle a tant de mâles à ses pieds !

— On ne sait jamais… Un beau jeune homme comme moi…

— Vantard ! Grand fou ! Arrête !

Et Darren, plus taquin que sérieux, scella le jovial argument d'un baiser. Le voyage de noces prit fin, ils s'étaient aimés comme des fous, ils avaient vécu l'un pour l'autre chaque jour, c'était maintenant le moment de rentrer. Un léger regret cependant pour la nouvelle madame White, auquel elle songeait à bord de l'avion. Son mari lui avait demandé, lors de leurs fiançailles, si elle accepterait de quitter son emploi, voire sa profession, car il souhaitait que sa femme soit à la maison comme sa mère l'avait été pour son père. Sans hésiter, amoureuse, elle avait dit oui, mais à l'heure du retour elle était peinée de voir sa carrière s'éteindre ainsi du jour au lendemain, elle qui adorait sa tâche d'infirmière, elle qui aimait être au chevet des patients et les réconforter. Mais, comme tel était son vœu, elle allait s'y soumettre et tout laisser tomber pour lui. Regrets ou pas, madame Darren White n'allait vivre à partir de ce jour que pour son mari, dans une grande maison qu'il se promettait d'acquérir dès que possible.

Le jour de leur mariage, deux membres de la famille Goudreau avaient brillé par leur absence, cependant. Roger, qui n'avait pu venir à cause d'examens de reprise et de stages à faire au Manitoba, mais qui avait fait parvenir un vase de cristal au jeune couple, et Raymond, qui s'était abstenu de s'y rendre parce que son père l'avait sommé de ne pas arriver avec sa séparée de vingt ans son aînée. Une absence que, dans son cas, personne de la famille n'avait remarquée. Le laissé-pour-compte, en congé ce samedi, pour se consoler de ne pas être de la fête, sans avoir offert le moindre cadeau aux mariés, jouait dans les jupes d'une fille du voisinage alors que sa concubine, vendeuse à temps partiel dans une boutique de chapeaux pour dames, était allée travailler pour mettre davantage de bières dans le « frigidaire » !

Raymond Goudreau, toutefois, avait plus d'ambition que de demeurer commis d'un quincaillier. Ayant réussi à convaincre Marjorie d'emprunter de son côté, lui du sien, ils avaient fait l'acquisition d'un magasin du coin qu'un vieux proprio ne pouvait plus tenir seul depuis la mort de son épouse. Un commerce où l'on vendait de tout, des bonbons à la cenne comme des cigarettes et quelques babioles utiles comme des Kleenex et des linges à vaisselle. Bref, un peu de tout, même des rouleaux de fil et des bas de nylon. Un établissement que Raymond put obtenir pour une bouchée de pain tellement le propriétaire avait hâte de s'en départir. Il était convenu que Marjorie le tiendrait le jour et lui, en soirée, en se partageant cependant les fins de semaine. Ouvert de huit heures à dix heures du soir, le magasin accommodait les passants tout comme les clients réguliers souvent en manque de pain ou de lait en fin de journée. Là où ça devenait payant, c'était avec les cigarettes et les magazines et journaux que les dames réservaient pour ne pas rater leur copie. Puis, la crème glacée l'été, les chips l'hiver, les liqueurs douces, les biscuits en paquet, du café instantané et, dans une glacière, du beurre et des fromages en tranches pour faire concurrence à l'épicier qui n'aimait pas qu'un tel compétiteur vienne jouer dans ses profits. Mais comme le commerce de Raymond, rebaptisé Chez Marjorie, était plus à l'ouest qu'au centre de Cartierville, l'épicier avait le beau jeu jusqu'à six heures, moment de sa fermeture. C'était en soirée que Raymond lui rentrait dans le corps avec ses ventes tardives que les clients ne reportaient pas au lendemain pour attendre l'ouverture de l'épicerie.

C'est donc à la fin de septembre que le magasin, nouvellement peinturé et rafraîchi, avait ouvert ses portes avec sa nouvelle enseigne. Marjorie, fort heureuse d'être en affaires, avait passé la journée à recevoir les clients et à se présenter à eux avec beaucoup d'amabilité. Le soir venu, Raymond prenait la relève et, d'un grand sourire, accueillait les acheteurs tardifs qui voyaient d'un bon œil qu'il soit un gars du coin et non un étranger. Mathias, qui avait eu vent de l'achat de son fils, avait dit à sa femme :

— Je me demande bien où il a pris l'argent... À la banque ? Il est même pas solvable ! En autant que ce soit honnête, son affaire...

— Ben, voyons, y est pas si vilain, faut pas s'en méfier constamment, Mathias. Y a peut-être de bonnes intentions pis comme sa concubine est aussi sa partenaire...

— Elle, j'doute pas de son savoir-faire, elle est plus vieille et le commerce porte son nom, selon Gaston. C'est notre fils que je redoute ! Si peu fiable, ratoureux et du genre à s'en mettre plus dans les poches que dans le tiroir de la caisse. Tu comprends, Maryvonne ? On ne peut pas lui faire confiance, c'est un *bum,* y a jamais rien fait de bon jusqu'à maintenant. Même à la ferronnerie où il travaillait, le patron l'avait à l'œil. Sous surveillance constante, le Raymond ! Rien en commun avec Léo ou Gaston !

— Arrête de toujours les comparer ! C'est pas parce que tes plus vieux sont de ta première femme qu'ils valent mieux que celui que je t'ai donné ! Donne-lui une chance ! Arrête de l'écraser ! Laisse-le au moins commencer ! Y vieillit, tu sais…

— Ben oui, dix-neuf ans accomplis ! Comme si ça faisait un homme de lui ! Pas même majeur et pas amoureux de la Marjorie, j'en mettrais ma main au feu !

— Ça, ça ne nous regarde pas ! Leur couple pis leur couchette, on ferme les yeux sur ça !

— Pour la couchette, j'doute pas de lui, mais la bonne femme a besoin de surveiller sa sacoche pis son avoir à la banque. Y est tellement croche…

— Bon, ça suffit, t'en as assez dit ! Moi, j'préfère lui faire confiance pis si ça marche pas, ce sera à elle de faire son *mea culpa*. À son âge, elle doit avoir des yeux tout l'tour d'la tête, la Marjorie, non ? Pis Raymond, y a au moins de l'ambition, c'est mieux que le peu de changement qui se passe chez Léo et Gaston. La même job depuis longtemps, vendeur de tapis pour l'un, apprenti électricien pour l'autre. Tu les aimes bien tes deux plus vieux, mais c'est pas le progrès qui se manifeste de leur côté. Avec les femmes qu'ils ont en plus !

— Bon, c'est assez, Maryvonne, j'monte me coucher. Les filles sont ici ?

— Marie-Jeanne est dans sa chambre, tu l'sais bien, elle sort pas le soir, celle-là ! Quant à Yvette, elle est partie après l'souper, pis si elle revient avant minuit, ce sera une bénédiction ! Elle est plutôt du genre à pas rentrer de la nuit !

— Faudrait que tu lui parles plus fort, Maryvonne !

— Non, c'est ta fille aussi, Mathias, ta petite dernière. C'est toi le père, c'est à toi de la reprendre et de faire observer tes lois sous notre toit. Moi, j'ai démissionné, elle m'envoie promener !

— Ben, j'vais lui parler, pis elle a besoin de virer son capot de bord, parce qu'à dix-sept ans, elle ne m'impressionne pas, moi ! Quitte à lui flanquer une fessée comme quand elle avait douze ans !

— Pour ça, t'es mieux de te lever de bonne heure, mon homme ! Parce qu'Yvette attend juste que tu lèves la main sur elle pour sacrer l'camp avec le premier venu !

— Sans notre permission ?

— Voyons donc ! Quand on s'pousse de la maison, on ne demande pas de permission, Mathias ! On l'fait en cachette avec un gars prêt à payer ton trajet jusqu'aux États-Unis !

— Bah ! monte te coucher, j'vais lui parler demain ou cette semaine. J'vais le faire en douceur, elle a peut-être juste besoin d'une bonne conversation…

— Pas sûre, moi ! Yvette c'est pas Danielle, mon homme ! Le courant passe moins entre toi pis la p'tite dernière qu'avec la plus vieille. De toute façon, elle n'écoute personne. À part les étrangers, pis de préférence les hommes !

Tel que prédit par sa mère, Yvette ne rentra qu'au petit matin et Mathias, l'entendant regagner sa chambre à pas feutrés, se leva pour l'apostropher :

— D'où est-ce que t'arrives toi, à sept heures du matin ?

Surprise par le ton et craignant le pire, Yvette répondit :

— Ben, j'ai passé la nuit chez une amie. J'avais peur de revenir à la noirceur.

— Ah ! oui ? Quelle amie ?

— Toujours la même, papa, Paulette !

— On la voit pas souvent ici, celle-là ! Pourquoi que t'es pas rentrée coucher comme on te l'avait demandé ?

— Y avait plus d'autobus après une heure du matin…

— Justement ! Tu l'savais pourtant ! C'est pas la première fois, Yvette, que tu fais passer des nuits blanches à ta mère. Pis là, j'te l'dis sans ménagement, plus de sorties pour un bout d'temps ! T'as juste dix-sept ans, tu dois obéissance, t'es pas majeure, t'es encore sous notre autorité.

— Papa ! J'ai un chum, j'sors avec lui de temps en temps !

— Qui ça ?

— Ben, celui qui était avec moi aux noces de Danielle, le grand blond.

— Y a un nom, ton grand blond ?

— Oui… mais j'm'en rappelle plus, j'suis trop fatiguée…

— Tu t'souviens même pas du nom de ton chum, Yvette ? Me prends-tu pour une valise ? C'est pas avec lui que t'étais ni chez la Paulette, t'étais ailleurs et tu vas me dire où !

— Ben, j'étais avec un autre, j'viens juste de le rencontrer…

— Tu vois ? Tu mens comme tu respires ! Finies les sorties le soir, Yvette ! Tes chums, y viendront ici si tu veux les voir. On veut les connaître, ta mère pis moi. T'en as combien, finalement ?

— Ben, un seul, papa, j'sors pas avec deux gars en même temps…

— Peut-être, mais tu les gardes pas longtemps à c'que j'vois ! Le grand blond a déjà pris l'bord ?

— Lui, y faisait juste m'accompagner pour la journée des noces. Je l'aimais pas… J'suis pas une méchante fille comme tu l'penses, j'garde ma place, j'ai rien à m'reprocher. C'est m'man qui m'surveille à longueur de journée ! J'suis plus une enfant…

— Oui, t'es encore une enfant ! C'est pas parce que tu t'habilles comme une femme que t'en es une pour autant. Pis, monte enlever ton rouge pis ce que t'as sous les yeux, t'as l'air d'une…

— D'une quoi ? Tu vas pas commencer à m'insulter, p'pa ?

— Non, mais regarde-toi dans le miroir… Si seulement tu t'conduisais comme une fille bien élevée…

— C'est c'que j'fais, p'pa, c'est m'man pis toi qui doutez toujours de moi. J'travaille, j'paye ma pension…

— Tu devrais être encore à l'école, Yvette, pas dans une manufacture de robes à ton âge !

— N'empêche que j'en rapporte à la mère pis à Marie-Jeanne, des robes, quand j'en ai l'occasion. J'ai quand même bon cœur…

— Ouais, qu'est-ce qu'y faut pas entendre… En tout cas, si tu sors encore le soir, j'veux qu'tu rentres avant minuit, c'est-tu compris ?

— Bien oui, si ça peut t'faire plaisir, mais j'mène une bonne vie, p'pa, j'suis pas celle qu'on pense, j'ai des principes, pis si j'ai pas encore trouvé le bon gars, c'est parce que j'suis trop jeune pour le chercher. J'ai pas envie de m'marier avant d'être majeure, moi !

Mathias se gratta le menton et regagna sa chambre non sans lui avoir jeté un dernier regard méfiant. Elle mentait si bien !

Début de décembre et alors que tout se passait bien, que Danielle et son mari étaient installés dans une grande maison au bord de la rivière et que Léo et Gaston cherchaient un sapin à monter chacun de leur côté, Gloria et Desneiges, dans la cuisine de l'une ou de l'autre, médisaient :

— C'est pas des farces, Gloria, on dirait qu'y a juste Danielle dans cette famille ! Parce qu'elle a marié un ingénieur avec de l'argent, la belle-mère la regarde avec fierté chaque fois qu'elle entre dans la maison, tandis que nous… Moi, la Maryvonne, je l'aime pas ! Ça paraît qu'elle est pas la mère de nos maris, elle les ignore et pis nous autres aussi !

— T'exagères peut-être un brin, Desneiges, elle n'a jamais fait de remarques désagréables devant moi. Elle m'accueille assez bien avec les enfants quand je me rends chez elle…

— Toi, t'es devenue trop indulgente ! Tu vois plus rien, Gloria ! Elle fait semblant d'être gentille, c'est pas sincère, regarde-lui bien la face quand on arrive par surprise. C'est un sourire jaune qu'elle nous fait, c'est à peine si elle remarque Lulu, elle la voit même pas quand la p'tite lui tend les bras !

— Oui, j'sais bien, pis ce sera pas drôle quand elle va être grand-mère pour vrai ! Y paraît que Danielle est en famille ?

— Je l'ai juste entendu entre les branches, j'ai essayé de faire parler la belle-mère, mais elle m'a dit de ne pas me mêler des affaires de sa fille ! C'est possible qu'elle soit enceinte, Gloria, mais la pimbêche n'en dira rien avant d'être sûre de son état. Imagine, si elle faisait une fausse couche ! Quelle honte ce serait pour elle qui n'a jamais subi d'échec ! Je ne le lui souhaite pas, mais plus ça va, plus elle est fraîche, la Danielle White du clan des riches !

Gloria s'esclaffa, Desneiges avait le don de la faire rire, elle était si éloquente, mais toutes deux se taisaient dès que Léo entrait. Il était très pointilleux sur les calomnies de ce genre envers sa famille. Gaston, un peu plus sous l'emprise de sa femme, n'était pas épargné de la hargne de cette dernière lorsque tous deux veillaient au salon. Mais il s'endormait bien souvent avant que Desneiges eût terminé de cracher le venin coincé entre ses dents !

Le vent était froid, on entendait déjà les chansons de Noël à la radio et Raymond, dans son commerce, avait aménagé à l'arrière un petit coin de repos avec un lit pliant. Il disait à Marjorie avoir besoin d'une petite sieste de temps en temps lorsqu'il fermait pour trente minutes les soirs qui s'annonçaient sans clients. Mais tel n'était pas le cas. Ça servait surtout à ses ébats avec des filles ou des femmes du voisinage, mariées ou pas. Dès qu'une femelle se pointait, le mâle aux aguets sentait si elle serait rétive ou malléable.

Et, la plupart du temps, il réussissait à les entraîner dans son petit refuge où l'indécence était permise. Avec le temps, souvent les mêmes proies, l'épouse de l'un, la fille de l'autre, une passante quasi régulière… Parce que beau gars sans être superbe, Raymond avait le don de séduire les femmes. Un regard, un sourire, une main baladeuse, et la plupart de ses conquêtes devenaient audacieuses. Marjorie, qui se doutait bien que quelque chose se passait, se permit de l'espionner à son insu un soir de froid sec. Stationnée dans sa voiture à un endroit où elle pouvait le surveiller sans qu'il la surprenne, elle vit entrer vers huit heures une femme emmitouflée dans un gros manteau de chat sauvage. Puis, les lumières s'éteignirent à l'intérieur après que Raymond eut tourné son carton OUVERT sur le côté FERMÉ dans la vitre de la porte. Non sans descendre par la suite le store de bois qui protégeait les bonbons du soleil le jour. Possédant une clé, elle l'inséra dans la serrure sans faire le moindre bruit et ouvrit sans qu'on intercepte rien du *backstore*. La musique jouait, on pouvait entendre un disque de Tony Bennett tourner, le préféré de Raymond. Marjorie se glissa le long du mur et, tirant sur la draperie d'un seul coup, elle put apercevoir Raymond flambant nu sur une femme dont elle ne voyait pas le visage. Surpris, croyant à un voleur, Raymond sursauta tellement que la dame tomba en bas du matelas. Marjorie en furie lui criait tous les noms possibles, le menaçant de le quitter, de prendre le commerce, de l'évincer… Puis, regardant la dame assez rondelette de plus près, elle s'écria :

— Pas madame Bouvier ! Une femme mariée ! Et dire que vous venez me jaser l'après-midi, vous ! Sortez, salope, je ne veux plus jamais vous voir ici !

— Vous n'allez pas me dénoncer à mon mari, au moins ? implora la coupable.

— Non, je vais avoir pitié de vos enfants, mais sortez vite et ne revenez plus jamais acheter ici, vous êtes barrée !

— J'voulais pas faire de mal, moi, vous n'êtes pas mariés Raymond pis vous…

— Non, mais vous, vous l'êtes ! Mère de famille en plus ! Est-ce possible ? Se faire aller avec un gars de dix-neuf ans ! Une femme de votre âge !

Et même prise en faute, la femme insultée eut l'audace de lui lancer avant de sortir précipitamment :

— Parlant d'âge !

De retour à la maison, Marjorie pointa Raymond du doigt pour lui dire :

— J'suis pas capable de te pardonner ça ! Tu prends mon argent, tu bois ma bière, pis tu couches avec d'autres femmes dans le fond du commerce !

— Écoute, Marjorie, c'est elles qui me courent après, c'est elles qui viennent me voir, elles n'ont pas de chum ou leur mari ne fait plus rien… Moi, j'fais ça…

— Parce que t'es vicieux, Raymond Goudreau ! Parce qu'une femme ne te suffit pas ! Missionnaire mon œil ! Cochon au coton ! C'est de famille, regarde ta sœur !

— Tu vas pas me mettre à la porte, Marjorie ? Sans toi…

Et, prenant de l'âge, seule dans sa maison avec Raymond comme compagnon de boisson, satisfaite du « bon rendement » de son jeune amant, Marjorie passa l'éponge.

Le jour de Noël se manifesta et, chez les Goudreau, le sapin illuminé touchait presque le plafond du salon. Maryvonne et Marie-Jeanne l'avait garni de boules et de cheveux d'ange qui lui donnaient belle contenance. La crèche était déposée au pied de l'arbre, il ne manquait que l'Enfant-Jésus qui viendrait prendre place après la messe de minuit. Mathias aurait souhaité que tous ses enfants soient présents, mais Roger n'avait pu venir de Winnipeg, il était en fin de stage dans un hôpital de son quartier. Léo, Gloria, Gaston et Desneiges s'amenèrent avec leurs marmots. Mathias joua longuement par terre avec Claude, le plus jeune des garçons de Léo, qui avait sa préférence. C'est d'ailleurs lui qui recevait le plus de cadeaux de la part de son grand-père. Gloria semblait ravie, mais Desneiges avait compris que le beau-père n'était pas attiré par les filles, encore moins par la sienne qui pleurnichait pour un rien. Maryvonne, pour sa part, n'avait pas fait de passe-droit et la petite Lulu reçut une poupée de chiffon alors que les deux fistons de Léo obtinrent de leur grand-mère un camion identique, un bleu et un rouge, qu'ils se partagèrent sur le plancher. On sonna à la porte et c'était Fulgence qui arrivait les bras chargés de cadeaux pour tout le monde, les enfants de ses neveux inclus. Avec un plus gros pour Marie-Jeanne qu'il avait prise en affection depuis son enfance, parce que délaissée, quasi rejetée de tous. Ce brave Fulgence que les enfants de sa cousine appelaient «mon oncle» depuis toujours.

Ça sentait la bonne tourtière, la dinde mijotait dans une marmite en terre cuite au four et, en attendant les autres invités, Maryvonne se mit au piano pour jouer *Jingle Bells*, *Le petit renne au nez rouge* et *Petit papa Noël* que les gens présents entonnèrent en chœur pour la plus grande joie des enfants. Vers cinq heures, Raymond arriva sans sa Marjorie, bien entendu. Avec un cadeau pour ses parents. Une statuette de Saint-Christophe, le patron préféré de Mathias, qu'il n'avait pas réussi à vendre parmi ses babioles. Puis, comme le temps passait, Marie-Jeanne sortit de sa tour d'ivoire dans une robe bourgogne trop grande pour elle.

— On sait bien de qui ça vient… murmura Desneiges.

— Chut ! ne me fais pas rire, Léo nous regarde, il va être fâché, lui susurra Gloria.

Enfin, vers six heures, Yvette, qui revenait d'une promenade avec une supposée amie, fit son entrée dans le portique en offrant ses bons vœux à tous ceux déjà présents. Desneiges fut la première à remarquer que son blouson transparent était sorti de sa jupe et qu'elle avait le chignon pas mal défait pour le peu de vent qui soufflait dehors. Son rouge à lèvres quasi effacé avait laissé ses traces sur son menton et, Maryvonne, lui jetant un regard amer, comprit vite ce qui s'était passé. La promenade avec la supposée amie avait plutôt été une balade en auto suivie d'un stationnement assez long… avec un homme ! Se dirigeant vers elle, elle lui murmura pendant que tout le monde parlait :

— Monte en haut, va te débarbouiller la face et replace ta blouse dans ta jupe. Pis viens pas m'dire que tu reviens d'avec une amie, toi ! Même à Noël, tu trouves le moyen de jouer avec mes nerfs. Qu'est-ce que j'ai fait au bon Dieu pour avoir une fille pareille ?

— Énerve-toi pas, la mère, j'suis pas toute délabrée, juste démaquillée. Ce sera pas long, j'vais aller m'renipper.

Et comme si de rien n'était, elle trouva le moyen de se faire remarquer de tous en criant de la troisième marche de l'escalier :

— Tiens ! Si c'est pas Lulu ! T'as mis ta belle robe blanche, aujourd'hui ?

Desneiges, qui n'appréciait pas cette belle-sœur dévergondée, fut quand même ravie de voir que les yeux de sa belle-mère s'étaient enfin posés sur la robe de son petit trésor. Tous se dirigèrent à table au moment où Mathias les convia et, joyeux et rieurs, les enfants étaient bruyants, ce qui était permis en ce jour de célébration. Personne ne s'en plaignait sauf Marie-Jeanne qui, voulant manger en paix, avait dit à ses deux neveux devant leurs parents :

— Vous pourriez pas la fermer, vous deux ? On mange ! On joue pas à table !

Fulgence la sermonna d'un regard réprobateur et Léo rappelait ses fistons à l'ordre lorsque soudain, comme si de rien n'était, Yvette demanda à sa mère :

— Danielle pis Darren sont-tu en retard ou ils viennent pas ?

Ce fut le silence total. Chacun avait remarqué l'absence de la fille aînée, mais personne n'avait osé s'en informer.

Mal à l'aise, un peu décontenancée, Maryvonne avait répondu à sa cadette :

— Non, ils ne seront pas avec nous ce soir, ils fêtent avec les White dans un hôtel du centre-ville, ils vont venir demain…

— Chions donc ! lança Raymond. Trop pédants pour être avec nous autres le jour de Noël, ces deux-là ?

— Surveille ton langage, fiston! clama Mathias. Danielle a deux familles à présent, ils doivent se partager, ils ne peuvent pas être à deux places en même temps.

— J'comprends, reprit le fils outré, mais c'est sans doute mieux pour le beau-frère d'être au Ritz avec sa gang de nez en l'air, qu'icitte avec les tourtières de la mère!

Ce qui avait fait jouir Desneiges de plaisir. Quelle réplique! Elle y avait certes pensé, mais jamais elle n'aurait osé le crier en pleine table. Mathias, choqué de l'attitude de Raymond, riposta:

— Toi, si tu peux pas parler avec ta tête, ferme-la! Pis mêle-toi de tes affaires ou retourne d'où tu viens! T'es bien mal placé pour juger les autres avec celle qui partage ta couche!

Insulté, le fils allait répliquer lorsque Maryvonne intervint:

— S'il vous plaît, pas de chicane le jour de Noël! Un peu de respect pour les autres! Pis, aussi bien vous le dire, Danielle et Darren ne sont pas plus au Ritz qu'ici, ils sont chez eux! Danielle se bat contre ses nausées, elle attend un bébé!

Chapitre 6

L e 15 février 1954, en pleine forme, Mathias Goudreau avait fêté ses cinquante-quatre ans en compagnie de Maryvonne et de ses enfants. Danielle, dont la grossesse progressait, était venue l'embrasser et lui offrir, pour ses grandes sorties, des gants de cuir importés d'Italie, pour ensuite retourner chez elle, ne pouvant rester pour le souper à cause d'un mal de dos qui ne la quittait pas. Une grossesse qui s'avérait difficile mais, avec l'appui de Darren, elle sentait qu'elle le rendrait jusqu'au bout cet enfant qu'elle désirait tant.

L'année en cours vit d'autres anniversaires se suivre, dont celui de Raymond qu'on ne fêta pas, mais qui fit dire à son père : « Encore un peu de temps et on ne sera plus responsables de lui, ma femme ! En autant que sa Marjorie le supporte jusque-là ! » Maryvonne l'avait approuvé d'un soupir de découragement. Puis, ce fut au tour de Marie-Jeanne de devenir majeure, elle qui ne causait aucun trouble à ses parents. Maryvonne célébra ses cinquante-quatre ans le 30 juillet et, le même jour, Yvette fêtait ses dix-huit ans en compagnie de son amie Paulette et de trois gars quelque part en ville dans l'appartement de l'un d'eux. Sous le signe du Lion, ce qu'elle était au féminin, dévoreuse et carnivore depuis longtemps. Et enfin, à la toute fin du mois suivant, Danielle accouchait d'un gros garçon de neuf livres à l'hôpital du Sacré-Cœur. Une pénible délivrance pour elle, trente-six heures de douleurs avec Darren à ses côtés jusqu'à ce qu'on la transporte en salle d'opération. Mais elle avait été forte, elle avait certes déchiré un coin de sa taie d'oreiller avec ses ongles en s'agrippant, mais elle avait tenu le coup en avertissant cependant son mari après l'accouchement : «Tu as ton fils, ne t'attends pas à un autre enfant, je n'en veux plus, c'est trop souffrant, trop bestial...» Et Darren, fier de prendre son bébé à bout de bras, lui avait répondu : «Tu as raison, juste lui, *my love,* nous allons en prendre soin...» Et là s'arrêtèrent les élans de maternité de Danielle. Un fils unique, beau comme un cœur, qui allait être comblé par son *grandpa* et choyé par son grand-père. Un enfant qu'on allait prénommer Michel et qui allait vite être appelé Mike pour son père et *grandpa* White, tout en devenant le petit Michel adoré de son grand-père Goudreau. Maryvonne, fière de cet enfant qui allait être élevé dans la soie, avait dit à son mari : «Tu vois ? On en a une qui nous fait honneur ! Et son garçon sera peut-être plus instruit que son oncle au Manitoba.» Mathias avait compris, par cette phrase, que sa femme avait une dent contre Roger parce qu'il faisait sa marque sans être de sa marmaille. Accrochée à Danielle, à son mari et à leur fils, Maryvonne comptait sur eux pour s'assurer une vieillesse confortable si jamais Mathias partait avant elle.

Début novembre, une triste nouvelle pour la famille, le cousin de Maryvonne, l'oncle Fulgence comme on l'appelait, était mort des suites d'une chute dans l'escalier extérieur de son logement. Une fracture du crâne avait causé une hémorragie qui l'emporta alors qu'il était dans l'ambulance en route pour l'hôpital. Très peinée pour lui, Maryvonne s'occupa de ses frais funéraires puisqu'il lui laissait ce qu'il avait en héritage. Pas une somme fabuleuse, mais assez pour l'enterrer et déposer le surplus dans son compte en banque. Fulgence avait vendu sa maison à bon prix plusieurs années auparavant et avait vécu de l'argent que cette transaction lui avait rapporté. Or, pour économiser davantage de piastres de ce qui restait de la petite fortune de son cousin, Maryvonne l'avait fait enterrer avec sa mère et son père dans le lot familial où il y avait encore une ou deux places de libres. Personne ne le pleura chez les Goudreau, sauf Marie-Jeanne qui, sans éclater en sanglots, s'attrista de la mort de cet oncle qui était si bon pour elle, qui l'accompagnait lors des soirées familiales ou des mariages et qui l'encourageait sans cesse de ses judicieux conseils. Marie-Jeanne le considérait beaucoup plus que son propre père, d'autant plus que Mathias ne s'arrêtait pas vraiment sur le quotidien de sa seconde fille plus souvent malade qu'en bonne santé. Maryvonne vendit tous les meubles de Fulgence et laissa sa voiture à son fils Raymond pour cinquante dollars tellement elle était usagée. Ce qui permit au jeune homme qui n'avait plus d'auto, de faire monter quelques jeunes filles avec qui il flirtait sur les coins de rues pour les entraîner le plus souvent possible dans son *backstore* le soir venu. Cela pendant que Marjorie sommeillait déjà à la maison, fatiguée de sa longue journée au magasin. Mathias fut peiné de la mort assez brutale de Fulgence qui lui avait présenté, jadis, sa cousine Maryvonne lors de son veuvage. « C'était un bon gars, avait-il dit à sa femme, tu lui feras chanter une messe de ma part. » Et dès que la dépouille fut enterrée, Fulgence fut oublié, la messe aussi. Oublié de presque tous, sauf de Marie-Jeanne qui lui fit brûler un lampion à l'église après avoir fait encadrer une photo prise avec lui, le jour des noces de Danielle.

En cette fin du mois des morts, Maryvonne eut la surprise de voir une dame venir sonner à sa porte et se présenter comme madame Bouclin, de la rue voisine. Demandant à être reçue, Maryvonne la fit passer au salon alors qu'elle se trouvait seule à la maison avec Marie-Jeanne. Apercevant la jeune fille qui mangeait dans la cuisine, la visiteuse inattendue dit à Maryvonne sur un ton assez ferme :

— Je suis venue pour me plaindre de votre fille, madame Goudreau, pas de celle que j'aperçois d'ici, mais de l'autre, votre plus jeune.

— Yvette ? Vous plaindre de quoi, madame ?

— Je suis la femme du boucher, pas là où vous achetez, l'autre marché un peu plus à l'est. Je viens dénoncer votre fille, madame, parce que je l'ai surprise dans le sous-sol du commerce de mon mari en train de… de… comment dire ? De faire du mal avec lui ! Elle se laissait tripoter et elle le déshabillait pendant qu'il se prêtait à son jeu. Une putain ! Voilà ce qu'elle est !

— Ménagez vos paroles, madame ! Si Yvette est ce que vous en dites, votre mari est un joli maquereau pour la tâter sans aucune gêne. Vous vous plaignez d'elle et pas de lui ?

— Un homme, c'est un homme, madame ! Attisés par des bonnes à rien, les mâles ne refusent pas ce qu'on leur offre. Vous savez comment on appelle votre fille dans la paroisse, madame Goudreau ?

— Non, sortez donc d'autres injures, un coup parti !

— On l'appelle La Goudreau ! Pas mam'zelle Goudreau ni Yvette, juste La Goudreau ! Comme on qualifie les grues de son espèce ! Quelle honte, madame ! Une fille grimée jusqu'aux oreilles et presque nue sur les genoux d'un homme de soixante ans !

— Quoi ? Votre mari a soixante ans et c'est vous qui venez le défendre ? C'est un vieux cochon que vous avez à la maison, madame Bouclin ! Faire des saloperies de la sorte avec une jeune de dix-huit ans ! J'en ai assez entendu ! C'est lui que vous devriez engueuler, pas ma fille ni moi ! Je vois que, comme boucher, il ne s'arrête pas qu'aux jarrets de porcs, ça lui prend ceux des filles aussi ! Vieux singe ! Animal ! Et assez épais pour se faire surprendre par sa femme !

— N'empêche que votre Yvette est une salope, madame ! Elle se donne à tous les hommes, on me l'a répété, elle couche avec n'importe qui ! Ma plus proche voisine m'a dit qu'elle avait débauché son fils de seize ans ! Faites-la soigner ! C'est une traînée, votre p'tite dernière… Quelle honte pour sa famille !

— Bon, c'est assez, sortez et ne revenez plus. Et profitez-en donc pour demander à votre mari ce qu'Yvette lui fait que vous ne lui faites pas !

— Quelle effronterie ! Oser me parler de la sorte pendant que votre fille fouille dans les pantalons des hommes ! Mal élevée en plus ! On voit de qui elle tient !

Maryvonne ouvrit la porte et chassa la femme qui, en furie, l'injuria du trottoir :

— Si elle revient dans nos parages, c'est moi qui vais lui arracher les yeux de la tête, la garce ! La Goudreau ! La peste !

Marie-Jeanne, effrayée par la querelle verbale entre sa mère et la femme du boucher, s'était réfugiée dans un coin plus obscur de la cuisine, afin d'entendre tout ce que la plaignante avait à dire contre sa sœur. Après son départ, regardant Maryvonne qui était encore rouge de colère, elle lui déclara :

— Elle n'a pas tout à fait tort, la bonne femme, c'est vrai qu'on l'appelle La Goudreau dans la paroisse, quelqu'un me l'a dit. Je ne voulais pas le rapporter à papa pour ne pas lui faire de peine. Et c'est vrai qu'elle se donne aux hommes…

— Va pas plus loin, je vais lui régler son cas à la p'tite, mais je ne voulais pas que la Bouclin en furie sorte gagnante de ma maison. Si ta sœur est ce qu'elle en dit, c'est vrai que son mari est un vieux cochon ! Les autres hommes aussi ! Ça se fait à deux ces bassesses-là ! J'en parlerai avec Mathias, ce soir. Pas un mot à Yvette quand elle rentrera, je veux la confronter avec son père dès qu'on sera seuls avec elle. Tu vas garder ta langue, Marie-Jeanne ?

— Bien, puisque tu me le demandes, je ne dirai rien, mais si Danielle savait que sa sœur lui fait honte dans le quartier, elle qui n'habite pas loin, j'suis pas sûre qu'elle resterait longtemps dans l'coin.

Mathias rentra souper, Maryvonne l'accueillit avec un sourire et un bon plat d'œufs tranchés dans une sauce blanche, son mets préféré. Avec les patates pilées de Marie-Jeanne, bien entendu. Yvette se pointa pour avaler une bouchée et ensuite monter, prendre une douche et se changer. Redescendant de sa chambre, elle avait enfilé une blouse de soie qui l'étouffait, tellement elle était près du corps, une jupe ajustée qui lui permettait à peine de marcher sur ses hauts talons et parée de boucles d'oreilles longues et lourdes, ce qui ne faisait pas distingué. Sans parler de son mascara, de son rouge à lèvres écarlate, de son vernis à ongles flamboyant et de ses bagues. Maryvonne, la regardant, lui lança :

— Ça s'peut-tu s'attriquer d'même ! T'as l'air d'une… J'aime mieux pas parler !

— Dis-le c'que tu penses, la mère, gêne-toi pas !

— Pas nécessaire, tu sais ce que je pense ! Sors, va retrouver…

— Oui, va retrouver le vieux boucher ! clama Marie-Jeanne du sofa du salon.

Se retournant, étonnée de ce qu'elle venait d'entendre, Yvette comprit néanmoins que quelque chose s'était passé. Personne n'était au courant de son aventure avec le bonhomme… Or, pour ne pas perdre la face, pour s'éloigner du sujet précis, elle rétorqua à son aînée :

— T'es mieux de rien ajouter, la grosse, parce que t'auras pas le dernier mot. Personne te regarde, toi ! Pas même le cheval du vieux colon de la rue !

Face à la grossière insulte, Marie-Jeanne préféra se recroqueviller sur elle-même et monter le son de la télévision afin de ne pas entendre ce qui aurait pu suivre. Mais inutilement, car Yvette avait claqué la porte après avoir revêtu son manteau d'automne rose. Un gars dans un vieux char usagé l'attendait au coin de la rue. Maryvonne, les sourcils froncés, regarda Marie-Jeanne pour la semoncer :

— Je t'avais demandé de rien dire, d'attendre que j'en parle à ton père d'abord !

— J'ai rien dit devant lui, m'man, il est dans le garage, y a rien entendu. Je voulais juste qu'elle sache qu'on est au courant… L'as-tu vue blêmir quand j'ai mentionné le boucher ? Assez pour qu'elle y pense toute la soirée ! Pis celui avec qui elle est partie n'aura pas grand-chose d'elle, du moins à soir, avec ce qu'elle a fini par savoir.

— Tout de même, Marie-Jeanne ! Retenir sa langue, ça veut dire rien dire. Elle va maintenant être sur ses gardes quand on va l'apostropher. Elle va nous attendre avec un char de menteries… Prise au piège elle est démunie, mais flairant la trappe, elle est plus rapide qu'une souris.

Sur ces mots, Mathias rentrait du garage et, voyant l'air bête de sa femme, il lui demanda :

— Qu'est-ce qui se passe ? Y a un problème à régler ?

— Oui, tout un ! C'est la Yvette ! Une femme est venue se plaindre…

Et Maryvonne de raconter à son mari l'altercation qu'elle avait eue avec madame Bouclin, la femme du boucher, concernant la mauvaise conduite d'Yvette avec son époux. Mathias écouta attentivement, se gratta le menton, et rétorqua :

— Je vais lui parler dès demain. Elle est pas sortie du bois avec moi, celle-là ! Elle va pas déshonorer notre nom de famille dans le quartier, ma femme ! Elle a fini de se faire appeler La Goudreau ! Attends un peu que je lui torde le bras !

— Oui, mais pas trop fort, Mathias. Elle est chétive la p'tite. Pis, faut pas oublier que le vieux salaud de boucher est aussi coupable qu'elle ! Si y avait pas eu les doigts longs…

Et Mathias de lui répondre exactement ce que madame Bouclin lui avait dit :

— Ben, un mâle c'est un mâle, ma femme ! Qu'importe l'âge ! Quand une femelle tourne autour…

Le lendemain, alors qu'Yvette se préparait à sortir de nouveau, son père l'apostropha :

— Non, pas à soir ! Tu sors pas ! Tu restes ici ! Tu vas pas plus loin que l'sofa !

— Ben, pourquoi ? J'ai une *date,* un gars m'invite aux vues…

— Non, pas de vues, pas de sorties, t'as fini d'en faire à ta tête, Yvette. J'suis au courant pour le boucher pis pour ben d'autres aussi. Y a quelque chose qui cloche dans ta cervelle, pis la confession, ça suffira pas pour effacer tout ça !

— Y s'est rien passé entre le boucher pis moi, y a juste essayé…

— Menteuse ! Sa femme est venue nous dire qu'elle l'avait surpris avec toi dans la cave du magasin. Avec son vieux les culottes à terre… J'sais plus quoi faire avec toi, Yvette, mais y a des hôpitaux psychiatriques pour des malades comme toi !

— Ben, voyons, l'père, j'suis pas folle ! Les asiles, c'est pour les détraqués !

— C'est c'que tu es ! Complètement folle, Yvette ! Une ou deux bonnes piqûres à la hauteur du crâne, ça peut parfois aider.

— Aie ! Jamais j'rentrerai là, moi ! C'est correct, j'sortirai pas à soir, mais je dois aller chez Paulette en fin de semaine.

— Non, Yvette, répliqua sa mère, j'ai parlé à Danielle qui va te recevoir chez elle et jaser avec toi. Darren est aux États-Unis et tu pourras l'aider avec le p'tit qui fait pas toutes ses nuits.

— Pourquoi pas Marie-Jeanne ? Moi, les bébés, c'est pas d'mon ressort…

— Moi non plus ! clama Marie-Jeanne du salon. J'm'y connais pas plus que toi ! Pis, peut-être que Danielle a d'autres choses à discuter avec toi, elle !

— Tiens ! Les mauvaises langues se sont fait aller ? La tienne pis celle de la mère ? Ça va-tu être dans le bulletin paroissial, ma p'tite affaire ?

— Non, mais si ça continue, le curé va finir par te pointer du doigt du haut de la chaire pendant son sermon. Quand on s'fait appeler La Goudreau dans le quartier, c'est signe qu'on a une réputation bien établie, ma chère. Et rien pour en être fière, parole de mère !

— Charrie pas, m'man ! C'est pas parce que j'ai des petites aventures en passant que j'suis une fille de mauvaise vie !

— Tu connais le terme à c'que j'vois ! On t'a sûrement déjà appelée comme ça pour qu'y t'reste dans la tête ! Fille de mauvaise vie, fille de joie… Sans parler de ce que madame Bouclin avait dans son vocabulaire pour toi !

— Elle, la chienne de laide, elle a juste à s'occuper de son mari pis y cherchera pas ailleurs ! Le chapelet toujours entre les doigts, ça excite pas un homme, ça !

Yvette n'eut pas le temps de répliquer quoi que ce soit, qu'une gifle retentissante en plein visage de la part de son père la fit taire instantanément.

— Toi, un mot de plus et je t'enferme dans un couvent !

Puis, dans sa colère, sans mesurer ses paroles, Mathias ajouta à l'endroit de Maryvonne :

— Quelle sorte d'enfants tu m'as fait, toi ? À part Danielle, les autres ça vaut pas l'yable ! C'est-tu Dieu possible ?

Maryvonne resta bouche bée pendant que Marie-Jeanne, fort insultée, se réfugia dans sa chambre pour se mettre à pleurer, la tête enfouie dans son oreiller. Alors que dans la cuisine, se frottant encore la joue, Yvette regarda son père avec haine pour ensuite l'affronter de cette réplique :

— Toi, le père, tu ne me touches plus jamais ! Tu m'entends ? Une autre claque comme celle-là, pis j'disparais ! Vous allez me chercher en maudit, j'vous l'dis !

Mathias, quelque peu repentant d'avoir eu la main si ferme, répondit à sa benjamine :

— C'est toi qui cours après, tu m'pompes, Yvette ! Tu m'rends hors de moi ! C'est pas mon genre de frapper mes enfants, tu l'sais, je l'ai jamais fait quand vous étiez p'tits ! Y fallait que tu deviennes quasiment une femme pour que ça se produise. Si seulement tu faisais un effort, si t'essayais de reprendre l'école, t'instruire, devenir un peu comme ta grande sœur...

— Compte pas sur moi ! Trop tard pour ça ! Si t'avais commencé plus jeune à m'encourager, peut-être que j'aurais fait des efforts ! Mais non ! Y en avait que pour ta princesse dans la maison ! C'est tout juste si tu lui *lichais* pas les pieds ! Pis toi aussi, la mère, je doublais, je triplais mes années d'école et tu t'en apercevais même pas ! Mais pour Danielle… Aie ! la plus vieille, c'était pas d'la marde, elle ! Pourtant, c'est juste une garde-malade ! Sans l'argent de son mari, elle en serait encore à laver l'cul des patients à son p'tit hôpital !

— Elle est distinguée, ta sœur, elle n'a jamais couraillé comme toi ! répliqua Maryvonne.

— Ben sûr, de toute façon elle pourrait pas courailler, comme tu dis, elle est froide comme un poisson de bocal, la grande ! C'est certainement pas Darren qui en a plein les mains avec elle !

— Tu vois comme tu es vulgaire ? riposta Mathias. T'entends-tu ? Y a rien à faire avec toi, Yvette ! T'es de la mauvaise graine, t'es pleine de péchés pis tu vas pas souvent t'en confesser !

— Ben non, l'père, pas avec les sourires que m'lance le curé quand y m'voit m'déhancher !

Cette violente et longue altercation garda tout de même Yvette à la maison, ce soir-là. Et même si Mathias n'avait pas eu le dernier mot, il avait fait preuve d'autorité, ce qui avait plu à Maryvonne qui le lui avait souligné, une fois couchés. Et ce qui força Yvette à se rendre chez Danielle le vendredi suivant pour y passer la fin de semaine. Darren était parti à Boston où se déroulait un séminaire pour les ingénieurs civils des États-Unis et du Canada. Comme Danielle n'aimait pas rester seule la nuit dans cette maison boisée de tous côtés, elle avait fait appel à sa mère qui lui avait dépêché Yvette à défaut de Marie-Jeanne qui supportait mal les enfants. Et ce Michel, dit Mike, était si braillard que Marie-Jeanne se payait une crise d'asthme chaque fois qu'il avait ses coliques à la maison. Yvette, moins grimée et pour cause, arriva chez sa sœur dans l'auto de Mathias qui en profita pour aller embrasser sa fille aînée et caresser le petit qui était sa raison de vivre. Et l'enfant, dès qu'il voyait son grand-père, cessait de pleurnicher pour se laisser cajoler. Yvette, manteau d'hiver, blouse de soie sous une veste de laine, jupe large de coton, souliers plats pour la maison, queue de cheval, sans maquillage ou presque et sans bijoux sauf des pastilles brunes à clips aux lobes d'oreilles, fit mine d'être contente de retrouver son aînée. Après le départ de Mathias, les deux sœurs en profitèrent pour bavarder et, ce faisant, Danielle montrait à Yvette le dernier tableau que Darren avait acheté d'un artiste peintre de renom, puis sa nouvelle coutellerie en argent solide, ses bibelots importés, le tapis de Turquie de son vivoir, bref, tout ce qui s'était ajouté dans son quasi… manoir ! Yvette, peu impressionnée par ces richesses, préféra jouer avec le petit qui, dans sa bassinette, levait déjà le fessier pour qu'on le prenne. Tout en jetant un coup d'œil dans la penderie de sa sœur où des vêtements de qualité étaient suspendus. Des tailleurs ternes, des robes aussi mornes que coûteuses, des souliers en cuir d'Italie avec talons cubains, pas hauts comme les siens. Une garde-robe de femme de quarante ans, selon elle, pas pour une de vingt-deux ans. Mais depuis qu'elle était mariée à un ingénieur, Danielle avait laissé tomber les accoutrements voyants pour s'habiller comme sa belle-mère, plus sobrement. Toujours jolie, elle était toutefois moins attirante qu'avant son mariage. Qu'importait donc ! Yvette, comparant son peu de vêtements au nombre incalculable de ceux de sa sœur, se consolait en se disant qu'elle, avec une jupe ajustée et un chandail moulant, pouvait séduire tous les gars du quartier, tandis que Danielle… Pour Yvette, ça en prenait si peu pour être aguichante, pour faire tourner les têtes et saliver les mâles… Peu importait qu'ils aient seize ou soixante-six ans… Parce que, sur ce calcul mental, La Goudreau, les yeux fermés, disait ne pas savoir compter !

Elles avaient soupé d'un poisson frit avec tranches de citron et légumes verts, un plat qu'Yvette n'aimait pas, et elles avaient terminé avec un gâteau éponge, un dessert qu'Yvette n'appréciait pas non plus. Mais elle se tut de peur d'insulter Danielle qui, pas très bonne cuisinière, avait fait de son mieux. À l'heure du coucher de l'enfant, il se mit à pleurer, évidemment, et Danielle se rendit près de son lit pour lui fredonner des chansons comme *Partons, la mer est belle* et *Sur le pont d'Avignon,* ce qui eut finalement raison du petit être. Danielle avait une voix douce et chaude qui endormait vite son enfant. Puis, revenant au salon, fermant le téléviseur pour ouvrir la radio à une station où l'on jouait de la musique classique, elle baissa un peu le son et regarda Yvette pour finalement lui signifier :

— J'aimerais bien te parler si tu me promets de ne pas t'emporter.

— Bon, qu'est-ce que t'as à m'dire à ton tour ! J'ai pourtant eu assez de m'man pis de p'pa…

— Reste calme, je vais le faire sur un autre ton que le leur. Je ne suis pas ta mère, je suis ta sœur, Yvette.

— Parle-moi pas de reprendre des cours...

— Bien, justement, c'est de ça que je voulais te jaser. Tu n'as terminé que ta septième année, Yvette. Avec un peu d'efforts, tu pourrais retourner aux études et obtenir ton diplôme de neuvième année.

— Voyons donc ! Tu m'imagines, moi, sur un banc d'école avec des p'tites morveuses de treize ou quatorze ans ? J'suis une femme, Danielle, pas une enfant ! Les études, c'est fini pour moi, j'suis assez instruite comme ça. Perds pas ton temps !

— Alors, pourquoi tu n'apprends pas un métier ? Tu pourrais devenir coiffeuse...

— Non, ça demande une neuvième année, ce programme-là. J'suis renseignée, tu sais, j'suis pas aussi niaiseuse qu'on l'pense !

— Personne dit ça, Yvette, surtout pas moi. Tu es brillante, tu es jolie, tu as tout pour réussir... Mais si tu reprenais les études de quelque façon que ce soit...

— J'viens d'te dire que les bancs d'école, c'est pas pour moi !

— J'ai compris, mais tu pourrais suivre des cours privés, il y a des institutrices retraitées qui en donnent... Tu obtiens même ton diplôme avec elles. Quatre leçons par semaine seulement, papa serait prêt à te les payer...

— Tiens, c'est lui qui t'a soufflé ça à l'oreille ? Pour que tu essaies de me convaincre ? Mêlez-vous pas d'mes affaires ! Si j'veux travailler, c'est pas les jobs qui manquent ! J'pourrais être *waitress* n'importe quand, vendeuse aussi dans un magasin, j'pourrais même travailler à la pâtisserie... Mais pour l'instant, ça m'intéresse pas.

— Yvette, tu as dix-huit ans ! Il faut que tu penses à ton avenir, voyons ! Tu ne peux pas rester à rien faire, juste sortir et emprunter de l'argent à maman et à Marie-Jeanne, que tu ne leur remets pas !

— Tiens ! T'en sais des choses, toi ? C'est la mère qui te dit tout ça ? À moins que la grosse enfoirée dans son fauteuil prenne le téléphone pour jacasser avec toi ? Non, pis là, écoute, si tu m'as fait venir ici pour me faire la morale, tu te trompes. J'suis assez vieille pour faire c'que j'veux faire, j'ai pas besoin de tes conseils ni de ceux de personne.

— Si seulement tu rencontrais un bon garçon...

— C'est quoi un bon garçon ? Comme ton Darren ? Tu peux le garder, quant à moi ! Y est peut-être beau, ton mari, mais y a pas d'*fun* à avoir avec lui. Trop sérieux, trop père de famille...

— T'aimes mieux les *bums,* Yvette ?

— Ça, ça m'regarde ! Pis mes chums sont pas tous des *bums* ! Y en a qui sont de bonne famille...

— Et qui ont mal tourné ! Comme toi, Yvette ! On a les mêmes parents, Marie-Jeanne, toi et moi, et regarde ce que tu deviens. Quand je pense que le boucher...

— Ben là, tu dépasses les bornes, la sœur ! C'est la grosse laide qui t'a raconté la visite de sa femme ? Pis, j'suis pas ici pour me faire insulter, Danielle. J'm'en vais avant qu'tu deviennes aussi fatigante que la mère avec tes conseils. J'appelle André, y s'fera pas prier pour venir me chercher.

— C'est qui ce type-là ? Et puis, non, tu es chez moi pour la fin de semaine, tu ne vas pas me laisser seule avec mon petit pour la nuit.

— Ben, imagine-toi donc que oui ! T'appelleras la grosse rapporteuse, le père va se faire un plaisir de venir la reconduire.

Et sans laisser à sa sœur le temps de protester, Yvette composa un numéro de téléphone et, au bout du fil, un type nommé André allait s'empresser de venir la chercher. Se voyant démunie, ayant échoué dans sa tentative de la convaincre de reprendre les études, Danielle s'emporta :

— C'est ça ! Vas-y avec ton gars, va te jeter dans son lit ! C'est ça ta vie, Yvette ? Un homme attend pas l'autre ? Continue, lâche pas, un jour viendra où on te retrouvera au fond de la rivière !

— T'en fais pas, j'ai pas le suicide en tête pis personne veut me noyer. Pis, contrairement à toi, j'sais nager, moi !

— Réponse idiote ! C'est vrai que tu es la honte de la famille ! Tu vas faire mourir la mère et le père avec ta mauvaise vie ! Marie-toi, au moins ! Déguerpis ! Fais comme Raymond avec sa Marjorie de vingt ans de plus que lui ! Dans ton cas, c'est pas les hommes plus vieux qui manquent, non ? Il y a peut-être des bouchers qui sont veufs ou des orphelins de vingt-deux ans qui te voudraient !

— Ta gueule ! T'en as assez dit, la sainte nitouche ! Toi, si t'avais pas eu Darren, tu chercherais encore en maudit ! T'es peut-être belle, mais quand j'me regarde, j't'envie rien.. Pis scrupuleuse comme tu l'es… Moi, j'ai au moins quelque chose de plus à offrir aux gars que juste un certificat !

— Que ton corps, Yvette ! Seulement ça ! Madame Bouclin n'avait pas tort !

— Tiens ! Tu connais même le nom de la femme du boucher ! Bravo ! La grosse pis la mère n'ont rien oublié ! Bon, j'entends une auto arriver, ça doit être André. J'étais venue pour jaser, manger avec toi, te tenir compagnie, mais t'as tout gâché, Danielle, en essayant d'être ma mère pis mon père en même temps ! Pis, prends-toi pas pour une autre, t'es juste une garde-malade ben ordinaire et sans emploi. On appelle ça une ménagère quand on se fait vivre par son mari. Et puis, va au diable, André est à la porte, la soirée va être moins plate avec lui qu'avec toi.

Danielle la regarda partir et s'engouffrer dans la voiture noire d'un gars qu'elle ne pouvait pas distinguer de sa fenêtre et, découragée, elle appela son père pour lui demander si Marie-Jeanne ou sa mère ne viendrait pas remplacer celle qui s'était envolée. Constatant qu'Yvette était partie à la suite de remontrances, c'est Mathias lui-même qui vint s'installer dans la chambre d'invités de sa fille pour y passer les deux jours qui restaient et jouer avec son petit-fils adoré qu'il ne quittait pas des yeux. Au grand désespoir de Desneiges et de Gloria, qui se doutaient bien depuis quelque temps que l'enfant de Danielle avait éclipsé les leurs dans le cœur du beau-père. Même Claude, le cadet de Léo, que Mathias aimait tant. Tenant compagnie à sa fille pour la nuit, cette dernière lui dit en lui servant une tasse de thé :

— J'ai tout essayé, papa, la douceur et la rigueur, mais rien n'a fonctionné. Yvette a une tête de mule et le diable au corps ! Je lui ai fait miroiter un tas d'études qu'elle pourrait faire avec juste un peu de bonne volonté, mais elle faisait la sourde oreille. Tellement que j'ai fini par m'emporter !

— Ça se comprend, son attitude me fait aussi sortir de mes gonds, j'voudrais me retenir que j'en suis pas capable. Quand elle m'affronte de haut pis qu'elle me répond effrontément, tout c'que j'vois devant moi, c'est une face à claques !

— Pour ça, faudrait un peu te contenir, papa. Vas-y verbalement, mais ne lève plus la main sur elle, sinon elle va partir avec le premier venu en prétextant qu'elle se fait battre par son père. Ne la laisse pas te mettre dans de beaux draps, c'est tout ce qu'elle cherche !

— Tu me connais, Danielle, j'suis un homme tendre, j'ai jamais élevé la voix, mais elle a le don de me mettre hors de moi… Mais, y va me falloir me contrôler jusqu'à ce qu'elle soit en âge de s'en aller. Comme c'est là, elle pis Raymond vont faire mourir ta mère. Moi, j'ai la couenne un peu plus dure, mais ta mère se laisse encore prendre au piège. Va falloir que je lui parle pis qu'elle se désintéresse un peu plus de ces deux causes perdues. Rien à faire avec eux… Pourtant, on les a élevés comme les autres, avec autant d'amour et de sacrifices…

À ces mots, Danielle avait baissé les yeux, parce qu'au fond d'elle-même elle savait que son père n'avait guère eu d'égards pour Raymond comme pour Yvette. Comme si ces deux-là étaient les enfants de trop d'un second mariage qui ne le rendait pas heureux. Il appréciait Maryvonne, il la traitait avec affection et respect, il endurait Marie-Jeanne, mais Danielle avait senti depuis longtemps qu'à part elle, dans le remue-ménage du deuxième lit, son cœur était encore à Antoinette qu'il avait trop aimée pour accepter de la perdre.

Comme il fallait s'y attendre, un autre drame allait se jouer chez les Goudreau avant les Fêtes. Raymond venait d'être mis à la porte par Marjorie, qu'il avait encore trompée et qui l'avait surpris en flagrant délit avec une petite jeune de vingt ans. Folle de rage cette fois, la dame, qui détenait toutes les parts ou presque du commerce, le mit en vente et en retira un assez bon montant. Puis, le lendemain, c'était Raymond qu'elle foutait à la porte et qui se retrouvait dans sa vieille bagnole avec ses quelques vêtements, ses bouteilles de bière et sa brosse à dents. Il eut beau la supplier, elle ne revint pas sur sa décision de s'en débarrasser. Trop, c'était trop ! De plus, elle avait craint d'avoir des ennuis avec le magasin, car il refilait des cigarettes à trois pour dix cents à des gamins de onze ou douze ans. Il ouvrait des paquets qu'il cachait sous son comptoir pour les revendre ainsi. Les marques les moins populaires, évidemment ! Les Winchester le plus souvent ! Or, sans le sou, avec son linge et sa voiture usagée, Raymond ne savait guère où se réfugier. Il téléphona à son père qui, le cœur sur la main cette fois, accepta de l'héberger pour quelques semaines seulement, le temps pour le fils de se trouver un travail et de repartir en appartement. Mais Raymond semblait plutôt enclin à vouloir s'installer plus longtemps chez ses parents. Mathias s'était dès lors rendu chez Marjorie afin d'aller chercher la vérité, et cette dernière, aussi courtoise que polie, avait répondu au père de son jeune amant : « Il n'y a rien à faire avec lui, monsieur Goudreau, j'ai tout essayé ! J'aurais même fini par le marier, mais il couche avec tout ce qui bouge… Vous comprenez ? Il est ingrat, voleur, menteur et il aurait pu faire de la prison si je l'avais dénoncé pour les cigarettes vendues aux enfants. Chanceux que les parents ne s'en soient pas aperçus. Or, avant de perdre mon nom et mon commerce, j'ai tout liquidé, et là, je retourne à Shawinigan Falls, d'où je viens, pour tenter de refaire ma vie avec quelqu'un de mon âge. » Mathias avait été plus que compréhensif. Cette femme méritait mieux que son chenapan de fils dans son existence. Il repartit en lui souhaitant bonne chance et, en moins de temps que prévu, Marjorie avait quitté Cartierville pour retrouver la ville de sa jeunesse et ce, dans le camion du déménageur, ses meubles dans la boîte fermée, ses valises tassées sur les côtés. Avant même que Raymond ne vienne s'excuser et tente de se faire pardonner une fois de plus… Il se retrouva le bec à l'eau en constatant qu'elle avait tout emporté ! L'appartement était vide, ça se voyait de la fenêtre, et la pancarte « Logement à louer » était déjà installée sur la rampe d'escalier. Désarçonné, constatant que Marjorie ne reviendrait plus, Raymond reprit la route en direction de la maison de ses parents avec, en poche, quelques piastres et une caisse de Molson sur le siège arrière. Marie-Jeanne, pour sa part, voyait d'un mauvais œil le retour de ce frère qu'elle n'aimait pas et Yvette, de son côté, comptait bien se servir de lui pour se faire véhiculer au centre-ville le plus souvent possible. Qui se ressemble s'assemble, dit-on, et Raymond et Yvette semblaient vouloir faire la paire comme deux larrons en foire. Au détriment de Maryvonne qui avait dit à Marie-Jeanne lorsqu'elle se rendit compte que la pauvre asthmatique les craignait tous les deux : « Je te protégerai d'eux autres, inquiète-toi pas ! »

Entre-temps, Roger avait appelé son père du Manitoba pour s'enquérir de sa santé et lui dire qu'il ne pourrait pas venir cette année pour le souper de Noël, malgré l'invitation redoublée de Mathias pour l'avoir à sa table. Il avait beaucoup à faire, les études étaient primordiales pour lui, il ne voulait rien rater, pas le moindre cours en stage. Et c'est avec joie qu'il avait annoncé à son père :

— Une bonne nouvelle, *Dad,* tante Flavie se marie !

Mathias avait sursauté. Flavie ? Elle qui n'avait pas voulu de lui après le décès de Toinette selon son défunt beau-père ? Elle qui comptait rester vieille fille toute sa vie ? *Faire le grand saut à cinquante et un ans ? Pas croyable !* pensait-il en son for intérieur.

— Mais avec qui ? demanda-t-il.

— Avec un instituteur de son école. Il prend sa retraite, il vit seul et souhaiterait bien avoir une compagne. Il est correct, *Dad,* il a de belles qualités, je l'aime beaucoup, il s'appelle Donald Drew et il a grandi ici avec ses parents maintenant décédés. Ça lui fera un *good husband.*

— Un bon mari, tu veux dire. Tu mélanges tes deux langues, toi !

— Oui, *yes,* répondit-il en riant.

— Flavie est trop vieille pour avoir des enfants… Elle a manqué son coup étant plus jeune…

— Elle en a eu un, papa, elle m'a eu, moi ! C'est elle qui m'a élevé avec *grandma* Imbault, elle a fait sa part. Et depuis la mort de grand-mère, c'est elle qui s'est occupée de moi.

— Dans ce sens-là, oui, elle a été plus qu'une tante pour toi, une vraie mère comme on dit. Ben, souhaite-lui bien du bonheur. C'est quand les noces ?

— Au mois de janvier 1955, elle sera la première mariée de l'année de la paroisse, mais ça va être une toute petite cérémonie. Juste eux autres et moi, ainsi qu'un cousin et sa femme du côté du marié. Pas grand monde, comme tu peux voir…

— Il va vivre avec vous, le Donald en question ?

— Non, il a déjà sa maison, c'est Flavie qui va déménager avec lui. Ce n'est pas loin d'ici, six ou sept rues…

— Et toi, tu vas habiter où ?

— Moi, mais je reste ici, voyons ! Flavie m'a donné la maison en héritage. Pour faire à manger, je me débrouille, pour le reste aussi. Et la connaissant, Flavie aura les yeux sur moi, je ne manquerai jamais de rien avec elle.

— Ben, dis donc, te voilà riche, mon garçon, une maison payée à toi ! En plus d'une profession qui va te faire bien vivre ! Il va te rester à trouver une belle fille, te marier, fonder une famille…

— *Gee !* Pas si vite, *Dad,* j'ai encore du chemin à faire ! Je veux d'abord être reçu médecin, avoir mon bureau de consultation, ma clientèle, et après… Peut-être que oui ! Il y a de très jolies filles à Winnipeg ! ajouta-t-il en s'esclaffant.

Mathias était heureux. Son Roger, celui qui vivait loin de lui, était à ce jour celui de ses fils qui avait le mieux réussi dans la vie. Un Imbault, celui-là, pas un Goudreau. Il n'était son fils que sur son baptistère. Pour ce qui était de son sang, il avait davantage celui de sa mère.

Le temps des Fêtes se déroula calmement cette année-là chez les Goudreau. Danielle et son mari, invités par les beaux-parents avec leur petit Mike, ne seraient pas de la table familiale. Raymond, pour éviter de se retrouver comme un *looser* devant ses frères, avait préféré aller fêter Noël avec un ami, aussi voyou que lui. Ensemble, ils iraient ensuite dans les clubs de nuit en quête de filles faciles. Pour le souper traditionnel, il ne resterait plus que Marie-Jeanne et Yvette, puis Léo, Gloria, Gaston et Desneiges, avec leur progéniture. Tous vinrent manger la dinde de Maryvonne et boire le vin de Mathias, mais le cœur n'était pas à la fête. On sentait qu'il y avait de la tristesse dans l'atmosphère, que le beau-père n'agissait pas comme de coutume, qu'il était vague et lointain. Ce qui avait fait dire à Desneiges en s'adressant à Gloria dans un coin du salon :

— T'as vu comme il a l'air bête ? Tu sais pourquoi, j'espère ! Sa Danielle n'est pas là ! Et son petit Michel adoré non plus ! Il n'a même pas regardé Claude qu'il gâtait tant et les enfants ont reçu juste un cadeau de la part des deux, cette année. Nos maris ne voient pas ça, Gloria, mais c'est plein d'injustices et de passe-droits dans cette famille-là. Sans Danielle et son Michel, le beau-père a le visage long. Il ne nous a même pas vus entrer, comme si c'était le vent qui poussait la porte. Et tes petits gars s'en aperçoivent, Gloria. Tu devrais en parler à Léo ! Moi, ma Lulu, elle s'en fout bien de son grand-père Goudreau, elle le connaît à peine, il l'a jamais regardée. Et c'est pas moi qui va s'en plaindre à Gaston. Aussi épais que son frère aîné, mon mari.

— Aie ! tu parles de Léo !

— Bien oui, pis après ? Ils sont du premier lit ces deux-là, et même si le beau-père prétend avoir aimé leur mère, ça n'a rien changé pour ses gars… Ils ont les deux pieds dans la même bottine ! Comme lui !

— Tu oublies Roger qui est de la même couvée, lui aussi.

— Oui, mais plus dégourdi ! Il a été élevé par les Imbault, lui ! S'il l'avait été par Maryvonne, il vaudrait pas plus cher que ses deux frères !

— Tout de même, Desneiges… Léo est un bon mari, un bon père, je n'ai pas grand-chose à lui reprocher, il gagne bien sa vie…

— Encore là, t'as été un peu plus chanceuse que moi, Gloria, c'est moi qui suis tombée sur le plus cave des deux !

Chapitre 7

Deux autres années entières s'étaient écoulées et, en ce début de 1957, l'hiver laissait les traces de ses tempêtes entrecoupées de jours ensoleillés tout comme chez les Goudreau qui poursuivaient une existence meublée de hauts et de bas. Mathias avait fêté ses cinquante-sept ans en février, Raymond avait atteint sa majorité et avait quitté le toit familial pour aller s'établir dans le bas de la ville avec son copain voyou qui l'entraînait dans toutes sortes de combines, et Yvette allait enfin devenir majeure durant l'année en cours. Ce qui faisait soupirer d'aise sa mère. Marie-Jeanne, petit train qui n'allait pas loin, regardait encore la télévision l'hiver et travaillait aux différents guichets d'entrée du parc Belmont, l'été. Rien de changé dans son cas, pas même son poids, sauf qu'elle avait presque trois ans de plus sur les épaules et qu'elle levait le coude avec le porto qu'elle achetait régulièrement… comme médicament ! Ce qui diminuait ses crises d'asthme, prétendait-elle, lorsque son père fronçait les sourcils quand elle revenait de la Commission des liqueurs avec un sac en papier brun sous le bras. Elle n'était jamais ivre au point de tituber dans la maison, mais sans cesse «entre deux vins» comme on disait, elle dormait durant de longs après-midi complets. Aucun effort pour se trouver un emploi plus rémunérateur, ne serait-ce que temporaire. Paresseuse, gourmande, près de ses sous, car elle en avait peu, elle ne regardait pas les garçons et ne rêvait d'aucun d'eux, même pas des artistes de la télévision. Il lui arrivait d'acheter des disques ou d'aller parfois au cinéma avec Danielle, mais rien de plus. D'après Maryvonne, sa deuxième fille était… sa croix ! Son guignon, selon ses dires, le contraire de son bâton de vieillesse. Elle aurait souhaité la caser avec un homme, quitte à ce qu'il soit veuf et plus âgé, mais encore là, peine perdue, Marie-Jeanne n'aimait pas les enfants. Pas même son neveu Michel qu'elle n'allait jamais garder quand Danielle avait à s'éloigner; c'était la grand-mère qui s'occupait du petit avec Mathias qui en faisait peu à peu un… gâté pourri !

Yvette, très belle femme, aguichante, n'avait rien perdu de son emprise sur les hommes. Ils se succédaient dans un lit d'occasion, en rang d'oignons comme dans les potagers des cultivateurs des environs. Jeunes, moins jeunes, vieux… aucune différence, Yvette était attirée d'instinct par ceux dont la démarche ou le sourire lui plaisait. Elle était encore La Goudreau pour plusieurs, surtout pour les amants d'une seule fois qui se vantaient ensuite d'avoir eu les faveurs de l'insatiable bête de sexe qu'elle était devenue dans le quartier. Mathias avait fini par baisser les bras. Rien à faire, Yvette souffrait, selon lui, d'un mal dont on ne guérissait pas. L'indécence incurable dans toute la force du terme ! Maryvonne, pour sa part, priait la Vierge Marie pour que sa fille s'éloigne de la voie de la perdition et retrouve un chemin plus chrétien. Yvette, tout comme sa mère jadis, travaillait maintenant dans un cinéma de Montréal où elle vendait des billets au guichet en plus de faire un peu d'entretien une fois les projections terminées. Un emploi bien rémunéré, d'autant plus qu'elle avait en vue plusieurs cinéphiles qui l'intéressaient. Mais aucun pour plus d'une fois ou deux, même si certains avaient souhaité la fréquenter. Yvette refusait d'appartenir à un seul homme, c'eût été faire injure à tous les autres ! Le plus étrange, c'est qu'elle ne tombait jamais en amour. Le cœur n'était pas de la partie, le corps seul la guidait dans ses bassesses. Ou une maladie, comme disait son père, mais sans remède encore. Ce que, de toute façon, elle n'aurait jamais cherché, elle se complaisait dans les obscénités qu'elle tentait souvent de surpasser. Les femmes du quartier la regardaient de travers, surtout depuis que madame Bouclin avait répandu la nouvelle que La Goudreau avait tenté de séduire son mari. Le pauvre homme ! Ce boucher si catholique qui n'attendait que l'occasion de ramener Yvette dans le fond du sous-sol de son commerce. Mais la « pauvre enfant » avait tellement eu peur de sa femme... Toutefois, comme Bouclin vantait en chuchotant les prouesses d'Yvette à ses bouchers temporaires, c'étaient eux qui bénéficiaient des caresses de l'insatiable fille de Mathias. Ce qui avait fait dire un jour à sa mère :

— Yvette, tu vas nous arriver en balloune si tu continues à courailler comme ça !

Et sa fille lui avait répondu sans aucune retenue :

— T'en fais pas, m'man, j'connais le tabac !

Ce qui revenait à avouer à sa mère ce qu'elle cachait si adroitement à son père. Maryvonne avait tout de même répliqué :

— En tout cas, si ça t'échappe, compte pas sur moi ! J'lèverai même pas le p'tit doigt pour toi !

Léo, l'aîné de la famille, vendait toujours des tapis dans un grand magasin et Gloria éduquait leurs deux fils du mieux qu'elle le pouvait. Un petit ménage parfait, selon Mathias qui s'en félicitait. Léo ne lui avait jamais causé le moindre souci. Bon garçon, bon mari, bon père, Gloria semblait comblée avec lui. À la maison chaque soir dès son travail terminé, il ne s'arrêtait pas une seconde sur les propos flatteurs d'une collègue ou des propositions non dissimulées de la part de certaines clientes. Bel homme, du genre à faire se pâmer les femmes, Léo Goudreau n'était qu'à Gloria. Corps et âme ! Ce dont Mathias se félicitait grandement. Un mari aussi fidèle que lui-même l'avait été. Même à Maryvonne qu'il avait moins aimée.

De son côté, Gaston avait fini par obtenir sa carte de compétence d'électricien et faisait maintenant un peu plus d'argent sur les chantiers. Desneiges le menait toujours par le bout du nez et leur petite Lulu, devenue vilaine à force de gâteries, ne se gênait pas pour asséner un coup de pied à son père devant les yeux de sa mère. Sans la réprimander, Desneiges disait à son mari :

— Tu l'as cherché ! Tu n'avais qu'à jouer avec elle quand elle te l'a demandé ! Arrête de la contrarier ! Gaston, mécontent, regardant sa fille d'à peine cinq ans qui le confrontait les deux mains sur ses hanches, avait répondu à sa femme :

— J'étais en train de manger, j'avais pas fini ma soupe !

Et Desneiges de lui lancer :

— Tu n'avais qu'à la mettre de côté, ça s'réchauffe de la soupe !

Une fois de plus, Lulu, qui allait s'avérer de plus en plus maligne, avait gagné sur toute la ligne. Mais, dans le couple, l'amour s'étiolait. C'était à se demander si Desneiges l'avait seulement aimé, ce « cave » comme elle le surnommait. Envieuse de la relation de Léo et Gloria, elle ne tentait cependant pas le moindre rapprochement avec son mari. Bien au contraire, elle l'abaissait, elle l'insultait et le méprisait constamment. Comme pour le provoquer et lui chercher querelle. Gaston, qui l'avait assez aimée pour l'épouser les yeux fermés, avait déchanté avec les années. Traité comme un moins que rien, soumis à ses ordres et à ceux de la petite, il n'ambitionnait qu'une chose, le départ de sa femme et de sa fille. Si seulement Desneiges faisait les premiers pas pour le quitter... Parce que lui, sous son emprise et craignant ses colères, n'en avait pas le courage.

À Winnipeg, tout allait bien pour Roger qui, maintenant médecin, avait ouvert un cabinet de consultation dans le vaste salon de sa maison. Très populaire, le jeune docteur Goudreau avait une clientèle de plus en plus nombreuse. Les dames l'aimaient, les enfants l'adoraient, les papas lui faisaient confiance et les gens âgés appréciaient son empathie. Encore célibataire à vingt-huit ans, presque vingt-neuf, Roger avait tout de même jeté son dévolu sur la fille d'une patiente, Lauren Walter, une maîtresse d'école de vingt-cinq ans que tante Flavie connaissait de vue, du fait que Lauren était institutrice à l'école où elle-même avait enseigné avant sa retraite. Car, peu après son mariage tardif, Flavie avait pris sa retraite après vingt-six ans de service. Néanmoins, elle avait continué de faire de la suppléance dans quelques écoles des environs. Toutefois, elle n'avait vraiment croisé Lauren que lorsque Roger la lui avait présentée. Une fille charmante, brunette, assez jolie, distinguée, le genre à plaire à son neveu à première vue, ce qui s'était produit. Roger, grand comme son père, le sourire en coin de sa mère, avait pris « le meilleur des deux », comme on disait en parlant de l'héritage de ses parents. Aussi beau que Léo sinon plus, on pouvait comprendre que la clientèle affluait chez lui pour les consultations médicales. Bon docteur de famille, très près des gens, il était, comme on pouvait le constater, bien établi. Et ce, en peu de temps, parce qu'en plus d'être charmant en tant qu'homme, comme médecin il était excellent. Lorsque la nouvelle était arrivée chez les Goudreau leur apprenant qu'il avait terminé ses études avec succès, Yvette, de la cuisine, s'était écriée :

— Tiens ! On a un docteur dans la famille !

— Pis une guidoune !

Cette remarque venant de Marie-Jeanne lui avait valu une claque derrière la tête de la part de sa mère.

Au début du mois de mai, alors que les vivaces commençaient à bourgeonner, Maryvonne reçut une lettre de la Saskatchewan selon le timbre sur l'enveloppe et, l'ouvrant, après avoir lu quelques lignes, s'écria devant Mathias et Marie-Jeanne :

— Ah ! non !

— Qu'est-ce qu'y a, ma femme, tu sembles contrariée ?

— C'est ben assez, c'est de mon frère Donat qui connaît j'sais pas comment notre adresse et qui m'apprend qu'y s'en vient en visite à Montréal avec Gladys pis ses deux filles. Pire, y m'demande de les recevoir à la maison pour économiser les repas et l'hébergement ! Pas gêné, lui ! Ménager son argent pour nous en faire dépenser ! J'vais lui répondre qu'on n'a pas d'place, qu'ils logent à l'hôtel ! Et ce sera pas mentir, on peut pas accueillir quatre personnes adultes d'un seul coup ici ! Y a juste une chambre de libre en haut !

— J'sais bien, Maryvonne, mais ça s'fait pas... On peut pas leur refuser l'hospitalité, y sont jamais venus avant aujourd'hui. Pis t'as juste un frère...

— Je m'en sacre, Mathias ! Je déteste sa femme et ses filles doivent être comme elle ! Non, pas question qu'y débarquent ici comme ça !

— Écoute, on pourrait demander à Danielle et Darren de recevoir leurs enfants. Y nous resterait plus que Donat pis son épouse pour la chambre d'en haut.

— Maudit ! Dis-moi pas qu'tu vas trouver une solution, Mathias ! J'veux pas les voir, j'le considère même plus comme mon frère. Je l'ai toujours haï, pis elle, tu sais ce que j'en pense !

Mais malgré ses violentes objections, Mathias eut finalement gain de cause et réussit à la convaincre de les accepter pour ensuite ajouter :

— Elles ont quel âge, tes nièces ?

— Amanda a sûrement vingt-six ans et Kay, pas loin de vingt-quatre… J'comprends pas qu'elles soient pas encore mariées ! Elles doivent être des chipies comme leur mère ! À part Donat, aucun autre homme aurait enduré Gladys avec son caractère de chien !

Et sur réponse strictement polie de Maryvonne, les Ménard de Regina arrivèrent avec leurs filles pour une semaine chez les Goudreau. Avec peu de bagages et peu d'argent dans les poches de son frère qui n'y plongerait pas souvent la main. Gladys, toujours aussi altière, avait trouvé le moyen d'insulter sa belle-sœur une ou deux fois et Donat, plus réservé, s'était bien entendu avec son beau-frère. Dès leur arrivée, le même après-midi, elle avait demandé à Maryvonne en regardant Marie-Jeanne :

— Qu'est-ce qu'elle a, celle-là ? Elle a l'air…

— Elle a l'air de rien de plus que ce qu'elle est ! Marie-Jeanne est asthmatique.

— Vraiment ? Pourtant, l'hiver est fini et je ne l'entends pas râler… Elle n'a pas beaucoup de façon… *Gee, strange girl, that one!*

Gladys, qui toutefois maîtrisait le français, se servait de l'anglais pour passer ses remarques désobligeantes. Parlant d'Yvette, elle avait dit à sa belle-sœur :

— Elle est belle, ta dernière, elle doit plaire aux gar-çons… Mais elle n'a pas l'air réservée… *The way she dresses…* mais elle a de la façon, elle sourit, elle travaille où, déjà ?

Parce que ses deux filles étaient instruites, Gladys se faisait un malin plaisir de faire répéter à Maryvonne que sa petite dernière était caissière dans un cinéma, pas même diplômée d'une neuvième année. Les filles de Donat Ménard n'étaient pas des beautés rares, mais elles étaient assez jolies pour se trouver un mari. Amanda, l'aînée, travaillait en comptabilité dans une firme publicitaire de sa ville et Kay terminait un bac en musique, pour devenir enseignante par la suite. Fière d'elles, Gladys, sans s'en cacher, levait légèrement le nez sur les enfants de Maryvonne. Ils avaient aussi rencontré Raymond qui était venu les saluer et leur annoncer, dans ses mensonges, qu'il était propriétaire d'une biscuiterie dans un quartier du bas de la ville, pour ensuite repartir sans plus revenir. Ce qui avait fait dire à Gladys, après son départ :

— En voilà un qui semble avoir réussi ! Beau garçon en plus !

Les filles, installées dans la demeure de Danielle et Darren, n'avaient de cesse de décrire à leur mère la grande maison avec l'imposante terrasse de leur cousine. Intriguée, Gladys s'y présenta avec Maryvonne et Donat, et Danielle et Darren les reçurent gentiment. Fort impressionnée par la résidence que la rivière bordait, l'immense terrain, les balançoires, les meubles du salon, ceux du vivoir, les bibelots, les toiles de maître sur les murs, Gladys avait dit à sa nièce :

— C'est vraiment beau chez toi !

Puis, se tournant vers Darren qu'elle acceptait mieux que les autres, elle ajouta :

— *She's lucky to have you!*

Ce qui avait choqué Maryvonne qui avait répliqué :

— Avant Darren, notre fille faisait beaucoup d'argent. Infirmière diplômée, c'est bien payé par ici… Et ils se sont mariés par amour, *you know* !

— *Well,* je n'en doute pas ! Ingénieur en plus ! *You should look for someone like him !* ajouta-t-elle à l'endroit de ses deux filles.

La relation entre Maryvonne et son frère était sans consistance. Donat ne parlait que du présent, jamais du passé, ni de sa mère, ni de son enfance. Maryvonne, nostalgique, ne comprenait pas qu'il soit devenu cent pour cent anglais et qu'il n'ait rien gardé en son cœur de sa jeunesse dans la maison familiale. Il n'avait même pas demandé à sa sœur d'aller déposer des fleurs sur la tombe de leurs parents au cimetière. Il ne parlait que d'argent avec Mathias, tout en ne fouillant jamais dans sa poche. Les Goudreau payaient tout ! Les repas, les sorties au restaurant, les visites ici et là… Maryvonne, de mauvaise humeur, soupirait et comptait les jours qui restaient avant leur départ. Amanda et Kay, de leur côté, étaient traitées comme des duchesses par leur cousine Danielle qui les avait emmenées au cinéma, magasiner, visiter de beaux endroits, et leur avait offert de fastueux repas dans de grands restaurants avec Darren. Les deux filles, choyées, n'avaient de cesse de les remercier et avaient demandé à leur cousine et son mari de venir les visiter à Regina, si jamais ils passaient dans l'Ouest canadien. Ce que Danielle, qui s'était attachée à elles, leur promit. Très peu comblée par ses deux sœurs, l'aînée des Goudreau avait trouvé du réconfort et de l'appui auprès de ses cousines. Elles étaient si gentilles avec elle, si tendres avec son Michel, si avenantes que Danielle les considérait comme de véritables petites sœurs. Elle en avait pourtant deux, mais que dire d'elles ? Marie-Jeanne, écrasée dans son fauteuil, ne la visitait jamais sans son père, et Yvette, trop affairée avec les hommes, n'avait pas de temps libre pour venir prendre le thé chez elle… Or, de plus en plus éloignée d'elles, Danielle avait fini par dire à Darren, un certain soir que Kay et Amanda étaient sorties avec Donat et Gladys :

— Je me demande pourquoi nous restons encore ici, *honey*.

— Bien, pour tes parents, pour être près d'eux, de ta famille…

— Nous pourrions les visiter où que nous habitions. Ici, c'est vaste, c'est beau, nous sommes seuls, loin des voisins et j'ai peur la nuit quand tu n'es pas là, mon chéri. Tandis qu'en ville où il y a plus de vie…

— Peut-être, mais tu ne verrais plus la rivière de si près, ta chaise au bord de l'eau te manquerait…

— Pas tellement, Darren, vieillir en regardant les vagues l'été et les montagnes de neige l'hiver, ce n'est pas tout à fait mon genre. J'ai entendu dire qu'il y avait de belles résidences dans le quartier Côte-des-Neiges, pas loin des hôpitaux pour enfants…

— Tu ne comptes tout de même pas retourner travailler ?

— Non, je disais cela pour notre petit Mike si jamais… Et c'est le temps d'acheter, dans dix ans, qui sait si nous en aurons les moyens ?

— Notre maison actuelle vaudra aussi cher que celles de Côte-des-Neiges, voyons ! Les prix vont grimper partout !

— Si tu veux, mais penses-y ! Moi, ici…

— J'y penserai, *honey,* mais pour l'instant, occupe-toi de tes cousines. On en reparlera à un autre moment.

La fin du séjour arriva et Amanda et Kay, avec le mouchoir à la main, avaient fait leurs adieux à Danielle et Darren, non sans leur demander :

— Promettez-nous de nous visiter à votre tour, vous avez été si gentils.

— Oui, nous irons, répondit Danielle. Dès que le petit sera en mesure de suivre.

— Tu peux venir seule aussi, Danielle, ajouta Kay. En avion, c'est pas long comme en automobile. Et ta mère pourrait garder Michel.

— N'y pense pas ! Jamais je ne laisserais mon enfant derrière moi, mais nous irons un peu plus tard, c'est promis !

De leur côté, Gladys et Donat avaient ramassé leurs affaires pour les ranger dans leurs valises et, au moment du départ, alors que leurs filles étaient déjà dans l'auto devant la porte de Mathias, Gladys fit un effort pour remercier Maryvonne de son hospitalité, pendant que Donat flanqua un bec baveux sur la joue de cette dernière qui s'essuya de sa manche. Ils partirent enfin, les *bye bye* fusaient de la part des filles à l'arrière de la voiture et, lorsque les Goudreau les perdirent de vue, Maryvonne, échappant un grand soupir, regarda son mari et Marie-Jeanne pour ensuite s'écrier :

— Bon débarras !

Maryvonne n'allait plus revoir son frère et son épouse. Tout comme, de son côté, Gladys ne comptait pas revenir chez sa belle-sœur ni l'inviter chez elle. Une guerre froide commençait et n'allait plus finir. Mathias passa outre aux intentions de sa femme en jetant son amour et son affection sur le petit Michel, fils de Danielle, qu'il aimait plus que tout au monde. Une tendresse que l'enfant lui rendait bien, sans s'attacher cependant à sa grand-mère qui n'était pas affectueuse. Danielle et Darren, toutefois, allaient revoir les Ménard de Regina une seule fois lors d'un voyage ultérieur. Mais le lien familial n'allait pas se solidifier pour autant entre eux et leurs cousines. Le courant avait moins bien passé au moment de leur visite en Saskatchewan que durant leur première rencontre à Montréal. Entre-temps, pour ne pas déplaire à sa femme, Darren était allé voir avec elle quelques belles maisons des quartiers huppés de Montréal comme Côte-des-Neiges, Westmount, Outremont, mais chaque fois quelque chose clochait. Il y avait trop de bruit, les voisins étaient trop près, les pièces pas assez vastes... Si bien que Danielle se rendit compte que ce qu'elle désirait était... ce qu'elle avait ! Avec un bord de l'eau en plus, un grand terrain, le souffle du vent, la paix environnante. Regardant Darren, elle lui avait murmuré un certain soir :

— Ne cherche plus, mon chéri, je me sens si bien ici. Jamais on ne trouvera une maison comme celle qu'on a déjà. En plus de l'endroit... Pas loin de chez papa que Michel aime tant...

Darren avait souri tout simplement, sans rien répondre, et Danielle avait poursuivi :

— Tu sais, je vais contrôler ma peur de la nuit, tu n'es pas souvent absent et le petit va grandir. Nous aurons peut-être un chien de garde plus tard... Je vais me faire une raison...

Ce faisant, elle avait passé ses longs doigts fins dans la crinière de son mari qui, sans rien relever des bonnes intentions de sa femme, avait souri une fois de plus avant de lui dire :

— *I love you,* je t'aime, tu es extraordinaire... *Thank God!*

L'été s'étira avec ses quelques journées de canicule et ses sauterelles dont Lulu avait peur, ses pluies diluviennes, ses orages par moments et l'arc-en-ciel qui suivait... À la fin de septembre, alors que les fistons de Léo ainsi que la Lulu de Gaston étaient à l'école, le téléphone avait sonné un certain soir chez les Goudreau. Maryvonne, tout près de l'appareil, décrocha le récepteur du mur pour entendre :

— Madame Goudreau ?

— Oui, c'est moi...

— Écoutez, c'est Paulette, l'amie d'Yvette. J'vous appelle pour vous dire que votre fille est à l'hôpital.

— Yvette ? Qu'est-ce qu'elle a ?

— Une hémorragie, j'peux pas vous en dire plus, allez-y vite, c'est pas loin de chez vous.

Comme elle avait raccroché sans préciser davantage, Maryvonne alerta son mari qui, pas encore déshabillé pour la nuit, revêtit son imperméable et suivit sa femme dans l'auto qu'il conduisit jusqu'à l'hôpital. Sur les lieux, cherchant Yvette, on les dirigea vers le bloc d'urgences où plusieurs patients étaient allongés dans une salle commune, séparés les uns des autres par un rideau seulement. Avant de les laisser voir leur fille, le médecin de l'unité leur demanda :

— Elle habitait chez vous ?

— Heu, oui… Pas tout le temps, elle vivait aussi chez son amie Paulette, là où vous êtes allés la chercher, répondit la mère. Mais qu'est-ce qu'elle a ? Que lui est-il arrivé ?

Le médecin de service, baissant la tête, leur mentionna discrètement :

— Un avortement, madame.

Maryvonne faillit s'évanouir ! Mathias, la soutenant, demanda :

— Notre fille était enceinte et nous ne le savions pas ? Elle nous l'a caché… Et elle a perdu son enfant ! C'est vous qui avez fait l'opération, docteur ?

— Non, monsieur, c'est elle. Vous comprenez mieux la situation maintenant ?

— Oh ! mon Dieu ! s'écria Maryvonne, elle n'a pas fait ça ? C'est dangereux docteur… Mais comment ?

— Il y a le secret professionnel, madame, votre fille est majeure, c'est à elle qu'il faudrait vous adresser. Moi, je ne peux rien dire sauf qu'elle est maintenant hors de danger.

Mathias, retenant le médecin par le bras, se fit insistant :

— Docteur, pour l'amour du ciel, donnez-nous quelques détails, elle ne parlera pas, elle ! On la connaît, Yvette, ma femme pis moi, on n'a eu que des problèmes avec elle. Dites-nous au moins comment elle a fait, pour éviter qu'une prochaine fois elle…

— C'est délicat, monsieur, ce que vous me demandez là. Je ne peux vous dévoiler, sans son consentement, la nature de l'accident provoqué, mais comme elle semble vous donner des cheveux gris, d'un père à un autre, je vais juste vous indiquer quelque chose qui pourrait vous éclairer, sans toutefois rien préciser.

— N'importe quoi, docteur ! Nous ne lui en parlerons pas, c'est juré !

Devant l'insistance du père, sans pour autant contrevenir à son secret professionnel, le médecin murmura à Mathias sans que sa femme entende :

— Elle a fait cela avec ce que vous avez dans tous vos placards, monsieur Goudreau. Vous me suivez ?

Mathias avait pâli. Bien sûr qu'il avait compris que le cintre avait été l'outil de sa fille pour se défaire de l'embryon qu'elle portait. Un avortement vulgaire et dangereux. Le docteur s'éloigna et Maryvonne, qui insista pour savoir de quelle façon Yvette avait fait cela, se fit répondre tout bas par son mari :

— Avec un support, ma femme, un support de son garde-robe.

Maryvonne, aussi pâle que Mathias, avait fait désespérément... son signe de croix !

Étendue sur un lit blanc, démaquillée, les cheveux gras sur la taie d'oreiller, Yvette, ouvrant à peine les yeux tellement on lui avait administré de calmants pour contrer ses douleurs, était parvenue à demander à sa mère :

— Vous avez vu le docteur ?

— Oui, pis on sait tout, ma fille. Comment as-tu pu faire ça ?

— Il n'avait pas le droit de vous le dire, il me l'avait promis.

— Il ne nous a rien appris, on a tout deviné, Yvette, répondit son père.

Fermant les yeux, elle prit une grande respiration avant de leur avouer :

— J'pourrai jamais avoir d'enfants maintenant, on me l'a dit, mais ne vous en faites pas, ça m'punira pas. J'en voulais pas de toute façon…

— Avec la vie que tu mènes… murmura sa mère.

— M'man, c'est pas l'temps pour les reproches, j'ai passé à travers ça de justesse. Fais-la s'en aller, papa, j'aime mieux me confier à toi…

Mathias regarda sa femme qui sortit de l'unité pour se rendre à la salle d'attente. Restée seule avec son père, Yvette lui déclara :

— Écoute, j'suis consciente que ce n'est pas correct ce que j'ai fait, mais il fallait que je me délivre de cet enfant. Ça ne m'était jamais arrivé avant, j'ai toujours été sur mes gardes. Pis, dans un mauvais calcul…

— Qui est le père ?

— J'sais pas, papa, ça peut être n'importe qui… J'ai jamais eu d'ami sérieux, juste des gars par-ci par-là…

— Oui, j'connais ta vie, Yvette, mais t'aurais pu en mourir. On fait pas ça de cette façon, c'est dangereux… La preuve, t'auras plus jamais d'enfants.

— Ça aurait pu me tuer, je l'sais, mais Paulette m'aidait. Avoir une fille-mère aurait été une plus grande honte pour vous autres que d'avoir une fille avortée. Là, personne le saura…

— Oui, ce sera plus caché, Yvette, mais dans mon cœur, j'aurais préféré prendre soin de ton p'tit que de t'voir risquer ta vie pis mettre un terme à la sienne.

— Ajoute plus rien, papa, c'est fait, on peut pas revenir en arrière. Pis comme je te l'disais, ne plus avoir d'enfants, ça m'dérange pas une miette… J'étais pas faite pour être une mère.

— Peut-être, mais faudra que t'arrêtes d'être une… Tu sais ce que je veux dire, non ?

— Va pas plus loin, j'ai tout compris. Pis là, avec m'man sur mon dos pis Marie-Jeanne à m'écœurer, j'reviendrai pas à la maison. J'suis majeure, papa, pis j'vais rester chez Paulette, y a d'la place pour deux. J'tiens à faire ma vie sans personne pour se mêler de mes affaires. Dis-le à m'man, ça va m'sauver de sa colère.

— Oh ! pas sûr que ça va la contrarier, Yvette, tu lui causais déjà tellement de troubles ! Toi partie, ça va peut-être lui permettre de dormir mieux sans se faire de soucis. Ça peut sembler dur c'que j'te dis là, mais c'est la vérité, ma fille. Vient un temps où les enfants ne nous appartiennent plus. Ça nous fait de la peine quand on les aime, mais dans d'autres cas…

— Tu veux dire quand on les aime pas ?

— Non, quand ils ne nous aiment pas ! Comme toi, Yvette qui ne nous a jamais aimés.

— C'était du donnant-donnant, papa.

Sans rien ajouter, Mathias quitta sa fille qu'il sentait en bonnes mains et avisa Paulette, du téléphone public, de venir la chercher dans deux jours, qu'il lui rembourserait ses taxis. Retrouvant sa femme, il lui désigna son manteau et cette dernière lui demanda :

— Quoi ! On s'en va ! Elle veut même pas me voir ?

— Non, c'est pas ça, mais avec les pilules, elle dort déjà…

— Qu'est-ce qu'elle t'a dit que j'sais pas encore ?

— Rien de spécial, mais comme tu t'emportes plus facilement…

— M'emporter ? Elle s'avorte comme une traînée et elle voudrait que je la traite en grande dame ? Je l'aurais juste réprimandée…

— Tu vois, c'est ça qu'elle a voulu éviter.

— Ben, c't'affaire, j'suis sa mère, Mathias, pas une étrangère !

— Ouais, j'sais, mais dans son état, malade comme elle l'est… Pis, elle reviendra pas chez nous, Maryvonne, elle va habiter avec Paulette, elle veut faire sa vie toute seule maintenant qu'elle est majeure.

— Ben, ça, ça m'dérange pas ! Au contraire, ça va m'permettre de dormir sur mes deux oreilles !

— C'est exactement c'que j'lui ai dit, ma femme.

De retour à la maison, le couple trouva Marie-Jeanne endormie sur le sofa qui, se réveillant brusquement, ne leur demanda même pas ce dont Yvette souffrait. Elle alla se coucher sans leur poser la moindre question et Maryvonne put aviser discrètement Danielle, par téléphone, de ce qui venait de se passer. Cette dernière, affligée par le sort d'Yvette, se promettait d'aller la voir le lendemain, mais son père, prenant le récepteur, lui dit :

— Non, Danielle, elle ne sera pas seule, Paulette sera avec elle.

— C'est qui, Paulette ?

— Une dévergondée pareille comme elle ! Je l'ai aperçue juste une fois.

— Mais, c'est pas des farces, papa, stérile à vingt et un ans seulement.

— Dans son cas, c'est peut-être une bénédiction du Ciel.

— Si on veut, mais plus tard, quand elle se lassera de sa vie actuelle…

— Elle ne se tannera pas, Danielle, et crois-moi, ça m'surprend que ce soit pas arrivé ben avant. Avec tous les gars qu'elle a passés…

— Est-ce qu'elle t'a dit qui était le père ?

— Comme si elle le savait ! Le p'tit livreur de l'épicerie ? Un *bum* du bas d'la ville ? Y devaient attendre en file devant chez la Paulette ! En autant que ce soit pas le vieux Bouclin… Sale boucher !

— Quand même !

— Tout est possible avec elle ! Mais si le bébé était de lui, c'est un cadeau du Ciel qu'elle l'ait pas eu ! Imagine ! Laid comme il est, vicieux, la lèvre baveuse, les pattes croches, y est aussi ben mort…

— Papa, parle pas comme ça, c'est quand même un enfant qu'elle a tué dans son ventre. J'en aurais pris soin si elle l'avait gardé, je lui aurais donné un coup de main…

— J'en doute pas, mais comme c'est là, que ce soit une fille ou un gars qui s'en venait, le bébé est dans les limbes avec bien d'autres et, bien souvent, c'est beaucoup mieux comme ça. Attends, j'te repasse ta mère, elle me fait signe…

Maryvonne, qui reprit le récepteur après son mari, enchaîna :

— Pis, honnêtement Danielle, avec Raymond pis Yvette partis, on va commencer à respirer, ton père et moi.

— C'est évident, mais…

Sa mère l'interrompit pour ajouter:

— Pis, j'suis sûre que Marie-Jeanne va faire moins de crises d'asthme sans ces deux-là dans les pattes!

Effectivement, la maison était plus saine sans les deux «défectueux» partis l'un après l'autre. Il y avait moins de «boucane», comme disait Marie-Jeanne. Les fumeurs étaient maintenant hors de sa vue et loin de ses poumons. Mais la pauvre fille n'en buvait pas moins en cachette de ses parents pour autant et les bouteilles de porto, achetées à leur insu, entraient une à une dans le gros sac à main de la buveuse qui, le prenant d'abord comme médicament, en était devenue dépendante au point d'en consommer chaque jour pour l'effet qu'il lui prodiguait. Sans être saoule, Marie-Jeanne était souvent pompette, ce que sa mère ne voyait pas encore. Comme elle avait repris la chambre du haut et qu'elle dormait durant des heures, on la traitait de paresseuse alors qu'elle cuvait tout simplement les verres de trop ingurgités la veille.

Yvette, ayant retrouvé des forces et quitté l'hôpital, s'était établie avec Paulette qui semblait contente de ne plus avoir à payer seule son logement. Toujours caissière dans un cinéma du centre-ville, Yvette, redevenue plantureuse, avait réussi à se faire engager dans une boîte de nuit comme préposée au vestiaire. Trop belle pour être à l'écart de la clientèle, le patron, un gars du milieu, lui offrit de devenir *barmaid* et d'apprendre le métier avec Tony comme instructeur. Ce dernier, bel homme de quarante ans, marié et père de deux enfants, fut le premier à séduire Yvette sans le moindre effort. Puis, le patron, les autres serveurs et même le jeune employé de dix-sept ans qui, le soir, sortait les vidanges après les heures, étaient passés sur elle. Tous sans exception ! La Goudreau avait tout simplement changé de créneau ! Sans pour autant devenir la maîtresse d'aucun de ses illustres patrons, juste leur accessoire d'occasion. Gâtée et choyée toutefois, ce que sa mère constatait quand elle allait lui rendre visite, avec des robes dernier cri et des souliers de toutes les couleurs. Sans parler des bijoux en or, la plupart volés, que des cambrioleurs lui glissaient en dessous de la table. Heureuse à souhait, Yvette Goudreau décida de laisser son emploi au guichet du cinéma pour travailler à temps plein dans l'un ou l'autre des cabarets du grand patron. Mathias, au courant des fréquentations de sa fille et de ses multiples emplois, avait dit à sa femme :

— Si ça continue, Maryvonne, on va finir par la voir dans les p'tits journaux policiers parmi les malfaiteurs !

— Il ne manquerait plus que ça, Mathias ! Fais-moi pas peur ! Imagine le déshonneur !

— Elle a déjà sali notre nom. Si au moins elle se mariait avec un de ses *boss,* elle s'appellerait plus la Goudreau !

— Personne va l'épouser, Mathias, ça se marie entre eux autres dans ce milieu-là ! La fille d'un roi de la mafia avec un bandit québécois… J'peux pas croire que notre fille farfouille dans ce monde-là !

— Bah, oublie-la, Maryvonne. Elle est majeure, on n'a plus affaire à elle ! On l'a élevée, on n'a pas à s'en soucier astheure. Pis, pour changer de sujet, tu fais-tu toujours ton souper des Fêtes ?

— Bien oui, on a Léo pis Gaston avec leur famille qui vont venir. Danielle va aussi être là avec Darren et le petit. Cette année, pas de Raymond, pas d'Yvette ! Juste du monde correct ! Tu peux inviter Roger si tu veux, un docteur à table, c'est pas de refus !

— Non, c'est déjà fait et Roger s'en va souper chez Flavie et son mari avec sa petite amie. Ça semble sérieux entre sa Lauren pis lui. On l'a pas encore rencontrée, mais juste d'après sa photo, c'est une belle fille distinguée. Connaissant Roger...

— Oui, y a l'choix maintenant ! Quand t'es docteur dans ta grande maison...

— Ça change rien, ma femme, Roger est comme sa mère, c'est d'abord le cœur qui parle... Pis, sa blonde, physiquement, a quelque chose d'Antoinette... Les cheveux bruns, peut-être les yeux aussi ? Sais pas...

Ce que Maryvonne, intérieurement choquée, ne releva pas.

Le soir de Noël arriva et la maison des Goudreau était prête à accueillir tout son monde pour la dinde et la tourtière traditionnelles. Mathias avait garni un sapin pour les enfants et avait acheté des cadeaux pour chacun, davantage pour Michel. Ils étaient tous au salon et, en les regardant ouvrir leurs boîtes à surprises, Desneiges remarqua que Robert et Claude, les fils de Léo, n'avaient qu'une petite caméra en plastique bon marché dans un papier froissé. Sa Lulu, pour sa part, reçut un livre à colorier et des crayons Prismacolor de ses grands-parents. Mais, pour Michel, les présents se multipliaient. Un cadeau de la grand-mère et quatre autres du grand-père ! Jamais Mathias n'avait été aussi généreux avec l'un de ses petits-enfants. Rouge de colère, regardant Gloria pour tenter de la pomper elle aussi, Desneiges se leva et, s'adressant à son beau-père, lui lança pour que tout le monde entende :

— On sait bien ! Y est du deuxième lit, celui-là ! Pis de Danielle en plus ! Pourquoi pas un bicycle à deux roues, un coup parti ? Vous avez toujours fait des passe-droits, monsieur Goudreau, mais cette fois, c'est noir sur blanc ! Ça dépasse tous ceux d'avant ! Nous aussi, on a des enfants ! Claude, le deuxième de Gloria était votre petit préféré jusqu'à ce que le Mike de Danielle et Darren arrive ! Depuis, y en a que pour lui !

— Desneiges, voyons ! lui lança Danielle.

— Toi, dis rien, laisse-moi finir, ça me concerne !

Regardant de nouveau Mathias qui avait la bouche ouverte, elle poursuivit :

— Que Danielle dans votre cœur ! Et là, Roger, parce qu'il est devenu docteur ! Que vos préférés, monsieur Goudreau ! Gaston pis Léo, c'est de la p'tite bière pour vous ! Des boules à mites ! Même s'ils sont de votre Toinette comme vous appelez votre première femme ! Les enfants de Maryvonne, c'est plus sacré maintenant, je devrais parler juste de la plus vieille, parce que les autres… Des injustices à cœur d'année ! Et encore pire quand c'est Noël et qu'on les a en pleine face !

— Desneiges ! Arrête ! lui cria Gaston.

— Non, toi, ferme-la, tu vaux rien aux yeux de ton père pis dans ton cas y a pas tout à fait tort, t'as rien réussi d'bien de tes deux mains sauf de raccorder des fils électriques pis d'installer des calorifères ! Bon, j'en ai assez dit et je ne resterai pas une minute de plus ici. Ça me fait de la peine pour vous, madame Goudreau, vous avez plus de justice dans le cœur que votre mari, mais je m'en vais avec la p'tite. Ma Lulu qui, en passant, n'a jamais eu un seul bec de son grand-père ! Pis là, c'est tout, j'vous ai tout dit ! Va faire chauffer le char, Gaston, on part !

Sur ces mots, Desneiges enfila son manteau de castor et se dirigea vers la porte avec le parka rose de sa Lulu sous le bras. Gaston, nettement gêné, aurait voulu s'excuser, mais son père lui fit signe de la suivre pour qu'elle ne recommence pas. Puis, une fois le couple parti avec leur fille, Mathias prit la parole pour dire :

— Non, c'est pas vrai, j'fais pas de passe-droits. J'en donne plus à Michel parce que c'est le p'tit dernier, juste pour ça. Pis, à la voir aller, c'est Gaston qui va avaler d'travers ce qu'elle a pas eu la force de m'cracher ! Une furie, c'te femme-là ! Pauvre Gaston, un si bon gars !

Léo regardait Gloria qui n'osait rien dire. Il aurait voulu répliquer, clore le débat, mais ne tenant pas à blesser son père davantage, il s'en abstint et suggéra plutôt qu'on passe à table. Mal à l'aise, Danielle prit place aux côtés de son mari alors que Marie-Jeanne s'assoyait loin d'eux, juste à côté des deux p'tits gars. Les yeux embués par le porto et non par la peine causée à son père par Desneiges, elle demanda à sa mère en catimini :

— Y est-tu réchauffé, ton pâté ? J'ai faim ! J'ai rien mangé d'la journée !

— Si tu m'avais aidée à tout préparer, t'aurais pu en prendre quelques bouchées, mais non, t'as préféré t'étendre sur ton sofa en plein après-midi. Coudon ! Souffres-tu d'anémie pour dormir ainsi ?

La dodue Marie-Jeanne ne répondit rien, de peur d'envenimer l'humeur de sa mère déjà à pic depuis la sortie de Desneiges en public. Tous mangèrent copieusement, la dinde était bien arrosée, le vin coulait dans les verres… Tout allait pour le mieux lorsque Claude, le plus jeune de Léo, demanda haut et fort :

— Pourquoi qu'Yvette pis Raymond sont pas là, grand-père ?

Chapitre 8

Quatorze mois s'étaient écoulés et, en février 1959, Mathias célébrait ses cinquante-neuf ans en compagnie seulement de Maryvonne et Marie-Jeanne. Un petit souper gentil, de jolies cartes de souhaits, dont une de la part de Danielle qui était en vacances dans le Sud avec Darren et leur fils, ainsi qu'une autre de Roger qui n'avait pas oublié la fête de son père, duquel il s'était rapproché avec les années. Rien cependant de Raymond ni d'Yvette qui avaient mieux à faire que de noter les anniversaires sur leur calendrier. Maryvonne avait cuit un gâteau à la noix de coco que Mathias aimait bien et ajouté quelques chandelles pour souligner l'événement. Après avoir bien mangé et bu un peu de vin, davantage pour Marie-Jeanne, rouvrant ses cartes à nouveau, Mathias put lire dans une plus petite déposée dans celle de Roger, des vœux de Flavie qui lui souhaitait une bonne santé. Durant la soirée, pour se détendre à trois, Maryvonne s'était installée au piano pour interpréter *Je te tiens sur mon cœur* qu'Alys Robi chantait si bien, puis *Petite Musique de nuit* de Mozart qu'elle avait apprise à l'oreille en écoutant plusieurs fois un disque acheté précédemment par Danielle. Un beau moment que Mathias apprécia ; ce mini récital lui rappelait ses premières années avec Maryvonne alors qu'il aimait l'entendre jouer en compagnie de madame Ménard dans la maison partagée avec elle. Ce qui l'amena aussi à songer à Toinette partie depuis peu en ce temps-là. Ému pendant l'interprétation de *Je te tiens sur mon cœur,* il demanda ensuite à Marie-Jeanne de faire tourner le disque de la chanteuse afin d'entendre les paroles de la chanson et de s'imaginer que sa première femme les lui destinait. Car, malgré l'affection qu'il vouait à Maryvonne, Mathias n'avait jamais oublié l'amour ardent qu'il avait ressenti pour Antoinette au temps de leur courte vie à deux. Essuyant de son pouce une larme coincée au coin de l'œil, il monta lentement se coucher avec Maryvonne et tous deux pouvaient entendre, de leur chambre, le tourne-disque de Marie-Jeanne qui faisait jouer le dernier succès de Fernand Gignac qu'elle adorait.

Pour le souper de Pâques qu'elle prévoyait avec ses enfants, Maryvonne avait acheté un gros jambon avec, au centre, l'os bien en vue, et elle avait fait bouillir deux douzaines d'œufs avec coquilles que Marie-Jeanne avait peints de toutes les couleurs. Mathias avait offert des chocolats aux garçons de Léo et un lapin un peu plus gros au petit Michel de sa chère Danielle. Il était inutile de songer à Gaston et Desneiges, les liens étaient coupés et ils n'étaient pas revenus chez les Goudreau depuis l'esclandre causé par Desneiges lors de l'avant-dernier Noël. Gaston, faisant mine d'être solidaire de sa femme sur ses ordres, voyait quand même son père sur les chantiers et visitait Maryvonne en cachette sans que Desneiges s'en rende compte. Yvette, invitée au souper, avait répondu à sa mère qu'elle n'y serait pas, qu'elle s'en allait avec un de ses *boss* pour un petit repos aux États-Unis cette fin de semaine-là. Raymond avait fait savoir qu'il viendrait, au grand désespoir de Mathias qui aurait souhaité qu'il refuse. Mais c'était son fils comme les autres ! Il s'était fait à l'idée, même si Raymond et son colocataire menaient une drôle de vie, les poches bourrées d'argent, sans travail précis. « Lui, y va finir en prison ! » s'était exclamé Mathias à Maryvonne un certain soir où Raymond avait offert à sa mère un bracelet en chaînettes d'or véritable, sans doute volé dans un sac à main ou dans une résidence pas loin de chez lui. Mais comment accuser sans preuve ? Maryvonne, n'osant porter le bijou de peur qu'on le reconnaisse quelque part, l'avait rangé dans son coffret en dessous de ses autres bracelets, sans valeur ceux-là.

Tous ou presque s'étaient donc réunis et Maryvonne, qui pilait ses patates à tour de bras, avait demandé à Marie-Jeanne de mettre la table. Danielle, déjà présente avec Darren et leur fils, avait aidé cette dernière à disposer les couverts tout en replaçant les verres à vin du côté approprié de l'assiette, car Marie-Jeanne, pour ce savoir-faire, n'avait jamais ouvert un manuel. Ça sentait bon dans la cuisine, l'odeur du jambon cuit rehaussé de cannelle se rendait jusque dans la salle à manger. Mathias était heureux avec son petit-fils qu'il couvait d'affection pendant que les deux plus vieux de Léo jouaient dans le salon au jeu des serpents et des échelles avec Marie-Jeanne.

Raymond arriva les bras chargés de cadeaux. Il avait fait son entrée comme un *big shot* avec la cigarette au bec, mais Mathias s'était empressé de lui demander d'éteindre avant que Marie-Jeanne ait des problèmes avec son asthme ou pique une crise de nerfs. Raymond s'était exécuté et, à la table avec tout le monde, il se vantait de son travail dont il ne spécifiait pas la nature, cependant. Il leur montrait son char neuf à la porte et se pétait les bretelles devant son grand frère. Ce dernier, écœuré de l'entendre se lancer des fleurs, avait fini par lui dire au moment du dessert :

— Arrête de t'bomber le torse, Raymond, t'es juste un raté !

Bouche bée, rouge comme un coq, il rétorqua :

— De quoi tu t'mêles, Léo ? Tu m'attaques parce que t'as pas une maudite cenne et que tu vends encore des tapis à commission depuis ton mariage ? Le raté des deux... Et comme je t'ai rien demandé, ferme ta gueule pis mange ton pouding comme tout l'monde !

— Aie ! c'est quoi ces mots-là ! lança Mathias à l'endroit de Raymond.

— Ben quoi ? C'est lui qui m'a agressé, l'père ! J'lui parlais même pas ! C'est juste un jaloux parce que j'fais plus d'argent que lui !

— Non, tu n'en fais pas, Raymond, répliqua aussitôt Léo, tu le voles ! On sait toujours pas où tu l'prends, ton argent ! J'vois clair, tu sais, pis p'pa aussi !

— Tu m'accuses d'être un voleur devant tes enfants ? M'man ! fais-le taire, sinon j'lui saute dans 'face !

— Bon, c'est assez vous deux ! cria la mère. Vous allez pas gâcher notre souper avec vos chicanes ! Pis Raymond n'a pas tort, c'est toi qui as commencé, Léo ! Il s'adressait pas à toi, mais à ton père...

— On sait bien, ton Raymond, m'man, même s'il t'a fait brailler à t'morfondre souvent... murmura l'aîné.

— Bon, ça suffit ! lança Danielle. Darren et moi ne sommes pas venus ici pour assister à une querelle de famille. Fais taire ton mari, Gloria, sinon on s'en va tout de suite avec le petit.

À ces mots, craignant de voir son petit-fils préféré partir de chez lui, Mathias éleva le ton pour dire à Raymond :

— Si t'as fini d'manger, va donc au salon pis installe-toi devant la télévision.

— C'est ça, encore moi qu'on blâme ! Non, pas de télévision le père, je retourne d'où j'viens. J'étais juste ici pour la mère !

Sur ces mots, le fils de Maryvonne reprit ses affaires, sortit, s'alluma une cigarette et monta à bord de sa Buick dernier cri pour repartir en faisant crisser ses pneus. La soirée se termina tant bien que mal et, après le départ de Danielle et Darren avec leur fils, Léo en fit autant avec sa femme et ses garçons. Dans l'auto qui les ramenait à la maison, Gloria reprocha à son mari :

— T'aurais pas dû t'en prendre à lui... Tu as gâché le souper !

— J'sais pis je l'regrette un peu, mais j'suis pas capable de l'voir, ce maudit sans-cœur qui vient jouer au riche devant nous autres. C'est un pas bon, Gloria, ç'a été plus fort que moi...

— Oui, mais...

— Mais quoi ?

S'approchant de lui pour ne pas être entendue de ses fils qui étaient presque endormis sur la banquette arrière, elle lui murmura :

— Retiens-toi au moins en face des enfants. Ne salis pas leur oncle devant eux, ils vont l'haïr et ce n'est pas de leur âge de le faire. Ta mère n'a pas apprécié ta façon de lui parler...

— Ça s'comprend, malgré qu'y soit un *bum* pis un voleur, elle l'a encore dans son cœur, son p'tit voyou ! Tu sais que c'est pas dans mes habitudes, Gloria, je suis un gars paisible, mais à soir, juste à le voir se vanter devant les autres, d'arriver avec des cadeaux pour la mère, de nous montrer son char neuf, j'ai pas pu me retenir pis j'ai sauté ! J'ai pété une coche, je l'sais, mais je bouillais, la *steam* me sortait par les oreilles !

— Bon, oublie tout ça, mon amour, on a d'autres chats à fouetter que de perdre notre temps avec Raymond pis sa mauvaise vie.

— Tu pourrais pas mieux dire, Gloria, car il faut que j'te parle ces jours-ci...

— De quoi ?

— Pas à soir, j'ai plus de salive, ça peut attendre à demain ou mardi, mais y va falloir s'asseoir ensemble.

Gloria se demandait bien ce qui pouvait assombrir l'humeur de son mari de cette façon. Certainement pas l'altercation avec Raymond, quelque chose d'autre semblait miner Léo et elle se doutait bien que ce n'était pas à cause de leur couple, tout roulait si bien dans son ménage. C'est le mardi soir, alors que les jeunes étaient couchés, que Léo, installé au salon avec Gloria, lui déclara :

— Écoute, j'ai pensé… c'est quasiment une décision…

— Bien quoi ? Dis-le !

— J'aimerais qu'on déménage, Gloria, qu'on vende et qu'on s'achète un bungalow quelque part.

— Mais, comment faire ça ? On est partenaires avec Gaston et Desneiges dans ce duplex. Ça prend leur consentement…

— Que je vais tenter d'obtenir, même si la belle-sœur n'est pas facile en ce moment. Je vais m'asseoir avec eux… Mais toi, qu'en dis-tu ? Tu n'aimerais pas qu'on parte, qu'on n'ait plus à partager notre vie avec eux ?

— Oh oui ! Surtout pour nous éloigner d'elle ! Desneiges est de plus en plus insupportable depuis qu'elle ne va plus chez tes parents. Elle les descend à tour de bras sans même savoir ce qui se passe et je sens qu'elle est mécontente du fait que je m'y rende encore, que je n'aie pas été solidaire de sa crise de nerfs à l'endroit de ton père. Ça ne me déplairait pas de déménager même si nous devrons changer les enfants d'école. Vas-y, parle-leur, on verra bien ce qu'elle en pensera. Moi, j'aime mieux ne pas m'en mêler, elle tenterait de me blâmer.

— Bon, si tu es d'accord, laisse-moi le reste entre les mains et si elle te questionne, tu n'auras qu'à lui dire que c'est ma décision et que tu la respectes. Même si elle te traite de femme soumise. Je ne voudrais pas partir en me chicanant avec eux, mais si on en arrive à cela, ce sera ni de ta faute ni de la mienne, Gloria.

— Tu as pensé où on pourrait aller ?

— Oui, je ne fais jamais rien impulsivement. J'ai tâté le terrain et je ne voudrais pas acheter à ville Saint-Laurent, nous serions trop près d'eux. J'ai regardé du côté de Laval où il y a de magnifiques bungalows abordables d'après les agents d'immeuble. Ça fait rêver, Gloria !

— Je veux bien te croire, mais est-ce qu'on en aura les moyens ? Avec Raymond qui crie à tout l'monde que t'as pas une cenne !

— T'en fais pas, j'en ai d'collé, les commissions sur les ventes, ça finit par gonfler, j'ai même des placements que je peux retirer…

— Tu m'as jamais parlé de ça, Léo !

— Ben non, c'est des affaires d'hommes, les finances. Oublie ça et voyons comment on va récolter pour le duplex, attendons surtout leur réaction en haut. Je planifie, mais ça ne veut pas dire que « la furie », comme l'appelle mon père, sera d'accord avec mes intentions. Je parlerai d'abord à Gaston, c'est lui l'homme de la maison, même si c'est elle qui mène la barque !

— Ton père est au courant de ce que tu comptes faire ?

— Non, pas encore, je ne mets jamais la charrue avant les bœufs ! Je lui en parlerai lorsque tout sera fait pour qu'il n'ait pas à s'inquiéter. Parce que tu sais, p'pa, les dettes, c'est pas son fort, ça fait pas partie de son vocabulaire.

— Ni du mien, Léo, mais je te fais confiance, tu as une tête sur les épaules. Quand je pense à ce pauvre Gaston avec elle…

Le lendemain soir, Léo monta chez son frère en laissant Gloria en bas, cependant. Ne sachant trop ce qu'il leur voulait, Gaston et Desneiges étaient sur leurs gardes. La petite

Lulu dormait déjà et Desneiges avait fait couler du café et sorti des biscuits au beurre. Le voyant arriver seul, la belle-sœur s'empressa de lui demander :

— Gloria n'est pas avec toi ? Pourquoi ?

— Parce que je suis ici pour parler de business avec mon frère. Elle sait de quoi il s'agit et, si toi, tu veux rester, ça ne me gêne pas.

— Bien sûr que je vais rester, c't'affaire ! Comme si Gaston pouvait régler des choses tout seul ! C'est quoi le problème, Léo ?

— Y en a pas, c'est juste une décision. Gloria et moi comptons nous acheter un bungalow et changer de quartier. Il serait bon de nous éloigner les uns des autres, Gaston, de faire chacun notre vie…

— Ce qui veut dire ? lança Desneiges.

— Qu'il nous faudra vendre la maison, nous partager le montant et partir chacun de notre côté.

— Jamais ! s'exclama la femme déjà outrée de l'audace de son beau-frère. De quel droit décides-tu ainsi, Léo ? Elle est à nous aussi cette maison, nous avons notre mot à dire…

— Évidemment ! C'est pourquoi je suis ici. Qu'en penses-tu, Gaston ?

— Il n'en pense rien de bon ! lui cria Desneiges.

— C'est à mon frère que je m'adresse, pas à toi, Desneiges. C'est lui le propriétaire.

— Non, moi aussi, mon père nous avait prêté de l'argent, ne l'oublie pas ! Un montant qu'on vient à peine de finir de rembourser, pis toi, tu voudrais qu'on parte ? Parce que madame ta femme a besoin d'une maison pour elle seule ? Pis nous autres, on va être encore dans marde ?

Gaston n'avait toujours rien dit et, regardant son épouse, il prit la parole :

— Je pense que ce serait une bonne chose, chacun de son côté, chacun sa vie, plus de chicanes de famille, plus de pompage entre Gloria et toi sur mes parents…

— Remarque que Gloria les aime bien, elle ! l'interrompit Léo.

— Oui, elle me laisse tout dire, tout faire ! clama Desneiges, pis elle retourne en hypocrite s'asseoir avec eux, mais elle pense comme moi, dans le fond ! Elle ne m'a jamais reproché de m'emporter ! Trop lâche pour le faire elle-même !

— Bon, revenons au sujet principal, vous acceptez notre offre, oui ou non ?

— Quelle offre ?

— Plutôt notre décision, mais si tu souhaites que ça devienne une proposition, Desneiges, achetez le bas, payez-nous, et habitez-le si vous ne voulez pas partir. Avec un locataire en haut, vous rembourserez vite l'hypothèque et le duplex sera entièrement à vous. Ça pourrait être une solution…

— Ce qui occasionnerait un déménagement tout de même ! D'en haut jusqu'en bas ! Non, je n'y tiens pas ! Lulu est habituée à sa chambre avec sa tapisserie rose. J'ai une meilleure idée, Gaston.

— Laquelle ? Sors-la !

— C'est bien simple, on va régler Léo pour sa part, puis on va rester au deuxième comme on est là et louer le bas, ça va nous rapporter davantage. Comme ça, un peu plus lousse dans nos affaires, on pourra se permettre des petits voyages.

— Ouais… c'est pas bête ! répondit Gaston en regardant son frère.

— Ce serait une solution, acquiesça Léo.

Voyant que Gaston, trop paresseux pour déménager même en bas, se plierait à l'idée plus facile de sa femme pour lui, Léo lui demanda :

— Tu vas le prendre où, l'argent pour nous régler, si tu ne veux pas vendre ?

— Adresse-toi à moi, pas à lui, c'est moi qui mène ici, rétorqua Desneiges. Le financement, je vais l'obtenir encore de mon père et on va pouvoir le rembourser sans intérêt encore une fois avec le loyer des locataires, t'en fais pas avec ça. Mais je peux te demander où vous comptez aller ?

Et pour éviter de lui dévoiler l'endroit charmant qu'il envisageait, Léo lui répondit :

— J'pourrais te dire que ce n'est pas de tes affaires, mais ce ne serait pas poli, je plaisante. Nous verrons, je n'ai pas encore décidé… Commençons par finaliser la transaction.

— Tu comptes t'en aller plus loin ? Mettre les enfants dans une autre école ? T'as pensé à eux autres, Léo ? lui demanda Gaston.

— Absolument, et ça ne les fera pas mourir de se retrouver ailleurs pour finir l'année en cours. On l'a bien fait nous deux, Gaston, quand le père a quitté son quartier pour nous emmener à Cartierville ? Tu t'en souviens ?

— Heu… oui, c'est vrai… On oublie bien des choses avec les années, surtout sa petite enfance.

— Ben, comment donc ! Ça va être pareil pour Robert et Claude. Des amis, on en trouve partout !

— Gloria aurait pu monter, d'ajouter Desneiges, elle a sans doute son mot à dire…

— Tout a été dit, on ne fait rien l'un sans l'autre, ma femme pis moi. On mène notre barque ensemble, sauf que pour les affaires…

— Ben oui, Léo, comme si on connaissait rien aux affaires, nous, les femmes… Elle aurait pu monter pour une tasse de thé au lieu de rester toute seule comme une dinde en bas, non ?

— Non, parce que les garçons sont avec elle et qu'elle n'aurait pas aimé t'entendre parler à Gaston comme tu le fais, elle qui a tant de respect pour son mari.

— C'est toi qui le dis, Léo ! Elle l'a souvent mis de côté, le respect, pour chialer de ta petite job de vendeur de tapis !

— Tu vois, Desneiges ? Un autre crachat de ta langue de vipère ! J'te plains, mon frère !

Les jours suivants, Gloria évita de croiser sa belle-sœur de peur d'être apostrophée par elle. Devinant son manège, Desneiges lui téléphona et lui demanda, dès qu'elle décrocha le récepteur :

— Coudon ! T'as-tu peur de moi, Gloria ? J'te vois même plus dans la cour !

— Ben non, ça adonne pas, je fais le ménage un peu partout…

— À cause du déménagement ? Les papiers sont pas signés !

— Ça, je laisse ça à Léo. Moi, les affaires, non merci, je me fie entièrement à lui.

— Chanceuse de pouvoir le faire ! Moi, avec mon idiot de mari, je dois tout prendre en main ! Tu pars le premier mai ?

— Si possible, ça permettrait à un nouveau locataire de s'installer le jour même quand vous aurez loué…

— Loué ? Pas inquiète pour ça ! Un bas avec une cour, de grandes pièces, les intéressés vont se mettre en file ici pour l'obtenir ! Dis à Léo, quand il rentrera, que tout est prêt, que mon père a tout réglé et que je n'ai plus qu'à lui rembourser sa part. Avez-vous trouvé un endroit où aller au moins ?

— Presque ! Léo discute avec l'ancien propriétaire d'un endroit qu'il a en tête.

— Comme si tu l'savais pas ! Où ça ?

— À Laval. Un bungalow quasiment neuf, avec une cour assez grande pour y installer une piscine hors terre.

— Dis donc, c'est pas d'la marde où tu t'en vas, Gloria ! Tu vas nous péter d'la broue quand tu seras rendue là ?

— Bien non, tu m'connais assez, voyons, et j'espère que nous allons rester proches l'une de l'autre, Desneiges, on a un solide lien de parenté, toi et moi.

Flattée par ces mots, Desneiges reprit sa voix doucereuse pour poursuivre la conversation sans se douter que Gloria, qu'elle croyait sotte, avait utilisé cette stratégie pour ne pas se la mettre à dos avant que les papiers soient signés. Parce que, cette fois, malgré l'interdiction de Léo, Gloria n'avait pu échapper à l'inquisition de la part de sa belle-sœur sur leur éventuelle destination.

Les documents en règle, Léo avait accepté la contre-offre du propriétaire de Laval et versé le *cash down* sur le bungalow qu'il avait en vue. Il y avait certes du ménage à faire, mais de ses mains habiles et aidé de Gloria chaque soir, ils parvinrent à s'installer avec leurs meubles en deux semaines et laisser ainsi le logement à un couple de nouveaux mariés que Desneiges avait choisi parmi tous les candidats. Pas d'enfants en vue encore, assez jeunes pour qu'elle puisse les dominer, elle avait fait d'une pierre deux coups. Et même trois, puisque le locataire n'était pas laid à regarder. Le premier mai, Léo et Gloria s'installaient dans leur coquet bungalow du boulevard Marois de Laval, non loin d'une école que les garçons allaient fréquenter. Mathias, fort heureux de la décision de son aîné, s'était évertué à l'aider pour les rénovations, ce qui fut apprécié de Léo et Gloria qui le gardaient souvent à souper pour poursuivre les travaux en soirée. Avec le comptant qu'il avait en main, Léo n'eut aucune difficulté à emprunter pour l'hypothèque qu'on leur offrait. Durant les heures d'école des garçons, Gloria se rendait dans un magasin d'appareils électroniques de la rue Cartier où on l'avait embauchée comme caissière-réceptionniste à temps partiel. Ce qui aidait au ménage des Goudreau qui se tirait, somme toute, assez bien d'affaire. Éloignée de Desneiges et de ses vilains ragots, Gloria vivait plus paisiblement dans ce quartier de Laval où elle se fit, parmi les voisines, une ou deux amies de son âge. Desneiges insistait pour être invitée, mais comme Léo et Gloria remettaient sans cesse leur venue chez eux, elle avait décidé de s'y rendre en auto avec Gaston un certain après-midi où personne n'était à la maison. Avec l'adresse en main, ils avaient stationné et examiné les lieux de la voiture seulement, sans en descendre, de peur d'être remarqués par des voisins. Émerveillée par les lieux, le boulevard, le bungalow qui avait l'air de celui de riches, elle avait soupiré, froncé les sourcils et ajouté à l'endroit de son mari :

— Bien installés, ton frère pis sa femme ! Le grand luxe à c'que j'vois. C'est pas toi qui aurais pensé à ça !

— On aurait pu faire la même chose, vendre pis acheter un bungalow ! C'est toi qui voulais pas changer Lulu d'école ! Pis t'avais pas l'courage de repartir à neuf comme Gloria l'a fait ! Blâme-moi pas !

— Oui, j'te blâme, parce que si tu m'avais parlé comme tu l'fais là, j'aurais peut-être changé d'idée. Mais non, comme d'habitude, t'es resté muet, maudit épais !

Entre-temps, alors que Mathias était fier et Léo heureux pour Gloria d'être débarrassée de Desneiges, une lettre du Manitoba parvint chez le paternel au début de mai. La décachetant de l'ongle de son pouce, il l'ouvrit pendant que Maryvonne le surveillait du coin de l'œil.

— C'est de Roger, ma femme, voyons voir…

Lisant et relisant la lettre, il s'écria :

— Bon, voilà une bonne nouvelle, Roger se marie au mois d'août et il nous invite, Maryvonne. Il épouse sa Lauren, la maîtresse d'école de sa paroisse.

— C'est bien beau, mais ça coûte un bras d'aller là-bas, Mathias. En plus du cadeau… On n'a pas son compte de banque nous autres, t'es pas docteur, à ce que je sache.

— T'en fais pas, ça prendra juste l'essence, on s'y rendra en auto, ça nous fera voir du pays. Arrivés là, j'suis certain que Roger va nous héberger dans sa grande maison où il vit seul pour le moment. Pis, pour le cadeau, une belle nappe de dentelle devrait faire leur bonheur. Trouves-en une, Maryvonne, t'es bonne pour décrocher des *bargains,* toi !

Maryvonne ne dédaignait pas l'idée de voyager un peu, mais penser rencontrer Flavie et son époux ainsi que la fiancée du jeune docteur qui devait être d'une famille à l'aise la gênait terriblement. Regardant de nouveau Mathias, elle lui avoua :

— J'ai rien de beau à me mettre sur le dos, mon mari. Toi, t'auras un smoking, tu vas lui servir de père, mais moi, mes robes…

— T'as le temps de t'en fabriquer une, Maryvonne. Avec ton talent pis de belles étoffes comme y en ont au magasin général… Voyons ! Tu seras à la hauteur, n'en doute pas…

— Si tu le dis, mais les semelles de mes souliers blancs à petits talons fins sont pas mal usées…

— Maryvonne ! On a un cordonnier à deux coins de rue d'ici !

Le soir venu, Danielle s'empressa de téléphoner à sa mère pour lui annoncer qu'ils avaient aussi été invités, Darren et elle, au mariage de Roger à Winnipeg. Folle de joie, elle avait ajouté :

— Et on va y aller ! Darren veut s'y rendre en avion !

— Avec le petit, j'imagine ?

— Non, pas cette fois, maman, Michel est assez grand maintenant pour rester avec les White qui vont en prendre soin pour deux jours. C'est seulement un aller-retour, quand on y pense… Quelqu'un d'autre de la famille a été invité ?

— J'sais pas… Roger est de la première couvée, pas de la mienne. Si Roger a pensé à toi, c'est parce qu'y t'aime,

Danielle. Mais pour les autres… Juste ton père pis moi, je pense…

Mais Maryvonne se trompait. Roger avait aussi invité Léo et sa femme Gloria, ignorant toutefois Gaston et Desneiges, au courant du froid qui régnait entre Mathias et cette dernière. Léo, content pour son jeune frère, n'avait cependant pas les moyens de se rendre au Manitoba avec l'achat de la maison qu'il venait de faire et ce qu'il devait payer. Il refusa en expliquant sa situation et en le priant de l'excuser, ajoutant que Gloria et lui seraient de tout cœur avec eux lors du grand jour. Mais Roger s'opposa à la raison que son frère invoquait et, lui écrivant de nouveau, il le supplia de venir en voiture avec le paternel et Maryvonne, qu'il payerait le coût de l'essence aller-retour, que ses parents seraient plus en sécurité avec lui et Gloria, avec deux conducteurs au lieu d'un seul. Ajoutant qu'il les logerait tous dans sa vaste maison et qu'ils pourraient repartir le lendemain ou plus tard s'ils le désiraient, sans avoir à débourser le moindre sou de leur poche. Mal à l'aise, se sentant démuni financièrement ces temps-ci, Léo accepta tout de même l'offre de Roger au grand bonheur de Gloria et au contentement de Mathias qui était plus rassuré d'avoir Léo dans sa voiture pour la lecture des cartes routières et des panneaux de signalisation en anglais à partir de l'Ontario jusqu'au Manitoba. Marie-Jeanne se foutait de ne pas avoir été invitée, elle n'y serait de toute façon pas allée, elle aurait la maison à elle seule, ce qui lui permettrait d'écouter ses disques dès que revenue de son boulot au parc Belmont chaque soir et à boire son porto sans compter les verres. La vie de Marie-Jeanne se résumait à travailler quelque peu, à entretenir la maison quand sa mère la forçait à le faire, à manger, à bouger peu, à tenter de réussir des jeux de patience avec son jeu de cartes usé et à écouter les disques qu'elle achetait de ses chanteurs favoris. Ceux de Fernand Gignac, ceux de Richard Anthony qu'elle appréciait aussi et un ou deux succès de l'heure, comme *Gondolier* de Dalida ou le plus récent de Paul Anka. Ayant peu d'argent à dépenser, elle préférait garder le plus possible de son petit revenu pour le porto qu'elle allait acheter chaque semaine. Yvette ne s'était pas offusquée de ne pas avoir été invitée, ayant mieux à faire avec les gars du « milieu » qui lui donnaient du travail et la comblaient de bijoux. Gaston, pour sa part, n'avait pas été choqué, il n'était pas tellement près de ce frère au loin et Desneiges, que pour rouspéter, lui avait dit :

— Ça doit être ton père qui lui a demandé de me barrer de la liste ! Gloria, elle…

Et pour une fois, Gaston lui avait rétorqué :

— Gloria n'a pas la langue aussi sale que la tienne ! C'est toi qui t'es barrée toute seule, Desneiges ! Tout l'monde te fuit dans la famille !

Le mois d'août s'afficha au calendrier et, en ce deuxième samedi, la parenté et les amis s'étaient réunis dans une charmante église de Winnipeg pour assister au mariage de Lauren Walter avec le jeune docteur Roger Goudreau. Il y avait énormément de monde à l'intérieur, dans les derniers bancs comme au jubé… Des patients du médecin, des élèves de Miss Walter, des gens de la paroisse, d'autres venus de plus loin, car les futurs époux étaient fort populaires. Mathias, avec un smoking que lui avait loué Roger, escorta son fils jusqu'à l'autel où, ensuite, au bras de son père, Lauren, montant l'allée, le rejoignit dans une somptueuse robe blanche digne d'une princesse. Un très beau couple que l'officiant maria en anglais, ce qui ne changea rien puisqu'ils étaient tous les deux catholiques et que Maryvonne pouvait tout de même suivre la messe. Une image qui rappela à Danielle le jour où, tout comme elle, son père l'avait conduite à l'autel. Danielle qui, ce jour-là, recevait les compliments de tante Flavie qui la voyait pour la première fois et qui nota son élégance dans son tailleur estival bleu ciel et son large chapeau de paille beige. Flavie causa aussi avec Darren qu'elle trouvait séduisant, bref, Danielle et son mari faisaient honneur aux Goudreau du deuxième lit que, d'une certaine façon, ils représentaient. Pour sa part, vêtue d'une robe assez légère d'un ton de vert mousse avec collet blanc qu'elle avait confectionnée elle-même, Maryvonne n'avait rien à envier à la mère de la mariée. Ses beaux souliers avaient été ressemelés et elle arborait au poignet le bracelet à chaînettes que Raymond lui avait offert, certaine qu'il ne serait repéré de personne dans ce coin-là. Un chapeau de paille blanc avec rubans de satin vert reposait sur sa coiffure remontée en chignon et deux minuscules perles cristallisées scintillaient à ses lobes d'oreilles. Gloria était splendide dans une robe lilas que personne n'avait vue, pas même ses beaux-parents, et Léo, bel homme de trente-huit ans maintenant, élégamment vêtu, faisait tourner les têtes des femmes de la paroisse. « *He looks like an actor !* » avait dit une fille à sa mère qui lui avait répondu : « *Yes, a lot like Rock Hudson, don't you think ?* »

Roger avait hébergé sa famille dans la somptueuse maison qui lui servait aussi de bureau. De grandes chambres, un très joli vivoir et un réfrigérateur bien rempli dans une vaste cuisine où Maryvonne n'aurait rien à faire d'autre que le petit déjeuner pour Mathias, Léo et Gloria. La réception qui suivit fut des plus huppées, monsieur Walter, le père de la mariée, avait commandé un repas de qualité pour les invités conviés dans une salle d'un hôtel réputé. Les nouveaux époux ouvrirent la danse sur la musique de *Anniversary Waltz* que l'orchestre entama et les invités se joignirent tout doucement à eux. Mathias et Maryvonne, ayant quitté la table d'honneur après le dîner d'apparat et les vins qui l'accompagnaient, se dirigèrent vers Flavie et son mari Donald qui les accueillirent avec joie.

Flavie, jolie quinquagénaire, parlait à son époux de sa sœur Antoinette au temps de son union avec Mathias, ce qui déplaisait quelque peu à Maryvonne qui se sentait exclue de la conversation. Mathias était ravi de voir sa belle-sœur si heureuse du mariage de Roger qu'elle avait élevé avec sa défunte mère, madame Imbault. Il parla peu à son époux qui ne maîtrisait pas le français, et comme lui-même comprenait très peu l'anglais... Mais Toinette fut à l'honneur durant ces brefs moments, surtout lorsque Mathias s'était exclamé : «Comme elle doit être heureuse, là où elle est, de voir son p'tit dernier devenu médecin et marié à une fille aussi jolie qu'elle l'était!» Une remarque que Maryvonne n'apprécia guère, mais Flavie les entoura tout de même de ses bonnes attentions, les invitant tous deux à se joindre à eux pour un digestif, ce que Mathias ne refusa pas. Puis, regardant Léo et Gloria à la table de Danielle et Darren, elle avait dit tout haut :

— Léo a les yeux de sa mère et la voix sensuelle de son père !

Ce qui fit rire Mathias, mais qui n'empêcha pas Flavie de poursuivre :

— Dieu qu'il est beau, ton fils, Mathias ! Encore plus que toi à son âge ! Il faut croire que ma sœur y est pour quelque chose ! Quel beau Imbault, que celui-là !

Mathias avait souri pour ajouter :

— Quel beau Goudreau aussi, j'étais pas mal ! Regarde son profil, c'est le mien !

Maryvonne, ennuyée d'entendre parler de Léo, des Imbault et de Toinette, demanda à son mari de retourner auprès de Danielle et de Darren restés seuls à leur table pendant que Léo et Gloria dansaient. Elle voulait éviter d'être avec Flavie pour le reste de l'après-midi, elle n'avait que faire de cette belle-sœur qui ne lui avait posé aucune question sur ses enfants à elle. Comme si elle n'était que la servante de son époux, elle qui avait un plus long mariage dans le corps avec lui que sa sœur n'en avait eu. Flavie, les sentant sur le point de repartir, leur souhaita une belle fin d'après-midi, embrassa Mathias sans embrasser Maryvonne, et se rendit avec lui près du plancher de danse où la mariée lançait son bouquet aux femmes célibataires de l'assistance. Vers cinq heures, tout semblait terminé, les invités se dispersaient peu à peu et l'on débarrassait déjà les tables. Roger, ravi de voir son grand frère Léo, lui avait proposé :

— Écoute, si tu veux rester plus longtemps ici, visiter le Manitoba avec papa, la maison est à toi. Nous partons en voyage de noces pour trois semaines, Lauren et moi. L'Angleterre, l'Écosse et un coin de l'Irlande nous attendent.

Léo et Gloria le remercièrent, mais ils préféraient reprendre la route dès le lendemain matin afin de retrouver leurs garçons que les grands-parents maternels gardaient. Les mariés partirent donc le soir même et dans l'avion déjà en piste, Lauren, appuyée sur le bras de son jeune et beau docteur, se remémorait cette belle journée et la joie éprouvée à sentir, auprès d'eux, la parenté des deux côtés. Entre ciel et terre vers l'Angleterre, Roger avait avoué à Lauren en anglais :

— *I love you so much, honey...*

Et elle avait murmuré :

— *Not more than me, my love...*

Ce qui était prometteur pour deux êtres liés à jamais par le cœur.

De retour avant les autres par avion, Danielle et Darren allèrent chercher leur fils chez les White. Content de les revoir, le petit ne s'amusait pas moins avec la femme de ménage qui jouait sur le divan avec lui. Puis, à peine rentrés dans leur propre maison, ils reçurent un appel de Marie-Jeanne qui, connaissant l'heure approximative de leur retour, avait dit à sa sœur :

— Danielle ! T'es revenue, enfin !

— Oui, pourquoi ? Tu n'es pas malade au moins !

— Non, c'est pas moi, j'suis énervée, c'est que Raymond... On a appelé papa pour lui, ça parlait en anglais, j'ai presque rien compris, mais j'ai réussi à prendre le numéro en leur disant que p'pa leur téléphonerait demain. Mon Dieu que j'ai eu de la misère ! Mais si tu veux le numéro, je l'ai devant moi.

— Bon, donne-le-moi, je verrai de quoi il s'agit avant que papa arrive, ils ne seront pas ici avant demain matin, ils vont coucher en chemin, c'est loin le Manitoba en auto !

Marie-Jeanne lui donna le numéro et d'après l'indicatif régional, Danielle s'écria :

— Mais c'est aux États-Unis, ça ? Tu es sûre de ne pas te tromper ? Darren ! Vérifie donc d'où vient cet appel.

Habitué aux interurbains, Darren regarda ce qui était écrit et lui répondit :

— Bien sûr que ça vient des États, du Vermont ou d'un peu plus loin… Tu veux que j'appelle, Danielle ? On saura ce qui se passe.

— Oui, fais-le, l'anglais c'est ta langue à toi, tandis que moi, parfois…

Darren composa le numéro et il tomba sur une station de police de Stowe dans le Vermont. Questionnant Darren sur son identité, l'agent finit par lui dire que l'appel était pour Mathias Goudreau. Darren, expliquant l'absence de son beau-père et ajoutant qu'il ne maîtrisait pas l'anglais, se fit répondre :

— Écoutez, comme vous êtes de la parenté, je tiens à vous aviser que Raymond Goudreau est actuellement détenu dans une prison du Vermont. Il a été arrêté avec un complice dans une luxueuse maison de Stowe en train de cambrioler. On les a pris sur le fait grâce à un système d'alarme discret, relié avec notre poste.

— Il a vraiment volé ? Vous en avez la preuve ?

— Oui, il avait les poches pleines de bagues en or, de bracelets, de chaînes, et son complice a vidé un tiroir dans une autre chambre sur le même étage. On a tout ça dans leur déclaration. Pris sur le fait ou presque, on n'a pas eu de mal à leur faire avouer leur méfait. La caution sera élevée pour qu'on les laisse sortir jusqu'à leur procès, dites-le à votre beau-père. Raymond Goudreau n'a pas d'avocat, il n'a pas d'argent pour s'en payer un et son complice encore moins.

Après avoir pris tous les renseignements, Darren les confia à Danielle qui préférait attendre le retour de son père avant de faire quoi que ce soit :

— Moi, je ne m'en mêle pas ! C'est un *bum,* un voleur, celui-là ! Et je me demande avec quoi papa va payer sa caution...

— On pourrait toujours l'aider...

— Attends qu'il arrive, on verra bien sa réaction.

Dès l'arrivée de Mathias, Danielle le mit vite au courant du coup de Raymond devant Maryvonne qui sanglota. Mathias, resté de marbre, avait dit à sa fille :

— Je ne lèverai pas le petit doigt pour lui ! Qu'il s'arrange avec ses troubles !

— Voyons, Mathias, c'est notre fils... pleurnicha Maryvonne.

— Fils ou pas, c'est un bandit, ma femme, un voleur, un bon à rien. Qu'y paye pour ce qu'il a fait ! Si on le sort, il va recommencer. Qu'y aille au bout de sa peine, ça va peut-être le corriger, le faire jongler, qui sait ? Y a toujours une maudite limite ! Y va nous faire crever de honte, celui-là !

Danielle voulut leur offrir de payer la caution, mais le paternel répliqua fermement :

— Non, Danielle, laisse-le être jugé, ça va peut-être le remettre sur la bonne voie... Y est en âge de faire face à ses crimes.

— C'est pas un criminel, Mathias, juste un voleur ! Y a tué personne ! pleura Maryvonne.

— Non, pas encore, mais y va finir par le faire si on le sort toujours du trou, ma femme ! Un peu de prison va peut-être lui mettre du plomb dans la tête ! Nous deux, on n'a pas été capables !

Léo, ayant été avisé par Danielle du sort de son demi-frère, lui avait répondu :

— Après l'engueulade qu'on a eue, lui et moi, je l'ai rayé d'ma liste, ce p'tit baveux-là ! Qu'y croupisse en tôle ! J'ai aucune sympathie pour les bandits comme lui !

Voyant que personne ne venait au secours du voleur, les autorités du Vermont l'écrouèrent en attendant son jugement. Avec son complice, mais pas dans la même cellule. Raymond avait beau leur demander d'appeler lui-même son père, on lui répondait que ce dernier ne voulait rien savoir de lui. Sa sœur non plus, son beau-frère inclus ! Replié sur lui-même, Raymond s'était rongé les ongles de rage en marmonnant dans sa bave : « Gang de sans-cœur ! Bandes d'écœurants ! »

Chapitre 9

D' autres années s'étaient écoulées pour le meilleur et pour le pire chez les Goudreau. Maryvonne avait dû être opérée pour l'ablation de la vésicule biliaire, mais elle s'en était remise assez rapidement. Mathias, en pleine forme, avait eu plus de travail que prévu sur les chantiers de construction, sans parler de son *sideline* comme plombier dans les maisons privées des environs. L'argent était rentré suffisamment pour pouvoir donner une petite pension hebdomadaire à Marie-Jeanne en échange de l'aide qu'elle apporterait à sa mère et qu'elle réduise, par le fait même, sa consommation de porto journalière. Ce que la grosse fille accepta, surveillée par ses parents qu'elle déjouait toutefois assez souvent. Mais ce qui lui avait au moins permis de laisser son travail au parc Belmont qui lui puait au nez avec les années. Ce parc d'attractions, aussi joyeux était-il pour les enfants, n'avait rien d'invitant pour celle qui avait vendu, sans le moindre sourire accroché au visage, tant de billets pour les manèges. Or, à vingt-huit ans, de plus en plus asthmatique, écrasée sur son sofa à longueur de journée pour éviter d'étouffer, Marie-Jeanne n'avait pour agrément que le téléviseur devant lequel elle regardait à peu près tout du matin jusqu'au soir. Le tourne-disque était encore un divertissement pour elle, mais elle n'achetait que les succès de Fernand Gignac maintenant, dont *Donnez-moi des roses,* l'un de ses plus récents. Et à l'aube de 1962, alors que Mathias fêtait ses soixante-deux ans, on songeait que Raymond était sorti de prison après avoir purgé sa peine de deux ans fermes aux États-Unis. Sans antécédents judiciaires, mais sans avocat pour le défendre, on n'avait pu amoindrir le verdict, car le matin de la sentence, personne n'était là pour le soutenir, pas même son père ou ses frères. Libéré, de retour au Canada, il avait fui le compagnonnage de son complice et s'était trouvé une blonde, une serveuse beaucoup plus vieille que lui encore une fois, qui l'avait hébergé. Il s'était trouvé du travail avec beaucoup de difficulté, son casier judiciaire le précédait partout, mais un restaurateur l'avait finalement engagé pour servir des clients au comptoir tout en le surveillant constamment, surtout les premiers temps. Sans auto, sa Buick lui ayant été confisquée, il se rendait au boulot en compagnie de sa conjointe qui travaillait elle aussi dans un autre restaurant tout près, en autobus, comme le commun des mortels. Loin de la famille à qui il bluffait auparavant, il n'avait pas repris contact avec ses parents ni avec ses frères et sœurs. Raymond Goudreau vivait en retrait des siens, comme s'il n'existait plus, comme si on l'avait enterré le jour où il avait été condamné. Et ce n'était pas Mathias qui s'en plaignait, quoique Maryvonne aurait souhaité le revoir ou, au moins, recevoir de ses nouvelles. N'était-il pas le seul garçon issu d'elle ?

Danielle, toujours jolie femme, s'occupait des études de son fiston qui, en début d'âge scolaire, s'était éloigné de son grand-père. Ce dernier, triste et pensif à la fois, avait dit à sa fille qui en était chagrinée : « Ne t'en fais pas, les enfants ne nous sont que prêtés, les petits-enfants encore plus. On ne peut rien leur reprocher… » Mais il l'avait tellement choyé, celui-là, que son cœur était en morceaux lorsqu'il le croisait et que le petit, avec des amis, se sentait gêné de le saluer. Comme tous les jeunes de cet âge qui, à un moment donné, ne veulent plus avoir à dire que grand-père ou grand-mère les tenaient encore par la main la veille ou pas bien loin de leurs débuts scolaires. Léo, déjà dans la quarantaine, vivait en harmonie avec Gloria qui le suivait de près dans le nombre des années, et leurs deux garçons, devenus grands, poursuivaient leurs études supérieures. La maison de plus en plus rénovée était maintenant dotée d'une imposante piscine ovale qui avait coûté les yeux de la tête au vendeur de tapis encore en poste au même établissement. Gloria avait délaissé son travail à temps partiel pour voir ses enfants s'assagir auprès d'elle, car sans surveillance, c'était souvent le laisser-aller pour ces adolescents. Gaston et Desneiges, toujours propriétaires du duplex qu'ils possédaient maintenant seuls, avaient dû changer de locataires l'année précédente, parce que Desneiges avait eu une aventure avec le jeune marié d'en bas et que l'épouse, l'ayant découvert, avait insisté pour casser le bail, après avoir insulté non son mari, mais sa propriétaire qui, selon elle, avait abusé de lui. Un homme de vingt-six ans tout de même ! Gaston l'avait appris et, se foutant éperdument de ce que faisait sa femme, il la laissa trouver d'autres locataires, plus âgés cette fois, qui s'installèrent dans le logement après le départ du couple. Gaston, qui n'aimait plus Desneiges depuis longtemps, n'avait pas de maîtresse régulière pour autant, ce qui ne l'empêchait pas cependant de s'envoyer en l'air avec des femmes faciles qu'il croisait à titre d'électricien d'une compagnie établie. Bon salaire, pas trop beau mais gentil, Gaston avait trouvé le moyen de rendre sa vie agréable sans que Desneiges se doute un instant de ses écarts de conduite. Mal placée pour lui reprocher quoi que ce soit, si elle venait à le surprendre… se disait-il intérieurement. Lulu, pas forte à l'école, ne faisait pas honneur à ses parents. Elle était moche, têtue et détestable avec ses amies qu'elle perdait l'une après l'autre. Une petite peste dont Gaston ne se souciait pas, laissant la charge de l'élever à Desneiges qui ne savait plus par quel bout la prendre pour l'asseoir sur une chaise ! Effrontée de surcroît ! Même avec son grand-père maternel qui avait tout fait pour se rapprocher d'elle. Quant à Mathias, qui ne la voyait plus, c'est comme si elle n'existait pas, cette enfant de… « la furie ! »

Desneiges et Gloria se parlaient encore, se visitaient de temps à autre et chaque fois que Léo invitait son frère à venir se baigner, sa femme lui disait :

— Non, pas aujourd'hui ! Ça me met en maudit de les voir se pavaner autour de leur piscine pendant qu'on a juste un boyau pour s'arroser, si les locataires du bas sont sortis.

Gaston, l'écoutant d'une sourde oreille, lui avait néanmoins répliqué cette fois :

— C'était à toi d'y penser quand ils ont décidé de s'en aller. Tu voulais la maison pour toi toute seule ? Alors ils ont évolué, eux, pis pas nous ! On a beau avoir un revenu avec des locataires, mais ça ne rafraîchit pas comme une piscine quand les journées de canicule nous font suer à l'ombre !

Et Desneiges, en colère, le dardait davantage de sa hargne, ce qui permettait à Gaston de franchir la porte de la maison et d'aller retrouver une femme séparée de son mari dans le quartier.

Yvette, pour sa part, ne donnait pas trop de ses nouvelles. À vingt-six ans presque sonnés, plus attrayante que jamais, elle travaillait encore dans les clubs de nuit comme *barmaid* qualifiée avec les cours reçus de Tony, son patron immédiat, et sortait à gauche et à droite avec ceux qui la comblaient de cadeaux, de vêtements, de souliers et de bijoux. Installée dans un bel appartement de la rue Monkland, c'était un vieux salaud de soixante-six ans, le proprio, qui la logeait gratuitement en échange de faveurs qui ne déplaisaient pas à la locataire, toujours aux prises avec ses démons. Au vu et au su de ses autres amants du milieu qui n'avaient pas, à ce compte, à lui payer un appartement ni à subvenir à ses besoins. Le père Collins, assez à l'aise, s'en chargeait chaque mois pourvu que la jolie jeune femme ne détourne pas la tête quand il l'embrassait. Yvette téléphonait parfois à sa mère pour prendre de ses nouvelles, mais sans s'informer de son père ni des autres membres de la famille. Que de la santé de sa mère qui, elle, n'osait pas lui parler de Danielle ou de Marie-Jeanne, de peur que la benjamine raccroche pour ne rien entendre. Maryvonne se contentait donc de la savoir bien portante, sans lui poser aucune question sur son environnement et le travail qu'elle exerçait. Elle était persuadée que, débrouillarde comme elle l'était avec les hommes, sa plus jeune ne crèverait jamais de faim. Surtout dans ce milieu où les occasions de plaire étaient multiples. Du grand *boss* qui l'amenait à Miami jusqu'au *bus boy* du club qui lui offrait des bijoux bon marché en échange de quelques faveurs intimes après les heures.

Quelques mois auparavant, dans un sursaut de joie, Mathias avait appris que son Roger du Manitoba, son docteur dont il était si fier, était devenu le papa d'une belle petite fille qu'on prénomma Anne comme la mère de la Vierge, selon la suggestion de madame Walter, qui était très dévote. Lauren avait accepté en lui disant toutefois que la petite allait être Anne en français pour plaire aux Goudreau, ce à quoi sa mère lui avait répondu : « Aucun problème, c'est bilingue, il y a une actrice du nom d'Anne Francis que j'aime bien. » La grand-mère fut d'ailleurs la marraine avec son mari, alors que Flavie était porteuse au baptême auquel Mathias et sa femme n'avaient pu assister. Ce qui n'avait pas empêché Mathias de donner de l'argent à Maryvonne afin qu'elle lui achète un beau cadeau, et la grosse dame, fidèle à ses magasins d'aubaines, trouva à rabais pour l'enfant un ensemble comprenant veste, bonnet et pattes rose et blanc en tricot, qu'elle obtint pour la moitié de ce que son mari lui avait donné, enfouissant le surplus dans sa sacoche. Roger aurait souhaité que son père assiste au baptême de sa fille, mais il ne pouvait insister, sachant que sa belle-mère avait été opérée pour la vésicule quelque temps auparavant. Danielle et Darren, pour leur part, firent parvenir à Lauren et Roger une adorable couverture de laine blanche avec de petits papillons roses brodés, ainsi qu'un minuscule ourson de peluche blanc accroché à sa maman ourse. Léo et Gloria ne pouvaient s'y rendre non plus, mais le plus vieux des frères fit parvenir au jeune couple une jolie médaille en or de Sainte-Anne, dont la petite portait le nom. Ce qui fut très apprécié de la mère de Lauren, plus catholique que le pape ! De plus en plus occupé avec tous ses patients, le docteur Goudreau ne savait plus où donner de la tête. Lauren, qui, avec sa grossesse, avait délaissé l'enseignement pour le seconder temporairement dans sa pratique à titre de secrétaire-comptable, n'avait pas quitté ce nouveau poste depuis. Quel bonheur pour elle ! À longueur de journée dans sa maison, avec son mari dans le cabinet en bas, ses patients assis sur des chaises d'attente dans le couloir, et la petite Anne en haut dans son berceau. Quelle joie pour une mère de vivre de tels moments avec son enfant et l'homme qu'elle aimait profondément !

Mais 1962 allait réserver d'autres surprises aux Goudreau de Cartierville. Yvette, sortant de l'ombre soudainement, était venue chez ses parents leur annoncer qu'elle allait se marier. Son père, interloqué, lui avait demandé :

— Avec qui ?

— Avec Johnny Pratte, un chauffeur de taxi très gentil que je fréquente *steady* depuis deux mois.

— *Steady ?* Toi ? Pis tous les autres, ils ont pris l'bord ?

— Papa ! Arrête de me juger sans savoir ce qui est arrivé. J'ai rencontré Johnny qui était celui qu'on appelait pour livrer des colis et je me suis sentie attirée par lui…

— Comme par tous les autres, Yvette ! Un de plus !

— Mathias ! Laisse-la au moins parler ! lui cria Maryvonne de sa chaise berçante, non loin. Pour une fois que ça semble avoir du bon sens, arrête de l'interrompre !

Mathias grommela quelque chose que personne ne saisit et Yvette enchaîna :

— Bon, tu m'écoutes jusqu'à la fin, maintenant ?

— Oui, vas-y, j'te dirai ensuite ce que j'en pense.

— Johnny ne fait pas partie de la bande, c'est juste un chauffeur de taxi qui vient chercher des colis qu'il livre sans poser de questions, parfois. Or, monsieur Pratte, je veux dire Johnny, m'a demandé un soir pour aller aux vues avec lui. J'ai été surprise, jamais un homme ne m'invitait avec autant de politesse. Pourtant, il savait que Tony, le *boss,* les autres pis moi…

— Épargne-nous la liste, Yvette. C'est déjà assez dégoûtant comme ça… lui dit Mathias.

— Bon… J'ai accepté et on est allés voir *Bachelor in Paradise* avec Bob Hope et Lana Turner, un film drôle que j'ai beaucoup aimé. Toujours est-il qu'après le cinéma nous sommes allés prendre un café avec un dessert dans les environs et Johnny, respectueux, ne m'a pas demandé de coucher avec lui, au contraire, il a dit vouloir me fréquenter si j'étais libre. C'était la première fois qu'un homme m'invitait à sortir régulièrement avec lui.

— Y était au courant de ta vie de débauche ?

— Mathias ! Tu parles d'une question ! lui cria Maryvonne.

— Laisse faire, maman, p'pa ne m'prend pas au sérieux, mais j'vais continuer pour toi et m'éloigner un peu de lui. Il entendra quand même, mais je ne verrai pas son front soucieux. Bon, où j'en étais rendue, donc ? Ah oui ! J'ai revu Johnny qui savait que je sortais avec d'autres, mais ça ne l'a pas dérangé, il voulait une vie tranquille avec une jolie femme à ses côtés...

— Il est au courant de ta stérilité, Yvette ?

— Oui, c'est la première chose que je lui ai dite quand c'est devenu sérieux et ça l'a pas dérangé. Johnny veut pas d'enfants, il a déjà quarante-six ans.

— Je l'savais ! Vingt ans de plus que toi ! Un homme usé par les fréquentations... Un ancien *bum,* je suppose ? De toute façon, toi, plus y sont vieux, plus ça t'arrange ! lui martela Mathias après l'avoir interrompue.

Ne l'écoutant plus ou faisant mine de ne rien entendre, Yvette continua pour sa mère :

— Papa a tort, c'est un bon gars, m'man, il n'a eu qu'une seule blonde quand il avait vingt-cinq ans... Avant son accident.

— Quel accident ?

— Bien, dans un garage, alors qu'il travaillait dans la soudure avec un autre gars, une bonbonne a explosé et il a perdu l'œil droit. Le type, lui, a perdu un bras et la moitié d'une jambe et ce qui est pire encore, il avait trois enfants.

— Oh mon Dieu ! Quel horrible drame ! Les pauvres gars !

Regardant Maryvonne qui sympathisait de la sorte, Mathias n'ajouta rien, il éprouvait au fond de lui-même de la compassion pour Johnny comme pour son compagnon, mais il n'en laissait rien paraître. Ce qui permit à Yvette de reprendre le fil de la conversation :

— Or, après un autre mois de fréquentations de plus en plus solides, Johnny m'a demandé d'être sa femme et d'aller vivre avec lui dans son logement de quatre pièces. Un bel endroit ! Très propre, bien entretenu ! Les vieux garçons ont souvent le torchon à la main. Un vrai bon gars que j'vous dis !

— J'doute pas d'lui, Yvette, mais toi, c'est une autre affaire... T'es quand même pas une débutante dans tes approches avec les hommes. Bon gars ou pas, faut se méfier de toi, t'en fais juste à ta tête chaque fois !

Sans relever la remarque de son père, la pauvre fille continua :

— Je venais de perdre ma job, Tony et son *boss* m'ont sacrée dehors parce que j'ai eu un *kick* sur le *bus boy* qui s'trouvait à être le fils d'un ami du patron, ce que j'savais pas.

— Un p'tit jeune, j'suppose ? cria Mathias.

— Ben, pas tant qu'ça, y avait au moins vingt ans, mais y sortait avec la fille d'un autre gars de la gang, ce que j'savais pas non plus. On n'a eu qu'une seule rencontre, mais c'était assez pour perdre ma job, on m'a accusée de l'avoir entraîné dans le mal ! Imagine, maman ! Il avait plus d'expérience que moi, le p'tit morveux ! Mais on m'a pas crue, j'me suis retrouvée sur le trottoir, et c'est là que Johnny m'a ramassée avec mon *stock* le lendemain.

— T'avais pourtant un appartement, Yvette ? Tu disais même être logée gratuitement, lança sa mère.

Prise au piège, ne voulant pas leur avouer qu'elle payait le loyer avec des faveurs au salaud qui en était le propriétaire, elle s'en tira adroitement en leur racontant :

— Oui, mais il en a eu besoin pour loger ses vieux parents. J'habitais où je pouvais et au moment où j'ai perdu ma job, j'étais chez un ami de Tony depuis trois semaines. C'est lui qui m'a montré la porte quand il a su... Sur ordre de Tony, bien entendu. À cause du *bus boy* qui s'était ouvert la trappe...

— Fallait s'y attendre, un p'tit jeune, ça finit par se vanter de ses prouesses... Pis, tu devrais avoir honte... marmonna Mathias.

Ne l'écoutant pas ou presque, Yvette, heureuse de s'en être tirée dans ses mensonges ancrés jusqu'à la moelle, n'avait pas avoué à sa mère que le vieux lui avait enlevé l'appartement qu'elle occupait gratuitement lorsqu'il avait appris qu'elle couchait avec tous les gars qu'elle rencontrait. Il avait eu peur des maladies... Mais ayant passé outre à ces détails cachés, elle continua de plus belle quand elle se rendit compte qu'on ne s'arrêtait pas sur le sujet :

— Bref, on va se marier au mois de juin, Johnny et moi, et je voudrais savoir si tu vas me servir de père, papa.

— Tu fais pas une faveur à cet homme-là, Yvette, tu le maries parce que t'es dans la rue. T'aurais pu revenir ici, la porte n'est pas barrée. Si tu fais ça juste pour te sortir du trou, c'est pas correct. D'après ce que t'en dis, c'est un homme avec du cœur, celui-là, et comme t'es jamais fidèle...

— Non, non, je vais changer de vie papa ! Y est temps que je me prenne en main, j'veux être juste à Johnny, pas à n'importe qui, j'veux plus courir après les hommes comme je l'faisais, j'vieillis, tu sais !

— Voyons, c'est une maladie, Yvette ! Tu pourras pas t'retenir !

— Fais-moi confiance pour une fois, p'pa, pis toi aussi, m'man ! Je l'aime, Johnny Pratte, c'est pas juste une aventure passagère. Avec lui, j'vais me trouver un bon emploi pis on va faire une assez belle vie. Y a de l'argent de côté, y m'a promis qu'on voyagerait, y est en bonne santé pis moi, son œil de vitre, ça m'dérange pas.

— J'm'en serais douté… Même un cul-de-jatte ! marmonna Mathias sans qu'elle entende.

En autant qu'a soit su'l bras, songea-t-il.

— Alors, tu veux bien me servir de père ? Johnny n'a plus ses parents, lui, mais le plus vieux de ses frères, Lenny, va se charger de l'escorter.

— Juste des prénoms anglais dans cette famille ? releva Maryvonne. Pourtant, Pratte, c'est québécois.

— Sa mère était anglaise, maman, il a un autre frère qui s'appelle Danny et une sœur, Dorothy. Je vous le présenterai si vous acceptez de le recevoir, mais pour l'instant, je peux compter sur toi, papa ? On veut pas faire un grand mariage, on n'a pas assez de famille pour ça, mais on apprécierait une petite réception.

— Bon, bon, j'accepte, j'ai rien à perdre, si ça peut te modérer dans tes transports, j'vais m'fier à c'que tu m'dis, Yvette… On sera là, ta mère et moi, pis si les autres veulent venir, ce sera leur décision.

— D'accord ! J'suis heureuse, vous pouvez pas savoir ! On va choisir un beau samedi de juin pour les noces ! On va bien faire ça ! Vous allez voir !

— En autant qu'tu maries pas en blanc ! lança sa mère en la regardant sévèrement.

Depuis son opération pour la vésicule biliaire, Maryvonne ne se sentait pas très en forme. Elle allait consulter le docteur qui, l'examinant, lui disait : « Vos maux à la poitrine n'ont rien à voir avec votre foie, madame Goudreau. Ça peut venir de votre estomac. Je ne voudrais pas vous insulter, mais vous mangez sans doute trop, vous avez engraissé de huit livres depuis votre dernière visite. Vous êtes trop lourde, vous devriez couper le pain et les pâtisseries et consommer plus de légumes aux repas. »

Ennuyée de se faire dire en d'autres mots qu'elle était grosse, Maryvonne n'avait rien répliqué et rien promis à ce docteur qui la regardait du haut de sa grandeur. De retour à la maison, elle avait lancé à Mathias : « Lui pis ses conseils ! en parlant de son médecin. Y pense que je mange trop pis mal ! Pis y m'garroche ça en pleine face ! J'suis sûre que c'est ma digestion qui m'joue des tours. Quand t'iras à la pharmacie, Mathias, achète du sel de fruits, j'en ai plus, c'est juste ça qui soulage mes points à la poitrine. »

Déterminée à ce que sa petite dernière ne soit pas laissée pour compte dans le « supposé » bonheur qu'elle vivait, Maryvonne téléphona à Danielle pour lui annoncer la nouvelle. Cette dernière, fort surprise d'entendre que sa jeune sœur n'allait être qu'à un homme, avait demandé à sa mère :

— Elle change de vie, enfin ? Elle veut se caser ? C'est louche…

— C'est ce que ton père lui a dit, mais celui qu'elle marie est un vieux garçon de quarante-six ans. Il l'a hébergée dans son logement après qu'elle a été renvoyée de sa job de *barmaid*.

— Bon, je m'en doutais bien, parce qu'elle est dans la rue… Le premier samaritain venu… Pourquoi a-t-elle perdu son emploi ?

— Ben, une histoire de sexe avec le gars d'un de ses patrons…

— Fallait s'y attendre ! Que ça en tête avec elle ! Les vieux, les jeunes… Et ce monsieur qui veut l'épouser, il connaît sa vie ?

— Y paraît que oui ! Il s'appelle Johnny Pratte, il est chauffeur de taxi, pis il a un œil de vitre.

— Joli portrait, mais si c'est un bon gars, cette fois… On ne peut pas s'attendre à voir Yvette revenir avec un avocat ou un fils de bonne famille de son âge ! Pas avec son passé étalé à tous les coins de rue ! Quelle vie que la sienne !

— Écoute, Danielle, elle semble si heureuse qu'il faut lui accorder le bénéfice du doute. Elle dit que Johnny a un beau logement j'sais pas où, pis qu'il a ramassé assez d'argent pour qu'ils voyagent tous les deux. Elle lui a annoncé qu'elle ne pouvait pas avoir d'enfants, il n'en veut pas lui non plus !

— Bien, à son âge, ça se comprend… Elle se marie quand, la sœur ?

— En juin, la date n'est pas encore fixée, mais elle veut une petite réception quelque part. Crois-tu pouvoir venir avec Darren, ma grande ?

— Bien oui, maman, si nous sommes allés jusqu'au Manitoba pour Roger, je ne laisserai pas ma Yvette se marier sans moi. Je n'ai rien contre elle, tu sais, mais avec la vie qu'elle mène… Remarque que je ne crois pas à une longue union avec un homme de vingt ans plus vieux qu'elle, elle ne lui sera pas fidèle et il… Bon, ne soyons pas pessimistes, attendons avant de juger, mais nous irons, maman, et nous lui ferons un beau cadeau de noces. D'autres vont venir ?

— Je ne sais pas, tu es la première à qui je l'apprends. Non, j'en ai aussi parlé à Marie-Jeanne et elle compte être là, mais elle, en autant qu'il y ait un bon lunch et des desserts… Je te laisse, je vais m'informer à Léo pis Gloria, mais pour Gaston, j'oublie ça à cause de sa femme. Quant à Raymond, on va aussi passer tout droit, on sait même pas où il loge depuis tout ce temps.

Quelques semaines plus tard, un samedi soir, Yvette arriva à la maison paternelle avec Johnny qu'elle voulait présenter à ses parents. Mathias, Maryvonne et Marie-Jeanne étaient sur place et, dès que les présentations furent terminées, le futur mari d'Yvette attendit qu'on lui désigne un fauteuil avant de s'asseoir. Poli, courtois, bien habillé, veston, cravate, il fit bonne impression sur Maryvonne qui décela en lui l'homme bienveillant et généreux qu'il était. Mathias, plus réticent, lui avait demandé :

— Je vous offre un gin, un scotch, une bière ?

— Non, merci monsieur Goudreau, mais nous sortons de table, Yvette et moi. Peut-être un Seven Up ou un Pepsi si vous en avez, sinon juste un verre d'eau.

Maryvonne s'empressa de lui servir le Seven Up qu'il désirait et Yvette opta pour un Pepsi que Marie-Jeanne lui versa. Johnny, dès son arrivée, avait été plus que poli, il avait même vouvoyé Marie-Jeanne en ajoutant : «Enchanté, mademoiselle», lorsque Yvette la lui avait présentée. Habitué d'être courtois et fort affable envers ses clients comme chauffeur de taxi, ses bonnes manières se reflétaient aussi dans sa vie de tous les jours. Yvette n'avait pas à craindre d'avoir honte de lui, il était bien élevé et fort présentable à qui voulait le connaître. Il parla à Maryvonne de sa défunte mère, de son père qui était parti lui aussi, de son frère aîné Lenny, de Danny, de Dorothy, puis il lui fit part de ses vingt-cinq ans de taxi depuis qu'il avait été en âge de travailler. Mathias l'examinait, le scrutait à la loupe et il ne trouvait rien à redire sur cet homme de bonne famille. Fort content qu'il ait jeté son dévolu sur sa fille, il lui demanda avec un peu d'hésitation :

— Vous… vous n'avez jamais été marié ? Ça vous a pas effleuré l'esprit, un peu plus jeune ?

— Oui, pour faire comme mes frères, mais je n'ai pas rencontré celle qui me convenait. J'ai eu une amie sérieuse, mais ça s'est pas rendu jusqu'au mariage, elle était trop souvent malade. J'ai attendu tout ce temps pour enfin trouver la perle rare !

Marie-Jeanne faillit s'étouffer lorsqu'il prononça ces mots. Et pas de son asthme, cette fois ! *La perle rare,* pensait-elle ! *Il ne voit pas clair, cet idiot-là ! C'est vrai qu'il n'a qu'un œil !*

Maryvonne enchaîna en demandant à Yvette :

— Vous avez choisi une date et un endroit ?

— Oui, ce sera le samedi 23 juin dans une chapelle du bas de la ville. Là où les mariages intimes se célèbrent quand les invités sont pas nombreux. Pour la réception, Johnny a songé au Buffet Madelon, mais dans la petite salle, avec juste un *pick-up* portatif pour la musique. Tu peux t'en charger, Marie-Jeanne ? Tu t'y connais tellement dans le choix des disques. C'est seulement pour ouvrir la danse et faire bouger un peu les invités.

— Qui sera présent de votre côté, Johnny ? demanda Mathias.

— Bien, mon frère aîné Lenny avec sa femme, il y aura aussi ma sœur Dorothy accompagnée d'un cousin, parce qu'elle n'est pas mariée, elle non plus. C'est plein de vieux garçons et de vieilles filles dans notre famille ! ajouta-t-il en riant de bon cœur. Quant à mon frère Danny pis sa femme, y seront pas là, ils ont réservé leurs vacances à Miami à ce moment-là. C'est moins cher l'été…

— Qui viendra de notre côté, maman ? demanda Yvette.

— Bien, ton père et moi, Marie-Jeanne, Danielle et son mari… Pour les autres, on n'a pas encore vérifié, on attendait la date, mais on ne sera pas nombreux, à ce que je vois.

— Il peut y avoir autant de monde que vous le désirez, je ne suis pas regardant, déclara Johnny, j'ai de quoi payer pour tous les invités des deux côtés !

— Non, c'est moi qui va défrayer le coût de la réception, Johnny, je suis le père de la mariée, c'est dans la tradition. Toi, tu n'auras rien à verser, sauf ton voyage de noces, évidemment.

Mathias l'avait tutoyé sans s'en rendre compte. Comme il le faisait avec les hommes sur les chantiers. Pas de cérémonie avec lui. Ce qui ne dérangea nullement Johnny qui, avec cette familiarité, se sentait accepté du père de sa fiancée, comme il l'appelait. Fiancée ? se demandait Marie-Jeanne, mais, effectivement, Yvette arborait à l'annulaire gauche une jolie bague en or avec plusieurs petits diamants juxtaposés. Une alliance non volée comme celle que Raymond avait rapportée naguère, mais que Johnny avait achetée chez le bijoutier de son quartier. Quelque chose d'assez beau qu'il avait choisi seul et qu'Yvette avait apprécié. Après un café et quelques biscuits sucrés, Yvette repartit avec son futur, certaine d'avoir impressionné sa famille ce soir-là. Maryvonne les regarda monter dans le taxi de Johnny Pratte qu'il avait lavé pour la circonstance. Une Chevrolet 1961 qu'il entretenait sérieusement pour ne pas avoir à la changer avant quatre ou cinq ans, selon le millage effectué avec ses clients.

Seuls avec Marie-Jeanne après leur départ, Maryvonne regarda Mathias qui, voyant qu'elle attendait son opinion, lui avoua :

— Y a l'air d'un bon gars, ça va lui faire un bon mari.

— Je pense que oui, c'est pas de lui que j'me méfie, mais d'elle. Elle avait l'air du monde à soir, pas trop grimée, une robe appropriée, juste un collier de perles, on la reconnaissait pas !

— Elle s'est forcée, la mère, pour pas avoir l'air d'une guidoune à côté de lui ! lança Marie-Jeanne. Parce que son futur, sans être une beauté rare, me semble distingué. Mais t'as raison, moi aussi j'me demande si ça va durer...

— Reste à savoir si Yvette va se contenter d'un seul homme... ajouta Maryvonne.

— Arrêtez de vous méfier et donnez-lui une chance, rétorqua Mathias. On sait pas, peut-être qu'a va changer. Y est plus vieux qu'elle, pis si y prend le contrôle...

— Le contrôle ? Voyons papa, Yvette se laisse mener par personne, pas même par les bandits pour qui elle travaillait ! Elle a ton caractère, c'est elle qui commande tout l'temps !

Même quand elle a pas raison ! Tu comprends c'que je veux dire, p'pa ? ironisa Marie-Jeanne.

Le lendemain, Danielle téléphonait à la maison pour s'enquérir de la visite d'Yvette et de son futur mari, mais comme sa mère était absente, c'est Marie-Jeanne qui se fit un plaisir de la renseigner :

— Comment est-il ? demanda la grande sœur.

— Pas pire ! Pas beau ni laid, mais y a un joli sourire. Mais, pas comme ton Darren, son Johnny, y a rien d'un professionnel, ça s'voit à l'œil, pis parlant d'œil... Mais y a des belles manières. Un gars comme on en voit beaucoup dans la rue et qui fait son âge, mais un bon type d'après moi.

— Yvette semble l'aimer au moins ? Elle ne le fait pas marcher ?

— Ça reste à voir ! mais elle s'est forcée hier soir, elle avait pas l'air de La Goudreau pour une fois, elle était bien habillée pour paraître ordinaire devant le père pis la mère, mais ça cache peut-être un jeu. Tu sais pourquoi elle a perdu son emploi ?

— Oui, je sais, mais c'est un mal pour un bien, elle était dans un mauvais milieu. Ç'aurait pu très mal se terminer... Elle compte se marier quand et où ?

— Le 23 juin dans une chapelle j'sais pas où, et ça va être suivi d'une réception au Buffet... j'ai oublié le nom. Pas grand monde de son côté à lui, pis de notre bord, à part moi, Darren pis toi, j'sais pas... mais c'est papa qui va tout payer, il l'a dit devant Yvette pis son fiancé. Tu savais qu'elle était fiancée ? Il l'appelait comme ça hier soir et c'est vrai qu'elle a une bague en or avec des petits diamants sur le dessus. Rien de trop cher, pas de chez Birks, c'est certain, mais quelque chose de beau quand même. Moi, j'ai hâte d'y aller, car si c'est le père qui paye, on va avoir un meilleur repas que si c'était eux autres. Écoute, j'finis le lavage de la mère, mais rappelle-la, elle va te dire ce qu'elle en pense, elle. M'man est juste partie au magasin de coupons, elle veut se coudre une nouvelle robe pour les noces d'Yvette. Moi, j'mets la même que j'porte pas souvent, celle que la mère m'a donnée parce qu'elle rentrait plus dedans. Tu sais, la mauve et grise avec le collet de dentelle rose ?

Avisés du mariage d'Yvette et de leur invitation verbale par le biais de Maryvonne, Léo et Gloria hésitèrent un peu :

— Qui sera là ? Pas Raymond au moins ? demanda Léo.

— Non, on sait même plus où il est, celui-là.

— Ben, j'sais pas… Gloria fait signe que oui derrière moi…

— Viens donc, Léo, ça fera plaisir à ton père. C'est un mariage intime, t'as pas besoin d'être tiré à quatre épingles, t'as deux ou trois beaux habits. Pis j'suis pas inquiète pour Gloria…

— Bon, on va y aller, c'est tout de même un pas en avant pour Yvette. En autant que son futur mari la prenne en main…

— C'est bien à espérer, y est plus vieux qu'elle, au moins… Mais comme tu dis, c'est mieux de la voir se marier que d'la retrouver dans les journaux avec des malfaiteurs comme ceux pour qui elle travaillait.

— Quant à ça, oui, pis Gaston, lui, tu l'appelles aussi ?

— J'hésite, j'pense pas l'faire, ton père a jamais revu Desneiges, y peut pas la sentir…

— Alors, laisse-moi l'approcher, j'verrai comment ça peut s'arranger s'il décidait de venir sans sa femme.

— Un samedi ? Tu rêves ! Elle le mène par le bout du nez !

— Pas autant qu'avant, bien des choses se sont passées, mais y a juste moi qui suis au courant. Gaston et Desneiges forment plus le même couple depuis un bout d'temps, pis, si c'était pas d'avoir à s'partager la maison, j'pense qu'il aurait sacré l'camp depuis longtemps.

— Ben voyons donc ! Tu peux pas m'en dire plus ?

— Non, m'man, j'lui laisse le plaisir de t'raconter tout ça quand le moment viendra.

Léo avait tout de même insisté auprès de Gaston pour qu'il vienne seul au mariage d'Yvette, mais sans succès, ce dernier lui avait répondu :

— Non, Léo, c'est pas que j'pourrais pas y aller, mais la Yvette, ça m'intéresse pas. J'la vois jamais, ce serait une perte de temps pour moi, pis j'ai pas l'intention d'aller féliciter son mari qu'elle va crisser là dans pas grand temps après.

— Peut-être pas, elle vieillit, tu sais…

— Allons donc ! Vingt-six ans ! C'est encore une enfant ! Tout ce qu'elle connaît de la vie, c'est une chambre, un homme et un lit. Pis pas juste un, plusieurs, Léo ! Tu l'sais ! Elle pis Raymond, c'est du pareil au même, d'la mauvaise graine…

— Bon, c'est assez, va pas plus loin, j'vais dire à la mère que tu peux pas venir sans ajouter tout ce que tu viens d'cracher. C'est quand même de ses enfants qu'tu parles. Elle a pas mérité ça, tu sais. Elle a déjà le cœur à l'envers avec tout c'qui s'passe dans la famille. Elle s'informe même de toi…

— Ben, elle aurait dû le faire avant ! Elle m'a jamais apprécié autant qu'toi, Léo. Faut dire que j'l'aimais pas tellement…

— Oui, maudit caractère ! T'as ça en commun avec le père ! T'allais quand même la visiter en cachette de ta femme, Pourquoi ?

— Par politesse parce que j'passais dans l'coin. En espérant que l'père soit là ! Pis j'restais pas longtemps quand c'était pas l'cas, moi, la bonne femme…

Le temps de le dire et juin se pointa. Le mois où l'été débutait, le mois qui verrait enfin Yvette se marier. Le matin même, assez tôt, Mathias, Maryvonne et Marie-Jeanne s'étaient rendus à la petite chapelle afin d'attendre Yvette et son futur mari. Mathias n'avait pas loué de smoking cette fois, son complet gris du dimanche ferait très bien l'affaire. Maryvonne s'était confectionné une jolie robe d'un vert tendre et avait sorti de son placard le chapeau de paille qu'elle avait encore du mariage de Roger. Marie-Jeanne portait la robe mauve de sa mère avec des souliers noirs à talons d'un pouce seulement, mais elle avait jeté sur sa tête frisée, un petit mouchoir de dentelle pour respecter le lieu saint dans lequel elle se trouvait. Danielle et Darren étaient arrivés quinze minutes plus tard, elle, élégamment vêtue d'une robe champagne à manches trois-quarts et d'un chapeau beige sur le côté de la tête. Darren, toujours tiré à quatre épingles, portait un complet rayé beige et brun qui rehaussait son teint bronzé. Léo fit son entrée avec sa chère Gloria qui, dans une robe de soie rouge, fit sensation parmi les autres invitées plus discrètes. Léo, dans son complet marine, avait encore la tête de l'acteur qu'on lui prêtait quand on le voyait pour la première fois. À presque quarante et un ans, il était toujours aussi séduisant qu'à trente ans, pas un seul cheveu gris, les tempes enduites d'une crème en vogue, son père était fier de constater qu'il prenait soin de lui. Sur le côté de Johnny, tous se présentèrent bien vêtus et passablement distingués. La sœur du marié, Dorothy, fort jolie, ressemblait à la chanteuse Lucille Dumont selon l'observation de Marie-Jeanne. Enfin les futurs époux surgirent de la sacristie et tous détournèrent la tête pour les voir entrer. Yvette au bras de son père, Johnny avec son frère Lenny, sans cérémonie toutefois, comme dans un mariage de stricte intimité. Avec une petite musique de circonstance en sourdine. Johnny avait revêtu un complet noir avec une chemise blanche et une cravate bourgogne. Quant à la mariée, les cheveux remontés en chignon sous un léger voile de tulle bleu pâle tout comme sa robe à la cheville, elle tenait à la main droite un petit bouquet de fleurs du printemps que son futur lui avait offert. Maquillée avec soin, peu de bijoux sauf sa bague de fiançailles et deux perles bleues aux lobes d'oreilles, elle n'avait pas fait honte à sa mère et lui avait obéi en arrivant non vêtue de blanc, tel qu'elle le lui avait suggéré. Mathias et Lenny, le frère de Johnny, prirent place comme témoins à côté d'eux sur les prie-Dieu et l'officiant maria le couple en moins d'une demi-heure, avec une basse messe, quelques prières et une bénédiction des alliances. De là, les uns après les autres, les invités se rendirent à la réception où Mathias avait commandé un bon repas, de la bière et du vin pour tout le monde. Maryvonne avait acheté le gâteau de noces et Marie-Jeanne s'était occupée du tourne-disque avec, dans un sac, ses propres 45 tours qu'elle avait apportés pour la circonstance. Les mariés ouvrirent la danse sur, il fallait s'en douter, *Danse avec moi* de Fernand Gignac. Puis, les convives se joignirent à eux sur des chansons de Richard Anthony, d'Isabelle Aubret et de quelques succès américains comme ceux de Rosemary Clooney et Frank Sinatra. Pour ce qui était de compiler une succession de chansons, Marie-Jeanne n'avait pas son pareil et les invités la remercièrent. Néanmoins, faisant danser tout le monde, elle avait refusé la demande du cousin du marié à le suivre sur la piste, elle ne voulait pas se retrouver dans les bras d'un homme et lui piler sur les pieds. La journée se déroula passablement bien et, vers quatre heures, après une tranche du gâteau de noces et un digestif offert par Mathias, tous partirent chacun de leur côté, laissant les mariés se préparer pour leur court voyage de noces dans une auberge des Laurentides. Car Johnny, qui avait maintenant une femme à faire vivre, comptait bien reprendre son boulot sur le taxi dès le mercredi suivant. Maryvonne, de retour à la maison, avait dit à son mari :

— Enfin ! Une autre de casée et pas la moindre !

— Oui, en autant que ça dure longtemps, ma femme, car Johnny est un sacré bon gars. J'espère qu'elle ne lui mènera pas la vie trop dure.

Marie-Jeanne, ravie d'avoir bien mangé et contente de son succès avec sa musique, rangeait ses disques dans ses albums tout en gardant ceux de Fernand Gignac sur le dessus de la pile. Puis revenant au salon où sa mère se trouvait, elle lui dit :

— Moi, ce qui m'console, c'est que La Goudreau, comme on l'appelle encore dans le quartier, est maintenant madame Pratte. En changeant de nom, ça va faire taire…

— Oui, passons… l'interrompit Maryvonne.

— Pis, t'as pas remarqué, m'man ? Y avait aucun enfant aux noces d'Yvette.

— Heu… oui, t'as raison quand on y pense…

— C'est peut-être une coïncidence, mais comme la mariée n'en aura jamais…

— Marie-Jeanne ! Pas de mauvais souvenirs… Surtout pas aujourd'hui, maudit !

L'été s'écoula, Yvette et Johnny semblaient faire bon ménage. Ils venaient souvent à la maison souper avec Mathias et Maryvonne, et Johnny, bien élevé, n'arrivait jamais les mains vides. Du vin pour Mathias et des chocolats blancs pour Maryvonne… que Marie-Jeanne lui dérobait ! Yvette était plus calme, plus distinguée, son habillement s'était amélioré, son vocabulaire aussi. Était-elle en désintoxication des mâles ? Comme l'alcoolique qui refuse de regarder un verre de vin durant un stage, de peur de retomber dans son vice ? Sa mère gardait les doigts croisés pour qu'elle reste fidèle à son mari qui la gâtait beaucoup et changeait vite de sujet quand Yvette lui parlait des acteurs de cinéma comme Gérard Blain en France, et Marlon Brando à Hollywood, pour ne pas attiser ses sens au repos. Elle priait aussi la mère de Dieu pour qu'elle la guérisse entièrement de son mal, alors que Marie-Jeanne lui disait que c'étaient des prières perdues, que la p'tite allait retomber dès qu'elle verrait un beau gars en jeans au torse nu sur un chantier de son père. Mais Maryvonne, croyante à souhait, était certaine que le Seigneur allait lui fermer les paupières si la chose se produisait.

Entre-temps, Roger avait écrit à son père que Lauren était de nouveau enceinte et que leur second enfant allait voir le jour dès le printemps suivant. Cette fois, ils allaient s'y rendre, avait dit Mathias à sa femme :

— Ça nous fera sortir un peu tous les deux ! avait-il ajouté.

Maryvonne avait accepté non sans maugréer un tantinet pour répliquer :

— En attendant, j'ai une chose à te demander, mon homme.

— Quoi ? Rien d'impossible, j'espère ?

— Non, quelque chose qui vient du cœur. J'aimerais que tu pardonnes à Raymond pour qu'il nous revienne. J'ai envie de le revoir, Mathias.

— Non, c'est un pas bon ! Y va nous occasionner d'autres tracas ! Comme c'est là, on a la paix. On a réussi avec Yvette...

— Et on pourrait réussir avec lui si on s'en donnait la peine.

— J'ai dit non !

— C'est mon seul garçon, Mathias, pis le plus jeune de tes gars. Comment peux-tu être aussi sans-cœur ?

— Tu oses dire ça, ma femme ! J'ai tout essayé avec lui !

— Non, y a jamais compté pour toi, juste tes gars de ta première femme. J'vois clair, tu sais…

— N'en parlons plus, veux-tu ? Sinon, ça va finir par une chicane et ça va énerver Marie-Jeanne qui pourra plus respirer.

— Belle excuse pour t'éloigner du sujet, mon homme ! N'empêche que Raymond, avec un peu plus d'amour et de compréhension de ta part…

— Parle-moi plus de lui, Maryvonne, je l'ai barré à vie, ce voyou-là !

Ne voulant pas qu'il explose et qu'elle en soit la cause, la pauvre femme se tut et reprit son cerceau dans lequel elle brodait des papillons pour en faire des napperons.

Marie-Jeanne, qui n'avait rien entendu de leur conversation, s'amena au vivoir pour demander à sa mère :

— Ça n'te tenterait pas de t'installer au piano, m'man, pis d'essayer de jouer *Le tango des fauvettes* de Fernand Gignac ? J'aime le rythme et j'suis certaine que tu pourrais l'apprendre par cœur comme les autres !

L'automne avait été long et assez frais avec beaucoup de pluie. Mathias travaillait sans relâche et l'argent rentrait en double certaines semaines. Ce qui permit à Marie-Jeanne d'avoir une petite augmentation de revenus et de s'acheter ainsi, à l'insu de ses parents, deux bouteilles de porto au lieu d'une.

Danielle venait souvent à la maison, mais sans son fiston qui préférait rester avec son papa ou jouer avec ses amis. Ce qui peinait Mathias qui le sentait de plus en plus s'éloigner de lui. Comme tous les enfants qui se découvrent leur propre vie, mais comment expliquer cela à un grand-père qui ne vivait que pour lui ? On parlait déjà du souper des Fêtes auquel assisteraient Danielle et sa petite famille, bien entendu. Léo, Gloria et leurs garçons, ainsi qu'Yvette et Johnny qu'on avait très bien accepté chez les Goudreau. Un homme plus vieux avec lequel Mathias aimait causer, quoique Léo, dans la même décennie que son beau-frère, avait aussi de bons rapports avec lui. On ne savait pas si Gaston viendrait, ça allait de plus en plus mal dans son couple… Et Roger ne ferait pas le voyage avec sa femme et leur petite, vu la grossesse de Lauren. Maryvonne avait déjà acheté la viande pour ses tourtières qu'elle gardait congelée et réservé, chez le pâtissier, une tarte à la noix de coco pour Mathias et des éclairs au chocolat pour Marie-Jeanne et les jeunes. Sans oublier de cuire son délicieux gâteau aux fruits que Léo aimait tant. Affairée à ses chaudrons en vue de cette préparation en début de décembre, elle se penchait, se relevait, regardait l'heure, car Mathias allait bientôt rentrer.

Marie-Jeanne, dans le salon, écoutait des disques de vedettes françaises comme Marcel Amont et son *Bleu, blanc, blond,* et *Tous les garçons et les filles* de Françoise Hardy, une nouvelle chanteuse, lorsqu'un bruit sourd venu de la cuisine lui fit baisser le son. N'entendant rien, elle appela :

— M'man, qu'est-ce qu'y a ? Qui a fait ça ?

N'obtenant pas de réponse, elle se dirigea vers la cuisine et aperçut sa mère au sol, face contre terre, avec un filet de sang qui s'échappait de sa bouche. S'en approchant, la secouant, elle ne réussit qu'à faire jaillir davantage de sang et, apeurée, elle allait courir chez la voisine lorsqu'elle vit son père arriver avec son camion. Se précipitant vers lui, elle parvint à lui crier, tout essoufflée, ayant peine à prononcer un mot…

— Maman…

— Ben, qu'est-ce qu'elle a ? Tu fais une crise d'asthme ? T'es plus capable de parler ? Assis-toi au moins !

Ne pouvant effectivement rien dire tellement elle râlait, Marie-Jeanne lui pointa du doigt la maison et Mathias s'y précipita pour découvrir sa femme sur le plancher ciré de la cuisine. Croyant qu'elle était tombée, mais n'osant trop la toucher de peur d'aggraver son état, il s'empressa d'appeler l'ambulance qui, avec la sirène en puissance, se pointa chez lui en peu de temps avec un infirmier à bord. Ils entrèrent en vitesse, se penchèrent sur madame Goudreau qui émettait quelques sons à peine audibles, et après avoir épongé le sang du coin de sa bouche qui coagulait, l'un des deux cria à Mathias.

— Vite à l'hôpital ! On n'a pas une minute à perdre !

Chapitre 10

On avait dirigé l'ambulance à toute vitesse jusqu'à l'hôpital le plus près avec, sur une civière, le corps inanimé de Maryvonne Goudreau. La pauvre dame n'avait pas repris connaissance et l'infirmier s'acharnait à lui donner la respiration artificielle à l'aide d'un masque à oxygène. Sur les lieux, à l'urgence, on tenta la réanimation, mais en vain. Un médecin accourut à son chevet pour constater, hélas, que la patiente était décédée. On tenta encore une fois de lui redonner la vie. La forte dame qu'elle était n'avait pu lutter pour sa survie, noyée dans son sang par sa grave hémorragie interne. On en déduisit que c'était l'estomac, d'importants ulcères sans doute, et on attendait son mari qui, dans son camion, suivait l'ambulance qui avait transporté Maryvonne. Mal stationné, Mathias se précipita à l'urgence pour voir sa femme, mais il fut modéré dans sa course par un infirmier qui lui dit : « Ne bougez pas d'ici, le médecin veut vous parler. Vous ne pouvez pas entrer pour l'instant. » Le chirurgien de service sortit de la chambrette à rideaux pour s'avancer vers Mathias et lui révéler avec réserve que sa femme était, hélas, décédée, qu'elle était sans doute morte durant ou avant son transport à l'hôpital. Mathias s'effondra sur une chaise et réussit à balbutier au docteur : «C'est pas possible, elle n'avait que soixante et un ans ! Qu'est-ce qui s'est passé ?» Le médecin, assisté d'une infirmière, le pria d'entrer dans un petit cabinet de consultation et, porte fermée, alors que Mathias pleurait, il lui expliqua la cause de la mort inattendue de sa femme. On n'attribua pas cependant son décès à l'opération à la vésicule biliaire six mois auparavant, mais Mathias, sans le leur avouer, se rappelait les maux d'estomac de sa femme, de sa course à la pharmacie pour lui acheter des sels de fruits. Il ne leur en parla pas de peur d'être accusé de négligence. Il revint à la chambre, s'avança vers le corps de son épouse recouvert d'un drap et, le soulevant, il se rendit compte que Maryvonne semblait reposer en paix. Aucun rictus sur son visage, aucune trace de souffrance, elle n'en avait pas eu le temps. Versant des larmes sur elle, il lui murmura, pour ne pas être entendu des infirmières non loin : «Je regrette, ma femme, j'aurais dû te ramener chez le médecin, tu avais un grave problème. C'est un peu de ma faute, mais aussi de la tienne, tu détestais tellement voir le docteur que tu préférais essayer de te guérir toi-même. Mais, qu'est-ce que je vais faire sans toi ? Et Marie-Jeanne ? Pourquoi es-tu partie subitement, ils vont tous avoir un choc en l'apprenant...»

Et comme s'y attendait Mathias, les enfants furent dévastés par la nouvelle de la mort de leur mère. Danielle s'était presque effondrée dans les bras de Darren, Yvette avait pleuré sur l'épaule de Johnny et Marie-Jeanne avait fait deux crises d'asthme successives, incapable de vaquer à quoi que ce soit durant toute la soirée. Léo et Gloria avaient été fort peinés, leurs enfants aussi, et Gaston avait soupiré avant de lancer à son frère qui lui avait appris la nouvelle : «On dirait que la marde veut pas nous lâcher ! Une épreuve attend pas l'autre ! » Desneiges, étonnée et repentante de ne pas avoir revu sa belle-mère, avait dit à son mari : «Pas possible ! C'est pas elle qui aurait dû partir ! » Elle s'était alors promis de se rendre au service funéraire à l'église, sans toutefois se présenter au salon quand viendrait le moment de l'exposition, ce qui se fit trois jours plus tard pour trois jours consécutifs. Roger avait été averti par Danielle et, chagriné, avait fait parvenir à la famille ses condoléances ainsi qu'une immense gerbe de fleurs à déposer au pied du cercueil. Impossible cependant pour lui de venir, son cabinet de consultation ne dérougissait pas en ce moment. Mais personne ne réussit à rejoindre Raymond, on ne savait pas où il était et Mathias, quelque peu désolé, avait dit à Léo : «Cherche pas plus loin, y vit peut-être aux États-Unis. Pis, comme y appelait jamais, pas même sa mère... »

Le jour des funérailles, l'église était remplie. Des gens de la paroisse, la parenté du côté de Darren, des chauffeurs de taxi amis de Johnny, et même des voisins de l'ancien quartier de Mathias qui avaient connu la défunte et qui avaient appris son décès par l'annonce que Danielle avait fait publier dans *La Presse*. Ce fut triste et passablement émouvant. Un baryton chanta l'*Ave Maria* de Gounod, une dame le suivit avec un autre cantique de circonstance en latin et Maryvonne Ménard, devenue madame Goudreau, fut

enterrée avec son père, sa mère et Fulgence dans le lot familial qui leur était réservé. C'était, hélas, la dernière place qui
restait dans ce cimetière, Mathias ne pourrait reposer à ses
côtés lorsque viendrait son tour. Seul devant la fosse après
la descente du cercueil, il s'était agenouillé dans l'herbe à
côté de la terre fraîche pour dire à sa femme : « J'te remercie
d'avoir élevé mes deux plus vieux, t'as fait tant de sacrifices pour eux. Pour c'qui est des autres, t'auras plus à
t'en faire maintenant, c'est moi qui vais prendre la relève
et Danielle sera là pour m'appuyer quand j'aurai besoin
de son aide. Repose en paix, Maryvonne, je t'ai aimée, tu
sais. Et on a eu une belle vie ensemble… » Il avait ensuite
fait son signe de croix et s'était redressé pour rejoindre
Léo et Gloria, qui l'attendaient dans leur auto avec leurs
deux garçons.

De retour chez Danielle où ils avaient tous été conviés
après l'enterrement, Darren servit le café aux membres de la
famille et Danielle, regardant son père, lui demanda :

— Comment vas-tu faire à la maison, papa, maintenant
que maman n'est plus là ?

Jetant un coup d'œil à Marie-Jeanne, Mathias avoua
machinalement :

— On va s'débrouiller, tu penses pas, ma grande ?

Marie-Jeanne, étonnée d'être ainsi consultée, avait
répondu à son père sans hésiter :

— Oui, on va s'arranger, p'pa, je m'occupais déjà des
tâches de la maison, pis j'sais cuisiner. Pas aussi bien que
m'man, mais je m'débrouille avec les chaudrons. On va pas
crever de faim, tu peux t'fier sur moi.

Danielle, heureuse de la voir déterminée, laissa échapper un soupir de soulagement. Son père allait pouvoir continuer de travailler pendant que Marie-Jeanne allait s'occuper des corvées, des repas et même des emplettes, la fin de semaine. À ce sujet, Mathias lui avait dit, de retour à la maison :

— T'auras qu'à marquer sur un papier c'qui manque pour rien oublier, pis on ira ensemble chez Steinberg pour tout acheter.

— Pas juste là ! On ira aussi chez Woolworth pour les *bargains* dans les biscuits, les Kleenex pis le papier de toilette !

Une semaine plus tard, Danielle recevait par la poste une lettre écrite à la main, sans adresse de retour, qu'elle s'empressa d'ouvrir. Une feuille de papier lignée était à l'intérieur et, écrits à la mine, elle put lire les mots suivants :

Je ne l'ai pas su à temps, Danielle. C'est une femme qui m'en a averti, mais tout était fini. Ça me fait de la peine de ne pas avoir été là, mais je vais aller sur sa tombe déposer des fleurs un de ces jours. Je reste à Montréal, je suis pas plus loin, je travaille et j'ai une amie. Rien d'autre à ajouter, je voulais juste te prévenir que même si je ne suis plus de la famille, j'ai pleuré quand j'ai appris que ma mère était partie. Si nécessaire, je te laisse mon numéro de téléphone, mais donne-le pas à personne. Et tu n'as pas à m'appeler, c'est juste pour les grandes circonstances. Garde ma lettre seulement pour toi et mon numéro aussi.

Merci.

Raymond

Danielle était perplexe. Pas une seule faute d'ortho-
graphe, il avait sans doute été aidé pour le texte. Que
devait-elle faire ? Respecter les désirs de son frère exclu
de la famille, tel qu'il le demandait, ou en discuter avec
son père pour qu'il sache au moins ce que devenait son
plus jeune fils ? En ayant parlé avec Darren le soir même,
celui-ci lui suggéra d'attendre quelques jours, histoire de
laisser à Mathias et Marie-Jeanne le soin de vivre ensemble
et de bien s'entendre avant de les perturber avec la lettre
de Raymond. Danielle suivit les conseils de son mari, mais
quelque temps plus tard, alors qu'elle s'était rendue chez
son père pour un café en passant, elle lui dit devant Marie-
Jeanne qui sortait la pinte de lait du réfrigérateur :

— J'ai eu des nouvelles de Raymond, papa.

— Ah oui ? Moi, j'en ai rien à foutre, y a même pas
assisté aux funérailles de sa mère.

— Parce qu'il l'a su trop tard, tout était fini…

— Bah ! c'est ce qu'y dit ! répliqua Marie-Jeanne de la
cuisine.

— Non, je pense que c'est vrai, reprit Danielle. Sa lettre
semblait sincère, il était chagriné, il m'a même raconté ce
qu'il devenait, il travaille, il habite à Montréal, il a une amie
régulière, il semble avoir changé…

— Reste à voir, murmura Mathias, j'm'en méfie
tellement…

— En tout cas, y a besoin de pas s'montrer la face ici !
On veut pus d'lui, p'pa pis moi ! C'est un voleur ! Pas vrai,
l'père ?

Mathias regarda sa fille, mais ne répondit rien car,
en son for intérieur, il se souvenait des supplications de

Maryvonne à retracer Raymond, le seul de ses fils à elle, disait-elle. Et, sur le refus formel de son mari, la pauvre mère était morte sans avoir revu son enfant comme elle le désirait.

Il était évident qu'on n'allait pas avoir de souper des Fêtes chez les Goudreau après une épreuve si récente et le deuil encore en plein cœur. Qui plus est, Mathias devrait dès lors se partager en deux pour les recueillements sur les pierres tombales de ses femmes. Une visite à Antoinette et une autre à Maryvonne la même journée, après l'hiver évidemment. Il comptait bien convier ses filles à le suivre pour fleurir la tombe de leur mère et demander à Léo et à sa femme de l'accompagner lorsqu'il se rendrait sur la fosse de la leur. Tout était tramé deux fois pour le veuf qui en voulait un peu au bon Dieu de lui avoir ravi ses deux épouses l'une après l'autre. Quoique le curé lui disait, quand il s'en plaignait : « Vous avez beaucoup d'enfants, Mathias. Quelle consolation pour un père ! Le bon Dieu vous a aimé pour vous donner une telle progéniture. » Et Mathias, dès lors, se taisait et se réconciliait avec le Seigneur qu'il avait quelque peu accablé de ses reproches. On laissa passer Noël et, dans la semaine qui précéda le jour de l'An, Mathias avait dit à Danielle :

— Tu sais, j'ai un aveu à te faire, je ne l'ai jamais mentionné à personne, mais ta mère voulait revoir Raymond, elle insistait pour que j'lui pardonne et j'lui ai refusé cette joie.

— C'est vrai ? Pauvre maman, elle l'aimait bien malgré ses faux pas, son Raymond. Mais si tu veux, il est encore temps de le faire. L'année n'est pas finie et elle verrait cette réconciliation du haut du Ciel, papa.

— J'veux bien croire, mais qui nous dit que Raymond voudra m'revoir après l'avoir ignoré pendant tout ce temps-là ? Il approche de la trentaine, maintenant… Je sais qu'tu sais où il habite, mais de là à faire les premiers pas… Il n'a pas demandé à me revoir, lui.

— Non, sans doute parce qu'il était certain d'essuyer un refus de ta part, papa, mais tu sais, il m'a donné son numéro de téléphone, il habite maintenant avec une femme, il travaille je ne sais où…

— Tu vois ? Tu sais même pas où ! J'voudrais pas avoir encore affaire à un autre *bum* dans ma maison. Marie-Jeanne peut pas l'supporter, elle dit qu'elle en est débarrassée.

— Elle se pliera à ta volonté, papa. Un coup de fil pourrait peut-être te rassurer sur ce qu'il devient avant de l'inviter… Qu'en penses-tu ?

— C'est lui qui devrait m'appeler, pas moi, c'est lui qui m'a déshonoré. Demande-lui de me téléphoner et dis-lui que je lui répondrai, mais pas plus, je veux savoir de quel bois il se chauffe avant de l'inviter.

— C'est toi qui vas le questionner, papa, pas moi… De quel droit pourrais-je…

— Non, non, fais juste établir la communication entre nous, pis je m'charge du reste. C'est à moi qu'y doit des comptes, à personne d'autre, ma grande.

— Il ne faudrait quand même pas être trop raide avec lui, questionne-le subtilement, ne lui fais pas un procès.

— Ben non, pour qui m'prends-tu ? Tu doutes de moi maintenant ?

— Non, pas de toi, papa, mais du ton de ta voix quand tu te méfies de quoi que ce soit... Tu peux le modifier pour une fois ?

Danielle, ne demandant pas mieux que de réconcilier son père et son jeune frère, téléphona à Raymond qui la reçut fort gentiment au bout du fil. Après avoir conversé quelques minutes avec lui, elle lui manifesta le désir de Mathias de le revoir et Raymond, la voix tremblante, lui répondit :

— Heu... j'sais pas, y va encore m'apostropher, Danielle, j'ai pas envie de revivre des mauvais moments avec lui. J'étais même pas aux funérailles de m'man, pis y doit m'en vouloir...

— Non, il a compris que tu ne savais pas... Écoute, rien ne t'y oblige, mais si tu sens le besoin de le revoir avant la fin de l'année, appelle-le. Moi, je n'insiste pas. À ton âge, je n'ai pas de conseils à te donner, mais je suis certaine qu'il t'accueillerait convenablement au bout du fil. Il est encore très bouleversé par le départ de maman.

— Oui, mais y a aussi Marie-Jeanne qui peut pas m'sentir...

— Elle fait ce que papa lui demande, Raymond. Marie-Jeanne n'a pas vraiment d'opinion, elle se range toujours du côté du plus fort.

— Bon, laisse-moi y penser. Aujourd'hui, j'ai pas la tête à ça, j'ai un chiffre avec des heures supplémentaires à faire au restaurant. Dans l'temps des Fêtes, Mimi pis moi, on n'arrête pas.

— C'est le prénom de la femme qui vit avec toi ?

— Oui, tout le monde l'appelle Mimi même si c'est Mireille son nom. Tu sais, avec la clientèle de *truckers* qu'on a, faut pas s'attendre à trop de révérences de leur part. Mais les *tips* sont bons, on rentre les poches pleines tous les deux. Surtout après Noël, quand y ont reçu leur bonus !

— Alors, tant mieux pour toi, Raymond, et pour le père, tu fais ce que tu veux, moi, je n'aurai servi que d'intermédiaire.

— T'es ben *swell,* Danielle ! Pis comme ça vient d'toi, j'y penserai pas trop longtemps, j'vais en parler avec Mimi à soir en rentrant du travail. Merci d'avoir appelé, salue Darren de ma part, pis embrasse ton beau Michel pour moi.

Trois jours s'écoulèrent avant que l'année s'achève et, alors qu'il était au salon devant la télévision, le téléphone sonna chez les Goudreau et, pour une fois, c'est Mathias qui répondit, sa fille étant dans sa chambre :

— Oui, allô ?

— P'pa ? c'est moi, Raymond.

— Tiens ! Salut, mon gars, ça va bien pour toi ?

— Oui, pour toi aussi, j'espère ? Tu sais, j'étais pas là pour les funérailles, mais comme j'regarde jamais *La Presse*...

— Arrête, excuse-toi pas, Danielle m'a tout raconté. Tu peux t'reprendre en allant au cimetière de temps en temps. Ta mère t'aimait bien, tu sais...

— Moi également ! Seulement...

— Oui, à cause du désaccord, mais oublie ça, on change d'année bientôt. T'avances en âge pis moi aussi, faut pas se l'cacher. Moi, plus...

— Non, t'es encore jeune p'pa, pis en bonne forme comme Danielle me disait.

— Qu'est-ce que tu deviens, Raymond ? Tu travailles où maintenant ?

— Danielle te l'a pas dit ?

— Non, elle est discrète, ta sœur, et tu lui avais demandé de pas m'en parler ou presque. Alors ?

— Bien, pour commencer, je vis avec Mimi, une femme de dix ans de plus que moi, une très bonne personne, p'pa. Elle est *waitress* dans un *snack-bar* et c'est elle qui m'a fait rentrer au restaurant juste en face du sien où on vend d'la bière et du vin. Un endroit plus petit que celui où Mimi travaille, mais avec des clients réguliers. On vit ensemble, on s'arrange bien, on n'est pas riches, mais assez pour avoir un char confortable pis faire des voyages. Mimi n'a pas d'enfants, elle n'a jamais été mariée pis moi non plus. Donc, deux dans la même condition, c'est pour ça que ça marche bien.

— T'aimerais venir me visiter, fiston ? Ma porte t'est ouverte, tu sais…

— Ben, j'aimerais ça, l'père, mais est-ce que je pourrais emmener Mimi pour vous la présenter ?

— Aucun problème, j'vous invite pas à souper, c'est trop compliqué pour Marie-Jeanne, mais pour un verre au milieu d'la soirée, ça t'irait, mon garçon ?

— Bien sûr, que dirais-tu de demain soir, papa, c'est congé pour Mimi et, de mon côté, comme ce sera plus tranquille à cause du réveillon qui va suivre, j'pourrais m'faire remplacer.

— Comme tu voudras, mon gars, on t'attendra, Marie-Jeanne et moi.

— Danielle ne sera pas là ?

— Non, pas cette fois, mais dans l'année nouvelle qui s'en vient, tu la reverras souvent. Elle t'a dit qu'Yvette s'était mariée ?

— Oui, elle m'en a glissé un mot la première fois qu'on s'est parlé, mais là, on a surtout jasé de toi pis moi, p'pa.

— Correct, ajoute rien, on t'attend avec ta blonde demain.

La ligne raccrochée, Mathias s'empressa d'avertir Marie-Jeanne que Raymond et son amie viendraient le lendemain soir pour une courte visite. La bouche ouverte, Marie-Jeanne lui cria :

— Tu les as invités, p'pa ? T'as pas fait ça ?

— Oui, ma fille, parce que ta mère me l'a demandé un mois avant de mourir. Elle voulait revoir Raymond, c'est moi qui avais refusé. Alors, là, pour être pardonné par elle du haut du Ciel, j'ai appelé Raymond qui souhaitait, lui aussi, une réconciliation.

— Ben, si c'est comme ça et que m'man était d'accord, j'veux bien les recevoir, mais demande-moi pas d'lui sauter dans les bras, j'vais être polie, surtout si sa blonde est avec lui, mais j'te laisse le plancher, p'pa !

— Non, j'te veux au salon, toi aussi. T'es en âge d'affronter les gens et les situations, Marie-Jeanne. Y faut t'affirmer davantage, t'es rendue dans la trentaine pis tu m'secondes dans mon veuvage. Il faut qu'tu tiennes une conversation avec sa blonde pendant que j'en aurai une avec lui dans la cuisine. J'veux savoir si y mène vraiment une bonne vie à présent.

— Ben, si c'est pour ça, j'vais faire un effort avec sa blonde… J'sais comment me présenter pis parler, c'est juste que j'suis gênée devant les gens que j'connais pas…

— Alors, dégêne-toi, ma fille, t'as ta vie à vivre maintenant. Ta mère est plus derrière toi pour répondre à ta place. T'es une femme, Marie-Jeanne, pas une enfant. Et tu peux l'prouver en fonçant un peu plus. J'veux être fier de toi, j'le suis déjà, mais j'aimerais l'être encore plus avec le temps.

— Oui, j'vais faire ce que tu m'demandes, p'pa, y a juste toi qui peux m'faire sortir de ma coquille de temps en temps. Même quand j'fige, t'es là pour me remettre dans la barouette !

Le lendemain soir, alors que c'était plutôt froid, Raymond se stationna devant la maison de son père qui, ayant entendu le bruit des pneus, regarda par la fenêtre pour se rendre compte que son garçon roulait cette fois en Plymouth usagée et non en Buick de l'année. Au coup de sonnette, Mathias vint ouvrir. En voyant Raymond, il lui tendit les bras et le fils s'y jeta en pleurant. Mathias l'étreignit sur sa poitrine en lui disant : « Ça va aller mieux maintenant, tu verras, mon grand. » Raymond s'essuya les yeux du revers de sa manche et présenta Mimi qui, discrète et émue, était restée derrière lui. Mathias l'accueillit avec amabilité et Marie-Jeanne, dans le portique, lui avait dit en lui tendant la main : « Bonsoir, madame, j'suis contente de vous connaître. » Puis, tous assis au salon, Marie-Jeanne sortit quelques petits sandwichs qui restaient du souper et offrit un verre de vin ou de bière à la dame et à son frère. Mireille, dite Mimi, accepta un doigt de porto, ce qui plut à Marie-Jeanne qui s'en versa un elle aussi, et Mathias déboucha deux bières pour son fils et lui. Au début de la conversation, il ne fut nullement question du passé et le père n'insista pas là-dessus puisque Raymond lui débitait sa vie depuis sa rencontre avec Mimi. Ni laide ni jolie, la quarantaine certaine, Mimi avouait qu'elle était devenue *waitress* dès qu'elle avait quitté l'école et qu'elle aimait servir les gens comme elle le faisait au restaurant. L'écoutant poliment, Mathias avait répliqué sans se rendre compte que ça pouvait l'offenser : « Y a pas de sot métier ! » Enfin, alors que Mathias était allé chercher une autre bière pour son fils à la cuisine, ce dernier le suivit pour lui demander à voix basse :

— Tu m'pardonnes, p'pa ? Tu m'pardonnes pour la honte que...

Mathias l'interrompit en lui mettant l'index sur la bouche pour lui répondre :

— En autant que tu m'pardonnes toi aussi pour pas t'avoir soutenu au moment du procès.

Raymond, ému, avait répliqué :

— Bien sûr que oui, p'pa, c'était moi le coupable...

Mais son père le fit taire et l'entraîna au salon où les deux femmes, en silence, les attendaient. Raymond, retrouvant sa jovialité, fit état de sa voiture usagée, mais en ordre, de leur beau logement, de leurs petits voyages, dont le plus récent à Vancouver en auto. Mathias, l'interrompant, lui dit :

— T'aurais pu en profiter pour visiter Roger au Manitoba ou ton oncle Donat en Saskatchewan, c'était sur ton chemin.

— Oui, j'sais, mais Roger pis moi, on s'connaît à peine, j'aurais pas voulu l'déranger. Quant à l'oncle Donat, j'en avais pas envie, y a jamais été aimable avec nous, celui-là.

— On sait ben… Drôle de bonhomme, pas même une couronne de fleurs quand ta mère est morte. On l'verra plus souvent à présent. Ses filles non plus, pas même une carte de sympathie de leur part…

Puis, se tournant vers la dame qui semblait encore gênée, il lui demanda :

— Vous n'avez jamais été mariée ?

— Non, ça ne m'intéresse pas. Le mariage, c'est pour avoir des enfants et on n'en veut pas, Raymond et moi.

Mathias n'insista pas, d'autant plus qu'elle ne semblait plus en âge ou presque d'en avoir, et finit par écourter la veillée après s'être rendu compte que son fils avait changé depuis sa sortie de prison et les années qui avaient suivi. Il se leva, ce qui signifia aux invités qu'il était peut-être temps pour eux de s'en aller. Raymond ne se fit pas prier et Mimi accepta son manteau que Marie-Jeanne avait décroché de la patère de l'entrée. Raymond avait hâte d'aller fumer dans sa voiture, Mimi aussi. Ils s'étaient retenus à cause de l'asthme de Marie-Jeanne qui s'aggravait avec les années. Ils partirent en se souhaitant des vœux de bonne année et la porte se referma sur eux à la grande satisfaction de Marie-Jeanne qui, durant leur visite, avait à peine adressé quelques mots à la dame… Sauf pour lui servir un verre de porto ! Soulagé et heureux de sa soirée, Mathias avait confié à sa fille avant de monter se coucher :

— J'aime mieux ça comme ça, ta mère va être contente de l'autre côté. Pis ton frère semble être entre bonnes mains avec sa Mimi, elle lui a peut-être mis du plomb dans la tête, celle-là.

— Ça s'peut, répondit Marie-Jeanne, pis à les regarder, y vont bien ensemble, y sont pas beaux ni l'un ni l'autre !

1963 s'était pointé et, l'âme et le cœur en paix, Mathias était allé à la messe du matin avec Marie-Jeanne qui en avait profité pour allumer deux lampions pour sa mère. Un de sa part, l'autre de son père. Au retour, Mathias assis dans son fauteuil suivait dans *La Presse* les péripéties du premier ministre du Canada, John Diefenbaker, qu'il n'aimait pas, sans savoir encore qu'aux élections en avril prochain, il allait être défait par Lester B. Pearson du Parti libéral qu'il aimait bien.

Marie-Jeanne, devenue un peu plus dégourdie depuis qu'elle avait pris la charge de la maison dès la mort de sa mère, cherchait à se distraire. Fouillant un peu dans les pages artistiques de *La Presse,* elle tomba sur l'annonce du film *That Touch of Mink* avec Cary Grant et Doris Day. Intéressée par le résumé, elle appela Danielle et lui demanda si elle accepterait, la semaine suivante, d'aller le voir avec elle. Danielle, toujours aussi généreuse de son temps et de son appui, avait répondu oui, même si ce petit film romantique n'était pas du tout de son genre. Mais pour faire plaisir à Marie-Jeanne qui en avait beaucoup sur les bras à s'occuper de la maison et de son père, elle avait même ajouté : « Oui, on va y aller ensemble et c'est moi qui paye toutes les dépenses, le restaurant aussi après le cinéma. » Ce qui lui valut de sa sœurette un : « T'es donc ben fine ! Merci ! »

Au printemps, on apprenait que Lauren et Roger étaient de nouveaux parents d'une autre fille que, cette fois, la mère de Lauren voulait qu'on appelle Marie en l'honneur de sainte Anne, pour rester dans la Sainte Famille. Lauren avait fini par accepter, mais elle avait encore insisté pour que Marie soit en français et non Mary comme l'anglais le voulait. Sa mère, d'accord avec elle, lui avait répondu de la même façon que pour Anne : « Aucun problème, c'est bilingue, l'actrice américaine Marie Windsor écrit son nom de cette façon. » Roger avait dit à sa femme :

— Bah ! fais-lui plaisir à ta mère ! Marie est un joli prénom et Marie Goudreau, c'est aussi beau en français qu'en anglais, mon père sera content de notre choix. Anne et Marie, la mère et la fille dans l'histoire sainte. Lauren, quelque peu taquine lui demanda :

— Et si on en a une troisième, on va l'appeler comment ? Marie n'a pas eu de fille ni de sœur !

Il éclata de rire et répondit :

— On pourrait l'appeler Marie-Madeleine ! On dit que la pécheresse était la compagne de Jésus, donc près de Marie et d'Anne, la mère et la grand-mère ! Ça resterait dans la famille d'une certaine façon ! Mais je pense que ta mère va mettre un terme à son histoire sainte ! À moins de trouver une actrice américaine qui porterait le même nom biblique et bilingue une fois de plus.

— Roger ! ne te moque pas d'elle ! cria Lauren en riant de bon cœur !

Dieu qu'ils s'aimaient pour se taquiner de la sorte, ces deux-là !

Comme Mathias avait promis d'être présent pour le baptême de cette enfant, il s'y rendit en autobus avec

Marie-Jeanne, même si le trajet était fort long. Roger, content de l'arrivée de son père et sa demi-sœur, leur avait dit :

— Vous auriez pu prendre l'avion, je vous l'aurais remboursé.

— Oui, je sais, mon fils, mais ça nous a fait voir du pays. Après la mort de sa mère, Marie-Jeanne avait d'autres images à s'mettre en tête que celles du cimetière.

— Ça va bien pour toi, Marie-Jeanne ? Pas trop de travail à la maison ?

Gênée comme de coutume, surtout devant Lauren qui ne parlait pas français, la jeune femme balbutia :

— Oui, c'est beaucoup d'ouvrage, mais p'pa m'aide avec les corvées pis, pour le reste, comme j'travaille pas...

Lauren remarqua au premier coup d'œil que sa belle-sœur était loin d'être coquette. Et comme c'était un grand événement, elle lui demanda si elle voulait venir magasiner avec elle, histoire de regarder les vitrines... Marie-Jeanne hésita, elle baragouinait l'anglais, mais Lauren la convainquit de la suivre au centre d'achats le plus près. Elles s'y rendirent, Lauren essaya une ou deux robes avant de jeter son dévolu sur la première et, priant Marie-Jeanne d'en faire autant, la grosse fille commença par refuser en lui disant qu'elle avait ce qu'il fallait dans sa valise. Mais Lauren, déterminée à l'embellir, lui avait répondu : « *Come on, something new ! A gift from me to you !* » Devant son insistance, Marie-Jeanne se décida à essayer une robe printanière beige avec des oisillons brodés sur l'épaule droite. Puis des souliers à talons et un petit sac à main en cuir qui s'y appareillait. Très jolie dans cette tenue, Lauren la supplia d'accepter son cadeau et c'est ainsi que, le jour du baptême de sa nièce,

Marie-Jeanne fit son entrée à l'église avec son père dans sa superbe robe, alors que lui dans son complet marine était fort élégant. Lauren avait réussi par on ne savait quel miracle à entraîner sa belle-sœur chez sa coiffeuse où la dame, sur un clin d'œil de Lauren, avait convaincu Marie-Jeanne de se faire couper les cheveux et de les porter bouffants, comme c'était la mode.

L'apercevant dans sa nouvelle allure, la mère de Lauren avait chuchoté à sa fille : « *If she would loose weight, she would be very pretty...* » Alors que Flavie, au bras de son mari Donald, trouva sans le manifester qu'elle était le portrait tout craché de sa défunte mère. Mathias, ravi d'avoir revu son fils et sa bru, s'amusa quelque peu les jours suivants avec Anne, qui semblait aimer son grand-père. Moins habile avec les filles, il réussit quand même à l'intéresser à une toupie qu'ils firent pivoter ensemble sur le plancher, pour ensuite faire mine de s'emballer devant sa poupée de chiffon. La petite lui fit une caresse le jour du départ, et Mathias et Marie-Jeanne, sur l'insistance formelle du jeune « docteur Gaudreau », finirent cette fois par accepter de prendre l'avion avec les billets qu'il leur avait réservés. Avant de quitter Roger et d'emprunter le couloir des embarquements à l'aéroport, Mathias lui dit :

— J'suis ben fier de toi, mon fils. Si seulement ta mère était là ! Elle aimerait Lauren pis les p'tites. Elle aurait tant souhaité une fille...

Roger, ravi par les mots de son père, lui répondit cependant :

— Papa, si maman était encore là, je ne serais pas ici avec Lauren et mes deux enfants, parce que c'est elle qui m'aurait élevé et non grand-père et grand-mère Imbault avec Flavie… Tu saisis ?

— Ben oui ! T'as ben raison ! J'ai pas pensé à ça, verrat !

De retour à la maison, alors que Danielle était venue s'enquérir de leur séjour, quelle ne fut pas la surprise de la grande sœur de retrouver Marie-Jeanne dans sa robe neuve, avec ses souliers neufs et sa chevelure qu'elle avait gardée gonflée. Ébahie, Danielle s'était écriée :

— Quel changement ! Un peu plus et je ne te reconnaissais pas !

— T'es sûre que ça m'va bien, cette tête-là ? C'est la coiffeuse de Lauren…

— Va pas plus loin, tu es superbe ! Ça te rajeunit de cinq ans et tu fais plus fille de ton temps, Marie-Jeanne ! Ne reviens jamais en arrière, tu es une nouvelle femme comme tu es là !

— Mais encore trop grosse, j'ai vu des regards sur moi…

— Tu n'es pas la seule, crois-moi, mais si tu veux maigrir, tu n'as qu'à couper le chocolat, les gâteaux, le Pepsi et un peu le porto. Ce qui te donnerait une plus belle peau du même coup.

— Oui, j'devrais peut-être essayer…

Parce que Marie-Jeanne, qui ne portait aucun maquillage pour les cacher, affichait des boutons d'acné sur le front, le menton, les joues et même sur le nez !

Les mois semblaient tout de même assez bien se dérouler. Mathias travaillait fort, rentrait à la maison, jamais un mot plus haut que l'autre à l'endroit de Marie-Jeanne, même lorsque le pâté chinois était un peu trop sec et que les pains oubliés au four étaient brûlés. Il savait qu'elle faisait son possible, qu'elle le traitait aux p'tits oignons, que son linge était régulièrement lavé, son lit souvent changé et que la maison reluisait de propreté. Alors, pourquoi chercher des poux quand une fille de son âge se sacrifiait ainsi pour son vieux père ? Léo et Gloria, pour leur part, étaient toujours heureux à Laval dans leur belle demeure avec la grande et profonde piscine dans laquelle les garçons pouvaient plonger. Ce cher Léo à son père qui, enfin, était devenu le gérant du magasin de tapis où il travaillait. Avec un plus gros salaire et des employés sous ses ordres. Une marche plus haute pour l'aîné des Goudreau ! Mathias allait souvent les visiter, il aimait leur compagnie et Gloria le gardait à souper la plupart du temps afin qu'il veille avec eux dans leur véranda, le soir venu. Marie-Jeanne restait chez elle, cependant, évitant les invitations de la famille. Elle appréciait se retrouver seule, faire tourner ses disques de Fernand Gignac et se rendre de temps à autre au cinéma avec Danielle qui jamais ne lui refusait cette joie. Gaston ne se montrait pas ou presque... Toujours en couple avec Desneiges, ils étaient séparés de corps néanmoins et le deuxième des Goudreau trouvait satisfaction auprès de femmes rencontrées ici et là. Desneiges, de son côté, comblait ce vide avec on ne savait qui... Encore jolie et attirante, elle n'avait sans doute aucune difficulté à dénicher un homme consentant dans les parages pour assouvir ses menues rages. Gloria, lors d'une conversation avec sa belle-sœur lui avait demandé après quelques confidences de celle-ci :

— Pourquoi vous ne vous séparez pas, Desneiges ? C'est pas une vie de continuer comme ça, tu penses pas ?

— Non, j'veux pas briser mon ménage, j'veux pas qu'on me montre du doigt en disant : « Regarde, c'est elle, la séparée ! »

— Voyons donc, tu serais pas la première ! Tu pourrais refaire ta vie et Gaston aussi !

— Non, c'est pas dans ma nature, ces choses-là. On se marie pour la vie chez les Clément. Et j'voudrais pas que Lulu se retrouve avec des parents chacun de leur côté.

— Mais c'est déjà comme ça, Desneiges, il passe des jours sans rentrer...

— Oui, mais il revient et Lulu le voit, c'est ce qui compte. Il couche souvent ici.

— Avec toi ?

— Oui, dans le même lit pour que la p'tite le voie sur son oreiller. C'est pas qu'elle l'aime, son père, elle est toujours aux prises avec lui, mais Lulu ne grandira pas avec des parents chacun de leur côté, ça c'est juré !

Inutile d'insister de la part de Gloria, sa belle-sœur était de plus en plus « désaccordée » dans sa tête. Mieux valait s'en tenir éloignée et ne lui parler que de temps à autre et pas très longtemps. Car, jamais Desneiges n'était invitée à venir souper ou à se baigner chez Léo qui ne pouvait la supporter. Quant à son frère Gaston, l'aîné ne le voyait plus ou presque, il en avait des nouvelles par le paternel ou Marie-Jeanne quand il passait prendre une bière avec Mathias et que Gaston avait travaillé avec son père sur le même chantier.

Yvette, pour sa part, ne faisait pas beaucoup parler d'elle de ce temps. Elle travaillait depuis peu comme vendeuse dans un Woolworth de la rue Sainte-Catherine près d'Amherst, et Johnny allait la chercher tous les soirs après le travail pour souper avec elle à la maison. Yvette avait un peu changé son attitude. Moins *flashée* qu'avant, surtout au magasin où elle devait revêtir une espèce de *duster,* elle se maquillait moins, se coiffait plus élégamment et portait des bijoux plus discrets, pas seulement de gros anneaux de gitane comme autrefois. Johnny Pratte, content de sa petite femme, la présentait à ses amis qui la trouvaient fort jolie. Ce qui aurait pu être une erreur de sa part, mais non, Yvette combattait ses démons en baissant les yeux devant un confrère de son mari qui la tentait.

À la fin de l'été, toutefois, alors qu'il était revenu plus tôt à la maison lors d'une journée de congé de sa femme, Johnny vit un garçon sortir de chez lui pour enfourcher une bicyclette de livreur avec un gros panier broché au-dessus de la roue de devant. Surpris, il attendit quelques minutes avant de rentrer et d'apercevoir Yvette, assise dans la cuisine, se recoiffant avec une cigarette au bec :

— Déjà toi ? Tu finis ben de bonne heure, aujourd'hui ?

— Oui, pour être avec toi en ton jour de congé. Tu te coiffes ? Est-ce qu'on sort ?

— Non, c'est que j'ai fait un gros lavage et que, toujours penchée, j'finis par être dépeignée.

— Personne n'a appelé, personne n'est venu ?

— Non, pas un chat, j'ai été seule toute la journée, pognée entre mes tâches et la télévision…

— As-tu commandé des choses de l'épicier ?

— Heu… non, pourquoi ? demanda la jeune femme en pâlissant.

— Pas de menteries, Yvette, j'ai vu le livreur sortir d'ici juste comme j'étais en train de me parquer… Une commande ou une visite ?

Très mal à l'aise, tremblante quelque peu, nerveuse, elle finit par lui dire sur un ton qu'elle voulait nonchalant :

— C'était le livreur de chez Deschamps, il m'a rapporté deux items que j'avais oubliés hier sur le comptoir de la caisse.

— Yvette… à d'autres ! Mens-moi pas, je sais très bien ce que ce gars-là est venu faire ici. Deux coussins du sofa sont par terre dans le salon. Tu t'es agenouillée ? C'est ça, non ?

Le regardant, Yvette se mit à pleurer pour ensuite se couvrir le visage de ses mains, les enlever, le regarder encore et lui avouer :

— J'ai fait une rechute, Johnny ! C'est pas d'ma faute ! J'ai tenu l'coup longtemps…

— Pourquoi avec lui ?

— J'sais pas, ça a adonné comme ça, ç'aurait pu être un autre…

— Pas vrai ! Tu en avais envie, n'est-ce pas ? Jeune et pas laid… C'est pas comme ton vieux mari !

— Non, Johnny ! Dis pas ça pis élève pas la voix, j'ai pas voulu te tromper, c'est une maladie… Face au gars, j'étais comme l'ivrogne qui a arrêté de boire qui se r'trouve devant une bouteille… On fait des efforts pour pas succomber quand on est pris avec c'te problème-là, j'ai lu sur le sujet… Mais je t'aime, Johnny ! Tu ne vas pas me mettre à la porte pour ça ! J'ai besoin de ton aide…

— Qu'est-ce que t'as fait avec lui qu'on fait pas ensemble ?

— Rien, Johnny, la même chose, c'est juste que c'était un autre…

— Ben, pour du pareil, t'aurais pu m'attendre, non ?

— Tu sembles pas comprendre c'que j'te dis, tu devrais lire le livre qu'on m'a prêté, j'suis comme ça depuis longtemps, Johnny, tu l'savais avant qu'on s'marie, j't'ai rien caché. Ça remonte à mon enfance, j'suis née comme ça, j'suis pas certaine que ça s'guérit…

Johnny, la voyant pleurer à chaudes larmes, fut soudain pris de compassion et, la prenant dans ses bras, il lui murmura tendrement :

— J't'en garderai pas rancune, Yvette. Peut-être que ça va passer avec le temps, mais j'peux rien faire pour toi, juste essayer d'comprendre. La seule chose que j'te demande, mon cœur, c'est de pas faire ça chez nous la prochaine fois.

— Y aura pas d'prochaine fois… J'te l'jure !

— Non, ça s'guérit pas, c'est toi qui viens d'le dire. Pis, comme j'crois pas à tes serments, j'vais juste ajouter, promesse d'ivrogne, Yvette. C'est exactement comme avec la boisson quand on a un vice comme le tien dans l'corps.

Désemparée, Yvette attendit au lendemain avant d'aller voir son père pour lui raconter le méfait qui avait failli lui faire perdre Johnny. Ce dernier, fronçant les sourcils, s'était écrié :

— Yvette, calvaire ! Arrange-toi pas pour que ton mari t'jette dehors ! Jamais tu vas rencontrer un autre bon gars comme lui ! Viens pas m'dire que tu peux pas t'retenir maintenant que t'es mariée pis qu'y est à la maison chaque soir que l'bon Dieu amène ! Si ça t'chicote tant qu'ça, t'as juste à l'appeler pour qu'y arrête en passant, y est chauffeur de taxi, y peut prendre le temps qu'y veut pour lui !

— T'as rien compris, p'pa ! Quand ça m'arrive, c'est pas de lui qu'j'ai envie, mais d'un autre. N'importe qui ou presque ! Le livreur du marché comme le facteur si y sonne pour un colis. J'y peux rien, j'suis faite comme ça, je l'ai lu dans mon livre, p'pa !

— Ben, défais-toi pis refais-toi, maudit ! Avant de perdre ton mari !

— J'peux pas, p'pa, c'est toi pis la mère qui m'avez faite comme j'suis !

Chapitre 11

Les printemps, les étés, les automnes et les hivers s'étaient succédé et, cinq ans plus tard, au cœur de l'année 1968, en regardant par le rétroviseur de la vie quotidienne, plusieurs choses s'étaient passées chez les Goudreau et dans leurs familles immédiates. Mathias, affichant maintenant soixante-huit ans, était relativement en forme, sauf quelques problèmes de digestion. Encore bel homme, il ne s'était pas remarié comme plusieurs l'auraient pensé, préférant poursuivre sa vie sur les chantiers, avec Marie-Jeanne à la maison pour s'occuper de lui et de l'entretien ménager. Deux femmes lui avaient suffi. Deux épouses dont il allait fleurir les tombes aux anniversaires en compagnie de l'un des enfants des regrettées Antoinette et Maryvonne. Léo et Gloria habitaient toujours leur même bungalow avec leurs deux fils devenus grands et très respectueux de leurs parents. Léo, quarante-sept ans, encore séduisant, dirigeait avec succès le magasin de tapis, ce qui faisait dire à sa femme en riant : « C'est de là que tu vas prendre ta pension un jour ! T'as jamais rien cherché ailleurs ! » Elle, de son côté, femme au foyer, s'occupait de l'entretien de la pelouse, de la piscine et des travaux extérieurs sans pour autant négliger ses corvées hebdomadaires.

Chez Gaston, tout était au beau fixe, car Desneiges ne voulait pas d'une séparation. Lulu, qui avait grandi, était plus détestable que jamais. Effrontée, mal élevée, elle répondait à sa mère à défaut de ne pas faire damner son père qui n'était pas souvent à la maison. Peu intéressée par la famille, elle refusait même de se rendre chez ses grands-parents maternels qui, pourtant, lui avaient toujours démontré de l'intérêt mêlé à beaucoup d'affection. Et les filles de son école la fuyaient comme la peste ! Sans avoir de maîtresse officielle, Gaston fréquentait à tour de rôle deux femmes des environs sans que l'une ne sache rien de l'autre. Et ce, depuis cinq ans. Toujours sur les chantiers avec son père à titre d'électricien, il venait souvent manger à la maison où Marie-Jeanne l'accueillait avec un reste de la veille ou un sandwich aux tomates toasté avec salade et mayonnaise. «Rien de *fancy,* disait-elle à Danielle. En autant qu'il a le ventre plein, celui-là… Pis, ça lui coûte pas une cenne ! » Grand, chétif, pas beau comme son frère Léo, le deuxième de la famille n'en plaisait pas moins aux femmes. Et, à part les deux régulières, il lui arrivait parfois de sauter la clôture avec une cliente dont le calorifère était en panne. Mais rien de prometteur avec ces rencontres. Desneiges l'avait tellement diminué autrefois par ses vilains propos qu'il en était resté marqué. Elle, toujours attrayante quoique plus ronde avec les ans, avait des amants de temps en temps lorsqu'elle se rendait seule dans un bar pour prendre un verre. C'était là qu'elle trouvait souvent un homme de son goût pour une aventure d'un soir, pas plus. Et, rassasiée, elle restait des mois sans sortir après une telle équipée. Folle à lier selon Mathias, « une furie », toujours selon lui, elle était détestée de son beau-père et des membres de la famille Goudreau, Gloria incluse qui s'en était éloignée en répondant strictement à quelques-uns de ses appels sans les prolonger. Marie-Jeanne, fidèle à elle-même, aucun changement sauf une coche de plus dans l'art culinaire, préparait maintenant, à l'aide de livres de recettes, d'assez bons plats pour lesquels Mathias la félicitait. Pas une seule livre en moins ni en plus, elle portait les vêtements de sa mère, ses robes surtout, qu'elle avait gardées après son décès. Danielle avait beau lui suggérer d'être un peu plus de son temps, elle répondait toujours qu'elle se sentait bien dans sa peau sans rien y changer.

Lors d'une première communion, quelques semaines après le baptême de la petite Marie au Manitoba, elle s'était entretenue au téléphone avec Danielle au sujet de la réception du lendemain et lui avait dit vouloir porter une robe de sa mère, dans les tons de gris ornés de noir. En plein été ! Stupéfaite, l'aînée lui avait répliqué :

— Voyons, Marie-Jeanne ! Pourquoi ne mets-tu pas celle que Lauren t'a achetée lors de ton séjour chez elle ?

— Ben… non. Dans l'fond, c'est pas tout à fait mon style, j'suis plus à l'aise dans mes propres robes, pis j'me suis fait donner une permanente, j'aime mieux être frisée qu'avoir les cheveux bouffants. Chacun ses goûts, non ?

Danielle, raccrochant l'appareil, en avait déduit intérieurement : Chassez le naturel, il revient au galop ! Le lendemain, à la stupeur de sa grande sœur qui l'avait trouvée métamorphosée au retour de son voyage chez Roger, elle l'avait retrouvée à la réception vêtue de la robe affreuse de sa défunte mère à laquelle il manquait un bouton, avec la tête frisée comme un mouton !

Danielle et Darren, couple toujours uni, coulaient des jours heureux avec leur fils Michel, dit Mike pour les White, qui grandissait et étudiait au milieu d'amis, issus de familles à l'aise, dans un collège privé où Darren l'avait inscrit dès sa première année. Plus vieux maintenant, il était affable, visitait son grand-père et tante Marie-Jeanne avec ses parents, mais l'affection de Mathias envers l'enfant s'était estompée. On sentait qu'il s'était peu à peu détaché de son petit-fils privilégié, avec qui il se comportait maintenant comme avec ceux de Léo, c'est-à-dire avec gentillesse, mais sans gâteries, ce dont Danielle s'était rendu compte sans pour autant le lui reprocher. Elle préférait que Michel vole de ses propres ailes sans être accroché à la tendresse démesurée de son grand-père. Ainsi allait leur vie. Toujours épris l'un de l'autre, partageant les mêmes goûts, voyageant ensemble, Darren et elle formaient, selon les dires de ceux qui les connaissaient bien, le couple idéal, d'après les livres sur les relations amoureuses et les principes des courriéristes du cœur.

Pour Roger, au Manitoba, la chance était au rendez-vous. Le docteur Goudreau, quarante ans depuis peu, était le médecin le plus considéré de son quartier de Winnipeg. Les patients venaient même de plus loin pour la réputation de ses bons soins. Attaché à plusieurs hôpitaux de la région, Roger était aimé et respecté de tous. Famille complétée avec Anne et Marie, ses deux filles adorées, l'harmonie régnait aussi au sein de son couple avec Lauren qui était toujours responsable du secrétariat de son bureau, situé maintenant dans un immeuble non loin de leur maison. Ils avaient déménagé le cabinet de consultation afin de permettre à leurs deux filles d'être plus libres dans leur environnement. Anne aimait les chiens, Marie, les chats. Or, pour ne pas faire de faveurs, Lauren acheta, en même temps, au *pet shop* de son quartier, un caniche et un chat persan. Deux animaux qu'on disait ennemis et qui s'entendirent à merveille, ayant été adoptés le même jour. « Avec un papa docteur, on n'aura pas besoin de vétérinaire ! » avait dit Anne à sa mère. Ce qui avait fait rire Roger, le soir venu. Très près de ses filles malgré les longues heures allouées à ses patients toute la journée, le docteur Goudreau, en soirée, aimait ouvrir des livres de contes avec elles et leur faire la lecture de *Hansel et Gretel* ou de *La Belle au bois dormant.* Ce qui enchantait Lauren qui ne voulait pas que ses filles ne dépendent que d'elle en grandissant, à cause d'un père trop souvent absent. Et comme Roger avait la fibre paternelle très forte, aucune inquiétude de ce côté pour les deux fillettes qui l'accueillaient toujours à bras ouverts.

Pour ce qui était de Raymond, il travaillait maintenant dans un plus vaste restaurant où les pourboires étaient plus généreux. Bien de sa personne, aimable avec les clients, on réclamait souvent ses services pour des tablées de dix ou douze convives. Ce avec quoi Raymond composait bien au grand bonheur de son patron. Mimi, pour sa part, avec ses quarante-quatre ans et sa mine sombre, était restée au restaurant où elle était serveuse depuis si longtemps. Sachant fort bien qu'elle était limitée côté apparence, elle n'avait pas cherché ailleurs. Ses clients réguliers l'aimaient beaucoup et pouvaient toujours compter sur elle pour obtenir plus de sauce sur leur hamburger steak ou une pomme de terre de plus dans leur assiette. Son uniforme retiré, elle et son Raymond de dix ans plus jeune poursuivaient leur bonheur ensemble. Sans un mot plus haut que l'autre, dans le même logement de Mimi depuis les premiers jours de leur concubinage. Aucun changement dans leur cas, sauf le nouvel emploi de Raymond et l'échange de sa vieille Chevrolet pour une Pontiac de l'année précédente que Mimi lui avait payée pour son anniversaire. Toujours en contact avec son père, il sentait que ce dernier était content de le savoir dans le droit chemin avec une compagne de choix. Bref, Mathias se fiait beaucoup à Mimi pour le tenir en laisse parce que, livré à lui-même… Malgré les bonnes intentions de Raymond, le père ne pouvait s'empêcher d'être quelque peu méfiant. *Vire-vent, vire-poche!* pensait-il encore en songeant à lui. Danielle et Darren ne les invitaient pas cependant, se demandant bien ce qu'ils auraient à se dire. Darren et Raymond n'avaient rien en commun et Danielle avec Mimi dans une éventuelle conversation… c'était certes un point d'interrogation. Toutefois, Léo et Gloria étaient souvent des soupers du couple White. Danielle aimait sa belle-sœur et Darren adorait Léo avec qui il s'entendait à merveille. Leurs garçons, Robert et Claude, devenus de jeunes adultes, ne se joignaient pas à eux à moins qu'il y ait baignade avec Michel dans leur piscine creusée, les soirs de chaleur d'été. Mais Mathias et Marie-Jeanne venaient souvent manger avec eux, ce qu'appréciait la grosse fille qui se délectait des plats élaborés de sa sœur aînée et du vin de qualité de son beau-frère. Mais, lorsque tante Marie-Jeanne était conviée, curieusement, Michel se trouvait une invitation à souper chez un ami de son âge. Même s'il la respectait, on sentait que ça n'avait jamais vraiment cliqué entre elle et lui depuis qu'il était tout petit. Parce qu'il avait compris très jeune, dans les bras de son grand-père à ce moment-là, que Marie-Jeanne n'aimait pas les enfants.

La chère Yvette, de son côté, malgré ses écarts de conduite discrets, toujours avec Johnny, vivait maintenant dans une petite maison d'un seul étage sur la rue Dickson. Rien de cher ni de trop beau, mais chez eux, comme disait Johnny qui travaillait encore sans relâche sur le taxi. Âgée de trente-deux ans avec un mari qui en avait cinquante-deux, la plus jeune des Goudreau avait quitté le Woolworth pour se trouver un emploi comme vendeuse dans un magasin de vêtements pour dames de la rue Hochelaga, non loin de chez elle. Plus sage, du moins plus irrégulière au cours des cinq dernières années, elle n'avait rechuté que deux fois dans ce qu'elle appelait son mal incurable. Un terme qui l'arrangeait. À deux reprises seulement, au vu et su de son mari, parce que son mal s'était manifesté à maintes reprises sans que son mari n'en sache rien. Johnny avait fermé les yeux sur une aventure avec un vieux aux doigts longs du quartier qu'il avait menacé s'il revenait rôder près de chez lui et, la seconde fois, avec un garçon de vingt-quatre ans qui remplissait les tablettes, le soir, chez un épicier du coin et qui, libre le jour, s'était rendu chez Yvette

pour repartir en enfouissant sa queue de chemise dans l'arrière de son pantalon, alors qu'il était sur le perron et que
Johnny tournait le coin de la rue pour rentrer à la maison.
Il le laissa filer, réprimanda vertement Yvette qui se mit à
pleurer, à le supplier de comprendre en lui disant n'aimer
que lui et Johnny, compatissant devant la maladie incon-
trôlable de sa femme, lui avait dit : « C'est correct, mon
cœur, mais je t'ai déjà dit que j'voulais pas que ça s'passe
ici ces cochonneries-là ! C'qu'on voit pas, ça fait moins
mal... » Yvette promit, resta sage pour un certain temps en
ne se contentant que de son mari, jusqu'à ce qu'un mâle de
trente-cinq ans lui fasse un clin d'œil à l'insu de sa femme
au magasin où elle travaillait et qui, revenu sur l'heure du
dîner, l'avait entraînée dans un endroit peu en vue de la
Rive-Sud. Telle était Yvette qu'on n'allait pas changer, s'il
fallait en croire son père qui se doutait bien de ses péchés.
Les prières, les lampions, les supplications à sa défunte
Maryvonne, rien n'y fit, Yvette était inguérissable ! Damnée
pour l'enfer ! vociférait Mathias, en baissant souvent les bras
de colère.

En revisitant l'année dernière dans sa tête, Mathias
se souvenait de l'Exposition universelle où tous les pays
avaient été représentés dans leurs pavillons respectifs à l'île
Sainte-Hélène. Ce qui avait fait l'orgueil de Jean Drapeau,
maire de Montréal, et la joie du fils de Danielle qui, avec son
père, avait rempli son passeport de tampons et de timbres
de tous les pavillons visités. En début d'année 1968, la
skieuse canadienne Nancy Greene avait fait honneur à son
pays en remportant une médaille d'or et une autre d'argent

aux Jeux olympiques de Grenoble en France. Les Canadiens avaient gagné la coupe Stanley, ce qui avait plu à Gaston et Raymond qui suivaient fidèlement le hockey. Et pendant que Pierre Elliott Trudeau posait sa candidature à la succession de Lester B. Pearson, ce que Mathias surveillait de près, Marie-Jeanne annonçait à Léo que Brigitte Bardot, son actrice préférée, venait de tourner dans *Shalako,* un film américain avec Sean Connery, qui allait arriver bientôt sur les écrans. Jamais rien de profond pour la pauvre Marie-Jeanne qui se dévouait pourtant corps et âme au bien-être de son père.

Néanmoins, malgré ses fausses promesses, Yvette se permit une autre « rechute » que son mari, cette fois, ne digéra pas. Non contente de le tromper à son insu avec des vendeurs, des voyous de son quartier et des p'tits jeunes à débaucher, elle s'était aventurée à se donner à son beau-frère Danny, venu livrer des planches de bois à Johnny pour des réparations sur sa galerie arrière. Il faisait chaud, c'était la canicule ou presque et Yvette, en congé ce jour-là, avait offert à Danny, qu'elle regardait déambuler dans la cour en jeans avec juste une camisole sur le torse, de prendre une douche s'il le voulait, ce qu'elle venait de faire elle-même. Dégoulinant de sueur, le beau-frère ne s'était pas fait prier et, sortant de la salle de bain enroulé dans une serviette, Yvette lui avait dit :

— Cherche pas ton linge, y est dans la machine à laver, ça va l'rafraîchir.

— Mais j'ai rien d'autre à me mettre sur le dos... marmonna Danny.

— Tiens, prends la robe de chambre de Johnny pour quinze minutes, ton linge va sécher vite sur la corde avec la chaleur qu'y fait.

Danny se plia de mauvaise grâce à la demande de sa belle-sœur, sans se sentir tout à fait à l'aise. S'il fallait que son frère revienne plus tôt du taxi à cause de la canicule et qu'il le trouve ainsi dans son salon... C'était pas correct, selon lui, d'autant plus que, par cette chaleur, Yvette se dandinait devant lui en petit short, avec un bustier quasi transparent. Et comme elle sortait aussi de la douche... Se doutant de ses intentions, gêné de la situation, il accepta néanmoins la bière froide qu'elle lui offrait. Puis une autre et... une autre ! Danny, un peu pompette par cette chaleur, ne se rendait pas compte que, de son genou, Yvette soulevait le pan de la robe de chambre qu'il portait pour ensuite lui lancer :

— Tu me tentes, toi ! Si t'étais pas mon beau-frère ! T'es bien fait en verrat ! J'dirais pas non si j'avais l'droit !

Il avait souri et, mettant sa gêne et sa retenue de côté, il lui répondit :

— Ben, si ça reste entre nous pis que Johnny n'est pas près d'arriver...

— Aucun danger, y finit à sept heures à soir. Pis, t'as pas à craindre, ça va rester entre nous, ajouta-t-elle en lui retirant la robe de chambre de son mari tout en se collant contre lui.

Époustouflé par l'audace, lui-même marié et père de famille, Danny ne pouvait s'imaginer être en train de tromper sa femme avec sa propre belle-sœur. Mais comme le désir l'emportait sur la retenue, il ne fut pas réticent lorsqu'elle l'entraîna flambant nu dans la chambre à coucher. Et ce fut, pour le beau-frère, une orgie indescriptible. Jamais il n'aurait cru qu'Yvette… Malheureusement pour eux, Johnny arriva plus tôt que prévu et les surprit, elle, décoiffée, en train d'ajuster son bustier, et son frère qui, maladroit, ne parvenait pas à remettre, après qu'Yvette les eut enlevés de la corde, sa camisole qu'elle lui avait lancée avec le jeans quasi séché, tombé par terre. En colère, déshonoré et se sentant trahi, Johnny sauta sur Danny pour lui crier, entre ses coups :

— Ça prend un écœurant ! Faire ça à son propre frère ! Coucher avec sa femme pendant qu'y est pas là ! T'es une ordure, Danny !

L'autre, se protégeant des coups de poing qui risquaient de l'atteindre, le suppliait dans un lâche plaidoyer :

— C'est pas moi, Johnny, c'est elle qui m'a soûlé pis entraîné dans son lit. J'savais plus c'que j'faisais ! Mets-moi dehors, si tu veux, mais dénonce-moi pas à ma femme. J'ai trois p'tits gars, tes neveux…

— Je les ferai pas payer pour toi, salaud, mais saute dans tes culottes pis sors d'ici avant que j'te casse la face en deux ! Pis toi, Yvette, attends qui j'aie fini avec lui, mais habille-toi, arrête de t'promener en brassière et d'agacer les mâles avec tes tétons quasi à l'air ! On va s'débarrasser d'abord de Danny pis on va ensuite jaser, toi pis moi !

Danny tenta de s'expliquer, de ne pas rompre les liens avec Johnny, mais ce dernier lui cria, en lui montrant la porte :

— Non, dehors ! T'as même pas eu d'respect pour la famille ! T'es pareil comme tous les cochons qui viennent ici, mais pire encore, la femme de ton propre frère !

Danny, voyant qu'il ne réussirait pas à contrôler sa colère, sortit précipitamment quitte à le rappeler le lendemain pour s'expliquer plus longuement. Car si un froid persistait entre lui et son frère, toute la parenté allait se questionner, sa femme la première. À peine était-il sorti qu'Yvette avait revêtu un peignoir rose sans dire un traître mot. Johnny, de retour dans la cuisine, l'apostropha :

— Toi, tu t'habilles, tu fais tes valises, pis tu décrisses ! C'est-tu assez clair ?

— Johnny ! Tu peux pas faire ça, j'ai pas pu résister, c'est lui…

— Non, c'est un salaud, mais pas un menteur, mon frère. J'suis certain que c'est toi qui l'as provoqué pis entraîné dans ton lit. Comme tu l'as fait avec le livreur de l'épicerie pis bien d'autres que j'connais pas, mais dont j'me doute. Tu t'en vas, t'as compris ? C'est fini, toi pis moi, Yvette ! Prends ton linge pis appelle un taxi. Va où tu voudras, mais tu couches pas ici à soir !

— Johnny, pour l'amour, j'ai toujours été ton cœur, tu m'as souvent comprise pis pardonnée, tu connais mon attirance…

— Oui, avec les autres, mais pas avec mon frère ! T'as fait l'erreur de ta vie, c'te fois-là ! J'suis patient, mais j'suis pas un cave, Yvette ! Pis attends-toi pas à c'que j't'appelle mon cœur, t'es juste une pute ! Une tigresse qui se jette sur les hommes comme une bête féroce ! Pis tu les choisis bien, des *bums* du coin, des fois ! Tu penses m'en passer des p'tites vites, mais tu sauras que l'propriétaire de la maison de chambres où tu vas avec les sortis de prison du quartier, me rapporte tout chaque fois qu'y t'voit rentrer avec un pas bon. Pis ta job, tu vas la perdre, parce que ça va être loin en calvaire pour toi de venir travailler sur Hochelaga en restant à Cartierville chez ton père !

Yvette, les coudes appuyés sur ses genoux, la tête entre ses mains, gardait cette attitude de pénitente dans le but de l'attendrir, mais cette fois, ça ne fonctionnait pas. Johnny, s'ouvrant une bière, avait sorti du placard les valises de sa femme et les lui avait jetées au pied de son lit où elle s'était réfugiée. Surprise, étonnée, comprenant qu'il était sérieux dans son ultimatum, elle lui demanda :

— Tu veux vraiment qu'ce soit fini, Johnny ? Tu veux qu'on se sépare, qu'on divorce ?

— Oui, au plus sacrant. J'en ai assez de vivre avec une truie ! C'était la fois de trop, Yvette ! Pis tu m'auras plus avec ta maladie ! T'es pas malade, t'es vicieuse, t'es cochonne, t'es corrompue ! T'as jamais pu garder un homme parce qu'il t'en fallait cinquante ! Pis t'as jamais aimé personne, t'as l'cœur trop dur pour ça ! Si tu penses que j'vais t'regarder t'envoyer en l'air avec n'importe qui, pis m'taire et t'consoler ensuite dans tes faux remords, t'as chié, Yvette ! Pis là, avec mon frère par-dessus le marché !

— Arrête ! Calme-toi ! C'est la chaleur qui t'accable, pis comme la nuit porte conseil…

— J'ai pas besoin d'conseils de personne, mon idée est faite, tu pars pis j'refais ma vie. J'vais même faire annuler notre mariage avec c'que j'vais leur dire de toi ! T'es pas sortie du bois, cette fois ! Moi, une vache comme toi, j'pardonne pas ça ! Encore moins quand le cochon qu'elle attire dans son lit est mon frère Danny !

— Je t'répète que c'est lui qui m'a approchée ! Ça se joue à deux des *games* comme ça ! J'l'ai pas violé pis lui non plus ! Y avait trop bu…

— Oui, mais pas toi, Yvette ! T'aurais pu l'repousser dans c'cas-là ! T'avais encore ta tête… Mais non, pis j'crois ben plus mon frère que toi, t'es guidoune même sobre ! T'as pas d'excuses, tu fais ça de sang-froid ! Sans même t'imaginer qu'ça fait mal aux autres… Pense aux parents du p'tit Jutras que t'as piégé deux fois pis qui en a finalement parlé à sa mère… Un jeune de seize ans que t'as débauché sans scrupule. Ça m'a pris tout mon p'tit change pour expliquer à son père que t'étais malade, que t'avais quelque chose qui tournait pas rond dans ta tête, pour éviter de leur dire que t'étais une salope ! J'ai perdu toute ma salive, avec ce mensonge-là ! Encore chanceux qu'y m'ait cru, l'bon-homme, y voulait t'faire arrêter !

Pensant avoir trouvé un fil conducteur pour se faire pardonner avec le bout de phrase : *sans même t'imaginer que ça fait mal aux autres…* Yvette lui murmura :

— Si tu voulais me donner une dernière chance, j'te jure que j'te ferai plus jamais mal avec ma mauvaise conduite. J'te l'jure sur la tête de ma défunte mère…

— Non, arrête, tu vas la faire s'retourner dans sa tombe ! J't'ai dit qu'c'était fini, prends tes affaires, appelle un taxi, pis va où tu voudras ! Chez ton père ou chez Paulette, ton amie l'ivrognesse, mais sors de ma vue ! Juste à t'regarder, le cœur me lève !

Voyant qu'il n'y avait rien à faire pour qu'il lâche le morceau, Yvette se leva, le foudroya du regard et lui lança en plein visage :

— Ça va te coûter cher, Johnny ! On met pas sa femme dehors comme ça au Québec ! Pis comme le divorce est maintenant admis, ça va te ruiner, j'vais t'arracher tout c'que tu possèdes !

— Ah oui ? Avec quelle accusation ? Quels reproches ? Moi, j'ai un plein calepin de raisons, j'ai relevé les noms de tous ceux que t'as tripoté depuis qu'on est mariés. Pis quand le juge va entendre que t'en es rendue à coucher avec mon frère…

— Tu l'dénoncerais en cour, Danny ? Y pourrait l'payer cher !

— J'm'en sacre ! C'était à lui de s'retenir, de pas s'laisser avoir par une traînée comme toi ! Mais j'perdrai rien, c'est toi qui vas t'retrouver tout nue dans 'rue, Yvette !

Mal en point, désespérée, mais non désemparée après s'être habillée et avoir rempli ses valises de son linge et de ses effets personnels, Yvette appela son père et lui déclara haut et fort pour que Johnny entende :

— P'pa ? Penses-tu qu'tu pourrais m'recevoir chez toi demain pis quelques jours après ? Johnny m'sacre dehors, y a perdu la tête !

— Dis-lui au moins pourquoi ! cria son mari de son fauteuil.

— Quoi ? Tu dis que c'est correct ? J'ai bien compris p'pa ? conclut Yvette en bouchant le récepteur de sa main.

Et, raccrochant l'appareil sans que Johnny ajoute un seul mot, dernier espoir pour elle, Yvette appela un taxi pour se faire conduire dans une maison de chambres tandis que son père, inquiet, se grattait la tête et que Marie-Jeanne chialait déjà à l'idée de la voir apparaître.

Le lendemain, après avoir passé une nuit dans un *tourist room* de la rue Saint-Denis où elle se rendait parfois, Yvette se présentait en taxi chez son père avec ses trois valises et deux gros sacs d'effets personnels bien remplis. Marie-Jeanne la reçut assez froidement et lui désigna la chambre d'en bas en lui disant :

— C'est là que tu vas habiter pour l'instant, pis t'as besoin de l'entretenir, c'est pas moi qui vas l'faire !

— Ça va, j'suis capable, j'ai tenu maison, tu sais. Pis, pourquoi qu'tu m'reçois avec un air de bœuf ? J'suis ta sœur, pas une mendiante !

— C'est mon air naturel, tu devrais l'savoir ! J'ai pas grand façon, le père arrête pas de m'le dire.

— J'veux ben croire avec les étrangers, mais pas avec moi, Marie-Jeanne ! On a quand même grandi ensemble !

L'aînée ne releva pas la remarque et s'arrangea pour être un peu plus conciliante jusqu'au retour du père, le soir. Elle sentait qu'Yvette était malheureuse d'avoir perdu Johnny. Elle savait aussi, qu'avec ses vices, sa p'tite sœur était plus malade qu'elle avec son asthme. Marie-Jeanne prépara le repas du soir, une soupe au chou et une fricassée aux oignons, et Mathias arriva en disant :

— Ça sent bon, ma grande ! T'as fait quelque chose de spécial ?

Puis, apercevant Yvette qui descendait de la salle de bain sur ses talons hauts et fins, il lui dit :

— Bon, t'es là toi, on va pas parler maintenant, on va attendre après l'souper. Ça risquerait de mal rentrer sans ça !

Ils prirent place à table, Marie-Jeanne remplit l'assiette de son père et laissa Yvette se servir elle-même, tout en remarquant qu'elle poussait au fond du chaudron les oignons qu'elle trouvait trop gros, trop ronds. Arrivés au dessert, une tarte au citron que Marie-Jeanne avait appris à faire, mais Yvette n'en mangea qu'une petite pointe, laissant la croûte de côté, car elle était trop cuite, trop dure, trop sèche. Une tasse de thé, un bonbon à la menthe pour digérer, la sœurette avait été surprise de n'avoir pas eu droit à un verre de vin à titre d'invitée. Marie-Jeanne aurait pu lui offrir un doigt de porto, mais elle était pingre avec sa boisson, c'est elle qui la payait, c'est elle qui la cachait et c'est elle... qui la buvait ! Mathias, conviant Yvette au vivoir, prit place en face d'elle pour finalement lui dire :

— T'as fini par perdre ton Johnny, un si bon gars !

— C'est pas encore fait, j'suis certaine qu'y va revenir, y m'aime trop pour me laisser tomber comme ça.

— C'est pourtant pas c'qu'y m'a dit au téléphone, ma p'tite, y a pas l'air de vouloir encore de toi dans sa vie... J'sais pas au juste c'qui est arrivé, mais y semble en maudit comme c'est pas possible. Qu'est-ce que t'as fait ? Tu l'as trompé avec un autre pis y l'a su ?

— Johnny a toujours été au courant d'ma maladie. Y s'en accommodait, p'pa, y m'disait qu'y m'pardonnerait chaque fois en autant qu'ça soit pas à la maison qu'ça s'passe.

— Pis t'as profité d'sa permission ? T'as exagéré, j'imagine ?

— Non, pas tellement, j'me retenais le plus possible, j'essayais de m'guérir, de m'défaire de mon vice. J'lisais sur le sujet, y voyait que j'faisais des efforts…

— Alors, pourquoi qu'y t'a mis à porte, Yvette ? Qu'est-ce que t'as fait pour le faire rager d'colère ?

— Ben simple, le père, j'ai couché avec son frère !

Mathias, d'abord estomaqué, lui rétorqua en balbutiant :

— A… avec son frère ? Lequel ? Pas celui qui lui a servi d'père ?

— Non, l'autre, Danny, celui qui était pas au mariage. Mais c'est lui qui est venu m'flirter en livrant du bois. J'avais aucune intention, moi…

— Ben, ça parle au diable ! Pis t'as couché avec lui ! Sans retenue pour ton mari ni pour sa famille !

— Ben, y était pas mieux qu'moi, lui, pour entraîner la femme de son frère jusque dans un lit !

— Sûrement ! Pis Johnny doit l'haïr ! Mais c'est un homme, Yvette ! « L'homme propose, la femme dispose », tu connais l'adage ? Ça t'concerne c'te phrase-là ! Pis cherche pas d'excuses ! T'aurais pu l'repousser ! J'suis certain que tu t'es laissée faire ! J'te connais…

— Ben, là c'est fait, on peut plus revenir en arrière. J'suis venue te demander de m'héberger jusqu'à ce que j'me trouve un emploi ailleurs que dans Hochelaga. C'est trop loin pour moi. J'ai appelé mon *boss* à matin pis y m'a dit qu'y allait me donner de bonnes références, j'ai été une excellente vendeuse à son magasin. Et si Johnny veut plus m'reprendre, j'vais m'organiser avec ma vie, p'pa. Des jobs comme celle-là, y en a partout, pis j'vaux mieux qu'ça, j'ai déjà été *barmaid*.

— Vante-toi pas d'ça, Yvette, surtout de l'endroit où tu travaillais ! On va commencer par te garder pour un bout d'temps. De toute façon, Johnny veut me rencontrer demain, j'entendrai donc une autre version, pis on jasera après. Va dans ta chambre, t'as l'air fatiguée, t'as pas trop dormi, toi...

— Non, j'ai passé la nuit blanche. Imagine, p'pa ! Un *tourist room* avec le va-et-vient !

— Alors, va te détendre, on reparlera de tout ça après que je m'serai entretenu avec ton mari.

Yvette retrouva sa chambre, se jeta sur le lit tout habillée et, en moins de cinq minutes, elle dormait comme une enfant qui avait trop sauté à la corde. Au téléphone avec Danielle, monsieur Goudreau tentait de lui expliquer ce qui arrivait à Yvette sans que Marie-Jeanne entende, mais, cette dernière, au salon devant la télévision, avait baissé le son pour lancer à son père :

— T'as pas besoin d'essayer de m'cacher quoi que ce soit, j'ai surpris des bouts de ta conversation avec Yvette, pis j'me doute de c'qui est arrivé. Madame Johnny Pratte a pris l'bord pis La Goudreau r'vient nous rentrer dans l'corps ! C'est pas mal ça, hein, p'pa ?

Le lendemain, alors qu'Yvette s'était rendue au centre d'achats afin de laisser le champ libre à son mari venu rencontrer son père, ce dernier avait demandé à Marie-Jeanne d'aller faire un tour chez Danielle jusqu'à ce qu'il la rappelle. Puis, ayant pris congé du chantier, seul sur sa galerie, il vit le taxi de Johnny arriver, se stationner, et son gendre en descendre avec le caquet bas pour lui dire, avant d'entrer :

— Ça m'rend triste de vous faire de la peine, monsieur Goudreau, mais faut que j'vous explique…

— Commence par entrer, Johnny, viens boire une bière, ça va te calmer, t'as encore le visage long pis les traits tirés.

Johnny accepta le fauteuil et la bière du beau-père avant que ce dernier lui avoue :

— Je sais ce qui est arrivé, Johnny, on a beaucoup jasé, Yvette et moi. C'est épouvantable ce qu'elle a fait, mais ton frère est aussi à blâmer pour l'avoir quasiment forcée de coucher.

— Quoi ? Yvette vous a dit ça ? La menteuse ! Mon frère est à blâmer, c'est sûr, j'suis pas prêt d'lui pardonner, mais c'est pas lui qui a sauté sur Yvette, mais plutôt elle qui l'a soûlé pour ensuite l'entraîner jusqu'à sa chambre pour l'agresser. Y a pas résisté, y était presque soûl, ça lui en prend pas gros à celui-là. Mon frère a bien des défauts, monsieur Goudreau, mais y est pas menteur, y m'a dit la vérité mot pour mot. Elle a même lavé sa camisole pis ses jeans pendant qu'y prenait une douche parce qu'il avait sué avec la canicule. Et c'est en sortant d'la salle de bain, tout nu ou presque, qu'Yvette, qui avait préparé son coup, s'est jetée sur lui pour le tâter pis… J'aime mieux m'arrêter, c'est pas trop distingué ce qui pourrait suivre.

— Va pas plus loin. Johnny, j'te crois, elle a toujours été menteuse, ça remonte à loin, mais là, astheure qu'on sait tout, qu'est-ce que tu comptes faire ? T'en débarrasser ?

— J'aurais pas voulu en arriver là, monsieur Goudreau. Je l'aimais bien, votre fille, j'fermais les yeux souvent, mais j'peux pas être un cocu content tout l'temps et faire rire de moi par ses *bums* pis ses amants de passage. Y a des limites ! Même des chauffeurs de taxi que je connais ont passé dessus sans que j'le sache ! J'suis pas une nouille, j'ai des couilles, mais j'peux pas aller m'battre avec tous ceux avec qui elle a couché ! La liste est longue, l'employé d'la maison de chambres les a tous nommés. Des jeunes comme des vieux ! J'peux pas aller plus loin, ma défunte mère me l'pardonnerait pas ! J'ai tout essayé, j'comprends que c'est une maladie, mais j'suis au bout d'ma corde avec elle. Faut que j'la laisse ! J'compte vendre, changer de quartier, aller sur la rive sud me trouver un appartement pis reprendre le taxi dans c'coin-là. Pour ce qui est d'Yvette, j'veux plus la revoir, ce serait assez pour qu'elle braille jusqu'à c'que j'plie encore. Pis ça, j'suis plus capable !

Sa bouteille de bière vide, Johnny s'épongeait le front et Mathias, vraiment compatissant, lui en déboucha une autre avant de lui demander :

— Tu comptes divorcer, dans c'cas-là ?

— J'vais commencer par me séparer. On n'a pas d'enfants… J'ai rien à partager, la maison est juste à mon nom. Mais si elle travaille pas, j'la laisserai pas tout nue dans 'rue, j'ai plus de cœur que ça ! J'ai déjà appelé un avocat et, selon lui, je n'aurai pas de pension à lui verser, mais comme j'suis bon gars, quand la maison sera vendue, j'lui donnerai une petite partie de ce qui restera après avoir réglé l'hypothèque. Ce sera mieux que rien, ça lui permettra de se trouver un logement pis de recommencer une autre vie.

— Donc, aucune chance de réconciliation cette fois, à c'que je vois.

— Non, monsieur Goudreau, aucune ! Elle m'a usé jusqu'à la moelle avec son dernier coup. Pis mon cœur est dur comme une pierre quand j'pense à elle. L'amour que j'avais s'est éteint comme un restant d'chandelle ! J'ressens plus rien, j'veux juste avoir la paix…

— Et pour ce qui est de ton frère ?

— Je l'ai pas dénoncé, j'ai eu pitié de sa femme pis de ses enfants. Pis, elle l'avait soûlé, il était pas tout à fait consentant, il l'avait jamais regardée, Danny, pas même désirée. Y comprenait même pas ce qui s'était passé pour se retrouver en une demi-heure dans son lit sous ses draps. C'est c'qu'y m'a dit, y a jamais été attiré par elle ni aucune autre femme. Danny est le genre de gars fidèle. Ma remontrance l'a fait brailler comme un veau, c'est pas des farces, monsieur Goudreau !

Mathias, voyant que son gendre ne voulait plus de sa fille, et pour cause, n'insista pas davantage. Il aimait tant Johnny qu'il souhaitait le voir heureux et comme Yvette l'avait rendu malheureux, presque fou de jalousie, il lui conseilla, avec la meilleure des chances, de prendre soin de lui. Quant à Yvette, elle allait relever de l'autorité de son père jusqu'à ce qu'elle quitte la maison. En quelques jours à peine, Yvette Goudreau, rongée par son mal, avait vu sa vie de femme basculer et s'éteindre comme un feu de paille.

Marie-Jeanne revint pour le souper et Mathias lui raconta brièvement que Johnny se séparait d'Yvette pour les raisons qu'elle connaissait, sans toutefois rien préciser. La grosse fille, épluchant les patates, avait répliqué à son père :

— Bon, lui, y en est débarrassé, mais c'est pas notre cas ! Dis-moi pas qu'on va l'avoir sur les bras, p'pa ?

— Pas pour longtemps, j'me charge d'elle, t'en fais pas…

Mais il ne put aller plus loin, Yvette rentrait de ses emplettes et, voyant son père le visage défait, elle lui lança en déposant quelques sacs sur une chaise :

— Y veut plus rien savoir de moi, pas vrai ?

— Effectivement, ma fille, il va même se séparer légalement, vendre et s'en aller vivre ailleurs que dans le quartier Hochelaga.

— Vendre ? J'suis sa femme ! Y va me devoir une pension !

— J'penserais pas, Yvette, c'est à lui la maison pis, sans enfants… Y m'a tout raconté, tu sais ce que j'veux dire… Encore des menteries à ton père…

— Quoi ? Il t'a fait accroire que…

— Arrête, fais-moi rien dire de plus, ça t'calerait davantage. Surtout devant Marie-Jeanne… À partir de maintenant, tu es sous mon autorité, Yvette. Jusqu'à ce que tu prennes soin de toi toute seule.

— Ben, ce sera pas long ! J'ai pas envie d'avoir des comptes à te rendre, le père, pas à mon âge ! Une semaine, pas plus, pis j'serai rendue ailleurs, fais-moi confiance !

— Pour ça, j'en doute pas ! T'as le don de vite retomber sur tes pattes, toi, quand tu réussis à sortir du lit !

— Qu'est-ce que tu veux dire par là ?

— Laisse faire, j'me comprends.

— Pis moi aussi ! cria Marie-Jeanne de la cuisine.

Mathias et Marie-Jeanne n'avaient toutefois pas eu à attendre trop longtemps avant qu'Yvette prenne un autre tournant. Ayant fait une demande d'emploi dans quelques magasins ainsi que dans un ou deux clubs de nuit de Laval comme *barmaid,* elle eut la chance inouïe d'arriver dans l'un de ces endroits au moment ou la *barmaid* en poste depuis vingt-trois ans voulait prendre sa retraite. Le patron du bar, un ex-politicien de soixante-huit ans à sa pension, trouva en Yvette les qualités nécessaires pour son établissement très bien tenu et fréquenté par des professionnels pour la plupart. Yvette, dans la splendeur de ses trente-deux ans avec les courbes qu'elle affichait, allait être un joli « bibelot » derrière le comptoir principal. Elle allait porter un ensemble constitué d'une jupe noire ajustée et d'une blouse blanche assez décolletée pour qu'on admire ses charmes. Le patron avait insisté pour qu'elle soit toujours bien coiffée, savamment maquillée et parée de bijoux scintillants sans être, par leur cliquetis, dérangeants pour les clients. Yvette fit un essai de trois jours et, fort à l'aise et déjà appréciée et courtisée des clients réguliers, le patron s'intéressa à elle au point de lui offrir de la loger dans l'un des appartements d'un immeuble qui lui appartenait sur la rive nord. Ayant appris qu'elle était séparée, qu'elle n'avait pas d'enfants, pas de meubles, il lui acheta tout ce qu'il fallait pour que l'appartement soit de qualité avec tout le nécessaire requis. Puis, s'avançant de plus en plus, il lui avait demandé d'être celui qui prendrait la place de son mari avec tout ce qu'il lui offrait. Exactement ce qu'Yvette espérait ! Et, en peu de temps, la nouvelle *barmaid* devenait la maîtresse du proprio qui se mit à la gâter comme une reine. Des bijoux, des vêtements, du maquillage, bref, tout ce dont elle avait envie lors de leurs sorties. Ironie du sort, ce millionnaire avait l'âge de Mathias. À quelques mois près !

Maximilien, qu'on appelait Max, était pourtant marié, père de deux filles et grand-père de trois garçons. Ce qui ne l'empêchait pas de regarder de plus jeunes femmes que la sienne et de tomber follement amoureux d'Yvette, ce qu'il n'avait pas envisagé. Assez bel homme encore, plus petit qu'elle cependant lorsqu'elle était juchée sur ses talons, ils formaient un couple à l'aise que Mathias et Marie-Jeanne n'étaient pas près de rencontrer. Car, ayant été menacée d'être sous l'autorité de son père, Yvette ne tenait plus à le fréquenter pour se faire reprocher ses agissements. Elle avait téléphoné à Danielle pour lui dire : « J'ai une nouvelle vie, un nouveau chum, pis j'dérangerai pas personne. Mais j'ai rien contre toi ni ton mari. Je t'appellerai de temps à autre. » Ce qu'elle ne fit pas pour un bon laps de temps. Johnny, séparé de sa femme, attendit que le divorce soit finalement assez facile au Québec pour demander le sien par la bouche de son avocat. Recevant les papiers, voyant qu'elle allait tout perdre et qu'il était inutile de lui intenter un procès, Yvette les signa pour se défaire de son ex-mari quelque peu encombrant. Au grand bonheur de Max, qui sentait que cette sulfureuse femme ne serait qu'à lui désormais. Johnny obtint par son divorce, sa liberté totale, refit du taxi, et Mathias ne reçut qu'un coup de fil de sa part pour s'entendre dire par son ex-gendre qu'il était enfin libre de sa fille, sans toutefois lui redire qu'il lui verserait un petit montant des profits de la maison vendue parce que, selon lui, il ne lui devait rien.

Néanmoins, il avoua à Mathias qu'il ne l'oublierait pas, qu'il avait été un excellent beau-père, qu'il avait toujours été bon pour lui et qu'il reviendrait le voir lorsqu'il passerait dans les parages. Paroles en l'air, on ne le revit jamais !

Un divorce dans la famille et voilà qu'on parlait d'un mariage maintenant. En effet, Raymond et sa Mimi avaient décidé de s'unir selon les désirs de la dame. Mathias, s'enquérant auprès d'elle de son intention, elle qui lui avait dit que le mariage était pour ceux qui voulaient des enfants, répondit à son futur beau-père :

— J'ai mis trop de choses au nom de Raymond, je lui ai prêté beaucoup d'argent, j'ai payé sa voiture, j'ai trop investi sur lui pour risquer de tout perdre. Ensemble, en bonne et due forme, ce qui sera à lui sera aussi à moi. Vous savez, monsieur Goudreau, je l'aime beaucoup votre fils, mais je ne le *truste* pas ! Il a dix ans de moins que moi, il en regarde de plus jeunes au restaurant…

— Pour ça, vous êtes mieux de vous y faire, car l'infidélité, c'est une maladie contagieuse dans notre famille.

— C'est-à-dire ?

— Que c'est plutôt héréditaire… Du côté des ancêtres de ma femme, j'suppose. En tout cas, pas des miens ! Mais Raymond pis Yvette, tout en étant de bonnes personnes… J'sais pas comment vous le dire, mais vous devrez être aux aguets, ils ont tous les deux, la main baladeuse pour lui, la cuisse légère pour elle. Vous saisissez ?

— Pour lui, ça fait longtemps que je l'sais, j'ai même passé l'éponge une fois ou deux, mais, un coup mariés, y a besoin de s'tenir tranquille ! On m'joue pas dans l'dos bien des fois ! J'peux avoir la main assez raide quand on m'bourre de menteries ou qu'on s'moque de moi !

Et au début de l'automne, le dernier samedi de septembre, le 28 plus précisément, Raymond et Mimi se mariaient pour le meilleur et pour le pire. On avait lancé des invitations auxquelles Danielle et Darren avaient répondu par l'affirmative. Léo et Gloria trouvèrent un prétexte pour ne pas s'y rendre, Gaston ne répondit même pas et Roger, même s'il connaissait peu son demi-frère, lui fit parvenir un cadeau avec ses compliments et ceux de sa femme. Pour ce qui était d'Yvette, elle avait répondu être en devoir au bar, ce jour-là, alors qu'elle aurait pu prendre congé. On l'excusa, mais la p'tite dernière était plutôt « en devoir » avec Max dans une auberge de Cornwall, en Ontario, pour ne pas risquer d'être surprise en flagrant délit dans les Laurentides. Finalement, peu de monde à ces noces où on se demandait qui étaient les mariés tellement ils étaient vêtus comme les invités. Peu de parenté du côté de Mireille, dite Mimi, et un dîner au restaurant que la mariée paya de son argent. Danielle et Darren partirent assez tôt et Mathias et sa fille, Marie-Jeanne, la seule avec son père à avoir connu la mariée avant ce jour, rentrèrent à la maison après avoir mangé de tout. Elle surtout ! Raymond avait prononcé ses vœux avec beaucoup de détermination dans la voix. Lorsque Mathias, après la réception, lui demanda alors qu'il était seul avec lui :

— Tu vas lui être fidèle, au moins, et bon mari ? Mimi est une si bonne personne…

— Ne t'en fais pas, papa, je lui serai toujours dévoué et bien intentionné. Mimi est la seule à m'avoir recueilli et donné une chance quand j'suis sorti de prison. Ça s'oublie pas, des gestes comme ceux-là, j'lui en serai toujours reconnaissant.

Et vlan !

Chapitre 12

1970 et Mathias venait de fêter ses soixante-dix ans au restaurant avec Marie-Jeanne, Danielle, Darren et leur fils Michel. Depuis l'été dernier, il avait enfin pris sa retraite des chantiers. Non pas qu'il était trop vieux pour y travailler encore, mais la santé avait commencé à lui faire défaut. Lui, toujours fort comme un bœuf, avait eu des problèmes cardiaques qui avaient inquiété son médecin. De plus, il souffrait d'anémie pernicieuse, il n'avait plus l'énergie des années précédentes et Danielle s'en souciait. Toutefois, on n'allait pas passer outre à ce chiffre qu'on voulait célébrer, malgré la réticence quasi farouche du nouveau septuagénaire. Mais il avait peu mangé et Marie-Jeanne l'avait fait pour deux. Il n'avait bu que la moitié d'un verre de vin rouge, Marie-Jeanne s'était chargée du reste de la demi-bouteille, Darren et Danielle avaient préféré le blanc. On lui avait offert des pantoufles, une veste de laine, et Marie-Jeanne, qui avait hérité du don de sa grand-mère, lui avait tricoté un foulard gris qu'il apprécia, le sien étant troué par le temps. Michel était aimable avec son grand-père et ce dernier lui rendait ses gentillesses, mais sans l'éloquence d'autrefois. Mathias, plus enclin à se pencher sur son état de santé, avait quelque peu tourné le dos à ses enfants et leur famille. Non qu'il ne les aimait pas, mais il avait peur de la maladie et s'était replié sur lui-même au point de ne plus sortir et de regarder la télévision avec sa fille qui prenait encore grand soin de lui. Marie-Jeanne, tout près de ses trente-sept ans, avait dit à Danielle :

— Moi, j'veux ben m'en occuper tant qu'y va être encore en forme, mais s'il tombe gravement malade, non ! J'ai pas ton savoir-faire, j'suis pas une infirmière, moi ! Danielle n'avait rien répondu, ayant repris depuis quelques mois, avec l'accord de Darren, sa profession dans un petit hôpital privé pour personnes à l'aise financièrement. Il était même question qu'ils délaissent bientôt la maison et qu'ils s'exilent à Toronto où Darren avait de fortes chances d'avoir une promotion. Ce dont Danielle ne parlait ni à son père ni à Marie-Jeanne, ne voulant pas vendre la peau de l'ours avant de l'avoir tué.

Yvette, comblée comme une duchesse avec son Max qui ne lui refusait rien, avait laissé tomber son emploi pour être exclusivement à son amant dans le bel appartement qu'ils partageaient ensemble quand il pouvait se soustraire à sa femme. La raison plus profonde était que trop de clients tournaient autour de sa maîtresse au bar de son établissement. Des hommes d'affaires assez en moyen pour rendre à Yvette la vie aussi agréable qu'il le faisait. Cette dernière, dans la splendeur de ses trente-quatre ans, était plus sensuelle que jamais. Consciente de son pouvoir sur les hommes, elle tentait par tous les moyens d'être fidèle à son Max qui, lui aussi, allait fêter ses soixante-dix ans. Plus en forme que Mathias cependant, il festoyait encore beaucoup, voyageait sans cesse, se démenait chaque jour pour ses immeubles et son luxueux bar et se voulait des plus affables avec ses employés et ses clients. Follement épris d'Yvette dont il ne connaissait pas le passé et encore moins ses vices cachés, il ne savait d'elle que le fait qu'elle avait été mariée ! Elle ne lui parlait même pas de son père ni des membres de sa famille de peur que son amant désire les rencontrer. Discrète pour ne pas dire secrète avec lui, parce que, encore minée par sa « maladie », Yvette n'avait trébuché qu'une seule fois en deux ans sans que Max n'en sache rien. Avec un fils de famille riche de vingt-sept ans auquel elle n'avait pu résister tellement elle en avait eu envie. Dans la chambre d'hôtel du gars en question qui ne parlait qu'anglais, mais dont elle avait su délier la langue autrement. Une seule rencontre avec ce bellâtre lui avait été suffisante et il l'avait su dès qu'elle était descendue de son lit. Penaud, il était reparti à Vancouver où il habitait sans qu'elle le revoie. Depuis, la fidélité entière à son Max, avec tous les efforts possibles pour ne pas retomber dans son mal avec un autre et perdre ainsi celui qui la faisait si bien vivre. Néanmoins, Yvette avait gardé quelques contacts avec Danielle à qui elle parlait de temps à autre, histoire de lui narrer la grande vie qu'elle menait avec son ex-politicien dans son luxueux appartement.

— Un homme de l'âge de papa ! lui avait reproché Danielle.

Ce à quoi la sœurette avait répliqué sans la moindre gêne :

— Pis après ? J'avais quinze ans que j'en avais déjà de cet âge-là !

Bouche bée, Danielle venait de comprendre que le grave problème de sa sœur n'avait jamais eu de préférence d'âge. De vingt à soixante-dix ans, parfois plus et parfois moins. C'était inexplicable ! Yvette, cependant, n'avait plus aucun lien avec Mathias et Marie-Jeanne. Les remontrances du père l'avaient éloignée de lui, et le sarcasme constant de Marie-Jeanne l'avait écœurée d'elle.

— Qu'ils soient heureux, je le leur souhaite, mais je ne les laisserai pas détruire mon bonheur. Ça fait si longtemps que je voulais une vie comme j'en ai une maintenant ! avait-elle avoué à Danielle.

Cette dernière avait remarqué qu'avec le temps Yvette s'exprimait mieux, que son vieil amant lui apprenait sans doute la grammaire et un meilleur « vocabulaire » afin d'avoir à ses côtés une très belle femme, certes, mais un peu plus éduquée.

Pour Gaston, en ce début d'année, c'en était fait, les dés étaient jetés et il quittait Desneiges en lui laissant tout ce qui aurait pu lui revenir, la moitié de la maison incluse. Il n'en pouvait plus d'avoir à s'y rendre pour faire semblant d'être un couple aux yeux de leur Lulu, qui se foutait d'eux éperdument. Desneiges ne compliqua pas la situation, trop heureuse de garder le duplex entièrement payé. Toujours aussi spontanée, elle avait appelé Gloria pour lui lancer :

— J'me suis débarrassée du bonhomme pis j'garde la cabane, le char pis les meubles !

Gloria, calmement, lui avait répondu :

— Non, Desneiges, c'est Gaston qui s'est débarrassé de toi. C'est lui qui a demandé le divorce.

Montée sur ses grands chevaux, Desneiges avait riposté :

— Ça revient au même ! Une folle dans une poche ! Je l'ai laissé demander le divorce pour tout garder, voyons ! Réveille, la belle-sœur !

Gloria, mécontente du traitement que lui réservait Desneiges avec ses reproches et son manque de respect envers elle, lui raccrocha la ligne au nez. Il y avait longtemps qu'elle désirait poser ce geste, s'en dégager une fois pour toutes, mais comme c'était quelqu'un de la famille… Là, avec un divorce bien en règle, Desneiges ne faisait plus partie des Goudreau et Gloria espérait de tout cœur que « la furie » ne la rappelle plus. Le soir, racontant à Léo ce qui s'était passé au bout du fil, ce dernier lui avait déclaré :

— T'as bien fait, Gloria, elle a fini de t'marcher sur les pieds, celle-là ! C'est d'valeur pour Lulu, elle est de notre sang, mais son père finira peut-être par s'en rapprocher avec le temps.

Toujours est-il qu'avec ses économies à la banque Gaston arrivait à bien vivre et, selon l'accord passé entre sa femme et lui, il n'allait pas avoir à payer une pension pour Lulu puisque Desneiges héritait de la maison, des meubles et de la voiture. Très peu attaché aux biens de la terre, Gaston Goudreau comptait bien se remettre en ménage avec une femme rencontrée récemment pour laquelle, cette fois, il éprouvait de profonds sentiments. Une très belle femme de quarante-sept ans prénommée Gail, une Canadienne d'origine anglaise, séparée d'un mari alcoolique et sans enfants.

Ils s'étaient rencontrés dans un bar, une danse avait suivi et, depuis, c'était le grand amour entre eux. Ce qui avait remis un sourire qu'on croyait à jamais perdu aux coins des lèvres de Gaston Goudreau. Léo, lui, prenait les ans comme ils venaient. Sage et serein avant l'âge, il conseillait ses garçons sur le choix de leur avenir et entretenait l'extérieur de la maison pendant que Gloria s'occupait de l'intérieur. Ensemble, ils effectuaient parfois de courts voyages. Pas loin, en Nouvelle-Angleterre ou dans quelques auberges du nord ou de Lanaudière. Ils s'étaient aventurés une seule fois à New York, mais ils en étaient revenus rapidement, incapables de composer avec l'effervescence de cette ville active jour et nuit. Léo, quarante-neuf ans, moins beau qu'avant, devenu un peu rond, moins ferme avec la morphologie qui se charge de la structure du corps au gré du temps, était encore gérant du magasin de tapis qui l'avait engagé dès son jeune âge. Un seul et même emploi toute sa vie ! Comme son frère, Gaston... Ayant hérité cette stabilité de leur père, ils en devaient aussi une partie à leur mère, Antoinette Imbault, qui était si calme, si posée, heureuse dans la constance, loin de l'agitation.

Mimi et Raymond, de leur côté, tenaient le coup dans leur mariage auquel on ne croyait pas. Plus mûr, trente-cinq ans bien sonnés, Raymond menait une vie passablement rangée, ne voulant pas se retrouver un jour derrière les barreaux, ce qui lui avait servi de leçon aux États-Unis. Très craintif de la justice, des procès et des juges, il était devenu honnête, certain de n'enfreindre aucune loi. Pour ce qui était des femmes, il butinait parfois, mais pas ouvertement ni sérieusement, et jamais pour que Mimi s'en aperçoive. À l'occasion seulement, quand une belle lui tombait dans les bras comme à l'époque où il avait un commerce avec sa première compagne, Marjorie. La plupart du temps, il rentrait après son chiffre, écoutait le hockey l'hiver, allait au baseball l'été et, pour lui faire plaisir, Mimi l'accompagnait de temps à autre, même si elle trouvait le baseball très ennuyant. Elle avait néanmoins peine à le traîner au cinéma à moins que, regardant l'annonce dans *La Presse,* il se rende compte que l'actrice semblait aussi bien tournée que Faye Dunaway. Mimi avait pris le contrôle des finances. C'est elle qui réglait tout, le montant de la commande d'épicerie comme l'argent des dépenses personnelles. Raymond, sans s'en plaindre, lui remettait sa paye tout en cachant quelques pourboires dans un endroit secret, au cas où il aurait à choyer une jolie fille qui, sans se faire prier, accepterait de monter dans sa voiture. Ah! si seulement Mimi avait su… Mais sa femme, de dix ans son aînée, l'avait mis en garde:

— J'te fais confiance, Raymond, mais fais-toi jamais prendre avec une autre par moi, ce serait la porte, j'passerais pas l'éponge! On est mariés, on est juste l'un à l'autre! Et si j'te suis fidèle, tu dois l'être aussi! Raymond, l'approuvant, n'osait lui dire que, pour elle, il lui serait difficile d'être infidèle… avec la tête qu'elle avait! Pauvre Mimi, elle ne se voyait pas! Il lui aurait fallu, dans un premier temps, retourner voir… son denturologiste! Mais, comme Raymond l'avait juré à son père, il était aux p'tits oignons avec sa femme, il la gâtait passablement, il la surprenait même parfois par ses élans démesurés. Parce que, il y a quelques années, elle avait été la seule à lui tendre la main à sa sortie de prison. La seule à l'héberger sans le juger, la seule à le convaincre qu'après avoir été rejeté on pouvait encore être aimé. Ce qu'il n'avait jamais osé répéter à son père en entier.

Marie-Jeanne, pauvre fille sans passé, sans avenir, était du matin jusqu'au soir au service de Mathias depuis qu'il était retraité. Les déjeuners, dîners, soupers, elle était sans cesse au poêle pour lui. Et, à ce rythme, comme elle mangeait fréquemment, elle engraissait abondamment. Au point que son père, sans aucune retenue, lui avait dit un jour :

— Arrête de t'remplir comme tu l'fais, Marie-Jeanne, t'es presque rendue d'la grosseur de ta mère !

Ce qui l'avait fait pleurer le soir dans sa chambre. Pour Mathias, sa fille était une servante, il avait quelques égards pour elle, mais il la tenait captive et à son service sans arrêt. Ce qui faisait de Marie-Jeanne une fille dans la fin trentaine sans vie à elle. Fini le tourne-disque qu'elle faisait tourner dans le salon, Mathias n'aimait pas entendre les chansons du vivoir quand il regardait la télévision. Pour le cinéma, Danielle l'accompagnait de moins en moins, occupée par son travail actuel et fatiguée après sa journée. Un certain vendredi soir, Marie-Jeanne s'était rendue seule en autobus au cinéma Granada de la rue Sainte-Catherine afin de voir un film avec Robert De Niro, mais un homme âgé était venu s'asseoir sur le banc à côté d'elle alors qu'il y avait beaucoup de sièges libres ailleurs. Figée un moment, puis sentant sa main frôler son genou sous son manteau, elle se leva d'un bond et sortit du cinéma pour revenir chez elle. Jamais elle n'avait eu aussi peur ! Or, confinée de nouveau à la maison, peu autonome, elle passait ses soirées devant la télévision après avoir fait le ménage et cuisiné toute la journée. De plus en plus aux prises avec ses crises d'asthme dès que l'automne revenait, elle avait le souffle court et, dans ces moments-là, Mathias était moins exigeant envers elle et se levait pour aller se chercher une bière ou se verser un café, ce qu'elle avait coutume de faire pour lui. Une existence vaine ou presque. Pas d'études, pas d'hommes dans sa vie, peu féminine, repliée sur elle-même, sans amies, sans avenir, son tricot à la main, son porto pas loin, son tourne-disque dans sa chambre maintenant, les chansons de Fernand Gignac en sourdine, la deuxième fille de la défunte Maryvonne n'avait pas eu la chance de son côté. À tel point que Danielle avait dit à Darren en parlant d'elle :

— Je me demande bien ce qu'elle va devenir lorsque papa ne sera plus là ! Et comment elle va vieillir, celle-là ! Ça me fait peur !

— Bien non, *honey,* Marie-Jeanne va se débrouiller. Elle pourra tenir maison, elle le fait déjà.

— Oui, avec papa derrière elle, mais seule, farouche comme elle l'est…

— Elle aura toujours de la famille. Nous sommes là, les autres aussi.

— Quels autres ? Yvette ne peut pas la souffrir, Raymond non plus ! Quels autres, Darren, à part nous ? Léo et Gaston ne sont que ses demi-frères. Pas drôle ce qui l'attend, la pauvre ! Pas même un veuf pour partager ses vieux jours…

— Non, n'y pense pas Danielle, parce que les veufs trouvent des veuves et des vieilles filles intéressées à tour de bras ! Et si Marie-Jeanne se retrouvait en lice, elle serait la dernière à être choisie. Faudrait que le veuf soit vraiment mal pris !

— Darren !

À Winnipeg, les saisons étaient belles pour Lauren et Roger Goudreau. Le médecin, «*doctor*» pour les anglophones, était apprécié de tous. Les femmes enceintes ne juraient que par lui pour leur accouchement et les enfants ne craignaient pas les injections des vaccins quand venait le temps de l'école, il était si souriant, si patient avec eux. Anne et Marie grandissaient en sagesse, elles réussissaient bien en classe et rentraient souvent à la maison avec des mentions d'honneur. Anne plus que Marie cependant, parce que la cadette était plus espiègle, moins attentive aux propos de son institutrice qui ne revenait pas deux fois sur ses explications durant ses cours. Roger, occupé comme il l'était, ne pouvait se rendre à Montréal aussi souvent qu'il le souhaitait. Il préférait inviter son père qui était venu plus tôt pour trois jours seulement, ne voulant pas laisser Marie-Jeanne seule trop longtemps. Invitée tout comme son paternel, la grosse fille avait refusé de s'y rendre pour ne pas avoir à composer, une fois de plus, avec les conseils de Lauren sur la mode et sa façon de se vêtir. Mathias avait été heureux de revoir son fils, mais ce dernier, à son cabinet chaque jour avec sa femme pour le seconder, ne pouvait lui consacrer autant de temps qu'il l'aurait souhaité. Mathias, bien sûr, se prélassait dans leur grand jardin, lisait sur la balançoire, faisait des marches de santé jusqu'au centre d'achats d'où il revenait avec des friandises pour ses deux petites-filles, mais le temps était quand même long pour lui qui désirait raconter à son fils tout ce qui se passait dans la famille. Ce dernier, toutefois, ne le questionnait pas. Il lui avait demandé des nouvelles de Léo et Gloria, de Danielle et son mari, de Marie-Jeanne... Peu lui importait les autres, il les connaissait à peine et comme Gaston s'était toujours tenu à l'écart, à quoi bon ! Roger avait tellement de patients à remettre en santé ! Mathias était revenu content de son voyage, le vol en avion lui avait plu, le service à bord aussi et, rendu à la maison, tentant de décrire ses petites-filles à Marie-Jeanne, celle-ci l'avait interrompu :

— Perds pas ton temps, p'pa, ça m'intéresse pas ! J'les ai vues juste une fois ! C'est pas comme le fils de Danielle ou les garçons de Léo... Pour ce qui est de Lulu, je l'ai rencontrée la semaine passée et sais-tu ce qu'elle m'a fait ?

— Non... de s'enquérir le père.

— Une grimace, la maudite vache !

Tel que planifié, Danielle et Darren allaient quitter le Québec pour aller vivre en Ontario où Darren avait obtenu une très avantageuse promotion. Sans en aviser trop tôt son père, Danielle prétexta un petit voyage avec son mari et leur Michel à Toronto, histoire de se changer un peu les idées. Mathias trouvait curieux qu'ils choisissent cette ville qu'on disait ennuyante pour des vacances, les plages de la Floride étaient certes plus invitantes. Toronto la pure, comme on disait ! Toronto la monotone, disaient les autres qui se demandaient quoi faire là, le dimanche. Mais Darren et Danielle avaient une bonne raison d'y séjourner. Ils étaient là afin de rencontrer un agent immobilier qui leur ferait visiter des maisons dans le quartier où Darren allait travailler. Non loin d'une école et si possible près d'un hôpital afin que Danielle y décroche un emploi, une fois installés. Et ils trouvèrent la maison tant cherchée ! Avec toutes les commodités que Danielle avait précisées. Une jolie demeure, un *cottage* à deux étages dans les prix qui convenaient à leur budget. Sur une rue assez tranquille, mais jamais avec la paix environnante qu'ils avaient à Montréal. Michel chiala un peu d'avoir à déménager, de perdre ses amis, d'en chercher d'autres, mais son père l'assura que le quartier était peuplé de gars de son âge. Ce qui allait s'avérer vrai pour Mike qui, désormais, parlerait plus souvent anglais que français. Ils signèrent l'offre d'achat et, de retour, ils n'eurent pas à mettre une pancarte pour vendre leur maison, un ami de Darren voulait en faire l'acquisition.

Mathias, les sachant revenus, avait téléphoné à sa fille :

— Et puis, vous vous êtes amusés à Toronto ? Vous avez visité ?

— On connaissait la ville, papa, et aussi bien être franche, ce n'était pas des vacances. Darren a obtenu une promotion et nous devons déménager. C'est pour ça que nous y sommes allés, il fallait trouver vite une maison près d'un *high school* et d'une université pour Michel et pas loin d'un hôpital pour que j'y travaille, et chanceux, on a tout déniché en une journée. On a acheté et on a même vendu notre maison à un ami.

Au bout du fil, aucune parole, aucun son, qu'une respiration…

— Es-tu encore là, papa ? Tu ne réponds rien !

— Oui, j'suis là, mais se faire garrocher ça dans les oreilles, ça donne un choc, Danielle. T'aurais pu m'en parler avant, me prévenir de votre déménagement... Là, c'est comme si j'assistais à un enterrement. Vous comptez partir quand ?

— Au mois d'août, papa. Avant que les études de Michel reprennent en septembre. Mais ce n'est pas si loin, Toronto...

Mathias pleurait. S'en rendant compte, Danielle insista :

— Tu vas venir nous visiter souvent, papa. Ne le prends pas si mal. Et nous allons revenir te voir...

— Pourquoi tu m'as fait ça, ma grande ? Qu'est-ce que j'vais faire sans toi ? Tu m'arraches le cœur, j'pensais jamais qu'tu t'en irais loin de moi...

Secouée par l'émotion, ne sachant quoi lui dire, Danielle, la voix tremblante, lui répondit :

— Fais-moi pas pleurer, papa, c'est déjà pas facile pour nous de partir... C'est pas de gaieté de cœur, comprends-le... Mais notre avenir est important pour le bien-être de notre fils. Tu le sais, tu as eu tellement d'enfants...

— Bon, j'vais me ressaisir, j'vais m'essuyer les yeux, mais c'est pas un cadeau à faire à son vieux père que d's'en aller loin d'lui au moment où y est seul et moins en forme.

— Papa, tu n'es pas seul, tu as Marie-Jeanne...

— Arrête, Danielle, j'peux ben te l'dire parce qu'elle est pas là, mais ta sœur, c'est pas d'la compagnie. On parle de rien ensemble... Une potiche ! Elle sait même pas quel jour on est aujourd'hui. Toujours dans la lune avec ses disques...

— Mais elle prend soin de toi, ne sois pas injuste.

— Oui, j'mange bien, mon linge est propre, j'ai ma bière pis elle a son porto, mais c'est pas avec elle qu'on peut tenir une conversation. Si tu savais comme les journées sont longues… Ton mari gagnait bien sa vie ici, pis toi aussi… Jamais content, Darren, toujours plus d'argent… Comme son père, le bonhomme White qui brasse encore des affaires.

— Ne deviens pas désagréable, papa, monsieur White est un charmant beau-père. Avec le temps, tu vas t'habituer à notre éloignement et, comme je te le disais, nous ne serons pas loin, le cœur est toujours près…

— Pas vrai, Danielle, quand le corps s'en va, le cœur suit avec! Vas-y à Toronto, j'vais prendre mon mal en patience…

— Pourquoi dis-tu cela?

— Parce que j'commence à avoir hâte que ma Toinette ou Maryvonne, ou toutes les deux ensemble, viennent me chercher pour m'emmener de l'autre côté. Là, au moins, personne ne quitte personne…

— Papa! s'il te plaît! Ne complique pas la situation, je n'ai pas mérité que tu t'en prennes à moi de la sorte pour un simple déménagement. Faudrait pas juste penser à toi, il y a d'autres personnes autour de toi… Est-ce qu'on devient égoïste en vieillissant?

La conversation se termina sur cette question sans réponse et, le soir venu, Mathias annonça à Marie-Jeanne que Danielle et Darren déménageaient à Toronto. Après avoir écouté les lamentations de son père, la grosse fille, les poings sur les hanches comme sa mère jadis, lança d'un trait:

— Ben, ça prend des hypocrites! Y font tout dans not' dos, pis a t'appelle pour te l'annoncer astheure que c'est fait! Y s'en vont, y s'poussent en sauvages! Ben qu'y s'en aillent ! C'est pas moi qui vais aller les visiter en Ontario ! Y r'viendront nous voir ou y resteront chez eux, j'm'en sacre !

Et, comme convenu, Darren et Danielle accompagnés de leur fils déménagèrent à Toronto à la mi-août qui suivit. Danielle, sans Darren, était allée voir son père la veille de leur départ, et ce dernier lui avait demandé :

— Darren est pas avec toi ? Y avait-tu peur que j'lui saute dans 'face ?

— Non, papa, il est pris avec les déménageurs, Michel leur donne un coup de main, on part demain.

— Oui, j'sais, pis comme on peut rien y faire, ben, bon voyage pis bonne chance dans ton nouveau logement, ma fille.

— Une maison, papa, pas un logement, on a acheté, je te l'avais dit…

— Ben, c'est pire ! Vous êtes pas prêts d'revenir !

Marie-Jeanne, qui lavait la vaisselle dans la cuisine, n'avait pas été trop accueillante et Danielle, s'en rendant compte, lui demanda comme pour mettre à l'épreuve ses bons ou mauvais sentiments :

— Et toi, tu vas venir nous visiter, Marie-Jeanne ? C'est un beau voyage en train, je te payerai le billet aller-retour.

— Non, tu peux l'garder ton billet, j'irai pas ! Moi, du monde qui s'en va en vitesse sans l'dire à personne, j'digère pas ça !

— On n'a pas le choix que de partir rapidement, Marie-Jeanne, le contrat de Darren commence la semaine prochaine ! On n'a pas eu de temps à perdre, tu devrais comprendre ça, non ?

— Tout c'que j'sais pis que j'comprends pas, c'est qu'on va être seuls comme des chats de gouttière qu'on abandonne quand on déménage, le père pis moi !

— Marie-Jeanne ! Pour l'amour du Ciel !

— Non, Danielle, pour l'amour de ton père, t'aurais dû laisser partir ton mari pis rester en arrière.

— Comme si ça se faisait… Tu es donc bien têtue, tu refuses d'être compréhensive à ce que je vois…

Mathias, épuisé par cet inutile dialogue entre ses deux filles, s'adressa à Marie-Jeanne en la regardant pour lui dire :

— Oublie ça, ma fille, ta grande sœur a raison, c'est pas d'nos affaires, c'est leur vie…

Ce à quoi la sœurette, fâchée, essoufflée, un chaudron à essuyer dans la main, répondit :

— On sait ben, l'père, ta plus vieille, ta préférée, tout c'qu'a fait, tout c'qu'a dit… Y a juste moi qui n'a jamais compté ici !

Un mois après le départ de Danielle, la santé de Mathias se détériora et, malgré ses médicaments, le pauvre homme déclinait de jour en jour. Le départ de sa fille l'avait secoué, affaissé, quasi éteint… Au point de se laisser aller dans son anémie et sa faiblesse. Marie-Jeanne, affolée, avait téléphoné à Léo pour l'avertir :

— Le père est de plus en plus malade, y faut faire quelque chose !

— Ben, appelle l'ambulance, fais-le transporter à l'hôpital, qu'est-ce que tu veux qu'on fasse de plus ?

— Ben, que vous veniez le voir, Gloria pis toi ! Moi, j'connais rien dans ces choses-là, mais y mange presque pas, y a le caquet bas, y jase de moins en moins, pis y dort tout l'temps dans son fauteuil.

— As-tu appelé Gaston ?

— Non, pourquoi lui quand t'es là, toi ?

— Parce qu'y a pas juste moi, Marie-Jeanne. J'en ai plein les bras avec le ciment de mon entrée de garage pis la piscine à vider. J'peux pas tout faire…

— J'sais bien, mais qu'est-ce que tu veux que j'fasse moi ?

— Appelle Danielle ! Demande-lui de s'en occuper. Un petit saut à Montréal, ça devrait pas la tuer, ça prend juste une heure en avion, pis comme elle est infirmière… En attendant, fais venir le docteur pis mets sa visite sur le compte à payer du père, j'm'en occuperai quand j'passerai.

Raccrochant le téléphone, Marie-Jeanne prépara un souper que son père toucha à peine et, le soir même, alors qu'il était monté se coucher, elle appela Danielle pour lui dire :

— Écoute, le père est malade, j'sais plus quoi faire.

— Bien, avise le docteur…

— C'est fait, il est venu, j'lui ai demandé de l'rentrer à l'hôpital, mais le docteur dit que c'est un cas de maison, de m'en occuper, que p'pa se laissait aller…

— Tu vois ? Tu es là, toi, nous sommes si loin… As-tu parlé à Léo ?

— Oui, c'est lui qui m'a dit de faire venir le docteur pis qui m'a demandé de t'appeler, y est même pas venu l'voir. Mais c'qu'y faudrait c'est que quelqu'un d'autre le prenne, j'suis pas capable, moi, j'ai pas la force. Pis j'commence

déjà mes crises d'asthme, ma pression monte, j'suis nerveuse… Pourquoi tu l'prends pas avec toi, Danielle, t'as
sûrement une p'tite place pour lui dans ta grande maison, et
comme t'es garde-malade…

— Marie-Jeanne, voyons ! On est à peine installés !
Darren commence tout juste à son nouveau poste et moi, je
fais déjà du *part time* à l'hôpital chaque soir jusqu'à ce qu'on
m'engage à temps plein. On a aussi Michel à la maison…
Je ne peux pas prendre papa avec moi, on est à Toronto, tu
devrais comprendre…

— Peut-être, mais c'est depuis que t'es partie qu'y s'est
mis à dégringoler. T'en es responsable, Danielle !

— Non, et tu ne vas pas me culpabiliser ni me blâmer de
son état de santé ! Il est malade depuis longtemps et s'il a
décidé de se laisser aller, ce n'est ni moi ni toi qui pourrons
le faire manger et le remonter. Il a la tête dure, tu devrais le
savoir, pourtant !

— Oui… mais tu es la seule qui pourrait essayer de le
remettre en forme. Il parle tout le temps de toi, il prononce
ton nom tout bas, tu as toujours été sa préférée… Un petit
séjour chez toi…

— Non, c'est impensable, adresse-toi à Léo, il a de la
place lui aussi, et il habite à Laval, à deux pas de son père.

— Ouais, j'vais voir ce que j'peux faire, mais moi, j'suis
plus capable, j'dors pas la nuit, j'l'entends râler pis ça m'fait
peur.

— Fais ce que je te dis, appelle Léo, c'est son fils, lui
aussi, le plus vieux à part ça !

— Bon, c'est correct, j'te donnerai des nouvelles si ça
s'arrange.

Marie-Jeanne, fort déçue de l'attitude de sa sœur aînée, attendit jusqu'au lendemain soir avant de joindre Léo en début de soirée alors qu'il nettoyait la pelouse de quelques branches cassées par le vent de la nuit.

— Qu'est-ce qu'y a encore ? demanda-t-il, impatienté.

— C'est l'père ! Y faut qu'tu l'prennes, Léo, y a besoin d'attention pis moi, j'suis pas capable de lui en donner. Toi, t'es l'plus vieux pis si y restait chez vous...

— Oh là ! Tu penses que tu vas me *dropper* le père comme ça ? Pourquoi t'as pas demandé à Danielle ? C'est elle, sa préférée !

— J'l'ai fait, Léo, mais elle a refusé et m'a dit de m'adresser à toi parce que t'es l'plus vieux, que le père te respecte et pour d'autres raisons que j'me rappelle pas... Arrêtez d'vous lancer la balle elle pis toi, grouillez-vous l'derrière, faites quelque chose sinon le père va crever sur le plancher d'sa chambre !

— Bonne façon de passer au suivant par l'entremise de ta chère sœur qui a sacré l'camp à Toronto pis qui veut pas être dérangée ! Écoute, j'le prendrais bien, mais j'peux pas imposer ça à Gloria, c'est juste sa bru, pas sa fille, pis l'père est gêné avec elle. Y faut que ce soit une de ses filles qui en prenne soin... As-tu demandé à Yvette ?

— Ben, voyons donc, tu penses qu'a va faire ça avec sa vie de millionnaire ? J'ai tout appris sur elle ! Pis l'père la porte pas dans son cœur...

— Essaye avec Raymond ou appelle son Roger au Manitoba. Le père le porte aux nues, lui, pis comme y est médecin, y doit savoir quoi faire avec un cas comme le sien.

— J'veux ben croire, mais y reste pas l'aut' bord d'la rue, lui ! Y habite loin en maudit, pis y a ses patients, y a pas de temps libres comme t'en as, Léo.

— Désolé, pense pas à moi ! Si tu trouves personne, appelle le curé d'la paroisse, y connaît peut-être des personnes fiables…

— Non, laisse faire ! Comme personne fiable, j'suis encore là ! Retourne à ton terrain, Léo, j'me rends compte que des branches cassées, c'est plus important que ton père qui a d'la misère à marcher !

Et elle avait raccroché brusquement, décontenancée devant l'ingratitude de deux des enfants de Mathias, les deux plus aimés à part ça ! Toutefois, le lendemain, Marie-Jeanne se risqua avec Yvette au cas où, dans son bel appartement… Mais à peine avait-elle parlé de l'état de son père et de ce qu'elle pourrait faire pour lui venir en aide qu'Yvette lui avait raccroché la ligne au nez. Marie-Jeanne n'en avait pas été surprise, Mathias et Yvette, ça n'avait jamais fonctionné. Chien et chat depuis toujours ! Et ce n'était pas elle la plus ingrate, c'étaient les deux premiers des deux familles Goudreau, Léo et Danielle, bien installés tous les deux, avec juste leur confort à prendre soin, pas leur père.

Mathias, de plus en plus mal en point le lendemain, se levait, tombait, mangeait peu et vociférait contre Marie-Jeanne qui n'avait pas fait sa soupane aussi claire que d'habitude. Désespérée, au bout de ses forces et de son courage, la pauvre fille attendit que le soir arrive pour composer le numéro de Roger à Winnipeg. Ce dernier, encore à son cabinet, selon la gardienne qui avait répondu, allait la rappeler dès son retour à la maison avec sa femme. Moins d'une heure plus tard, avant même d'avoir soupé, Roger téléphonait à Marie-Jeanne pour l'entendre lui dire en pleurnichant :

— Roger, enfin ! J'suis plus capable, le père est ben malade et personne veut s'en occuper. J'ai essayé de tous les côtés et même Léo pis Danielle ont refusé de m'aider. J'sais plus quoi faire, j'ai peur qu'y crève dans sa chaise !

— Allons, prends sur toi, assieds-toi et dis-moi ce qu'il ressent au juste.

Marie-Jeanne, écrasée dans un fauteuil, lui raconta tout bas ce qui arrivait à Mathias. Sa lutte contre la faim, ses sommeils prolongés, ses délires, ses maux d'estomac, sa mauvaise humeur, son laisser-aller... Elle en pleurait presque. Roger, très attristé lui répondit sans hésiter :

— Écoute, je vais te venir en aide, moi. Je vais prendre l'avion dès vendredi, mon bureau est fermé ce jour-là, et je vais l'examiner et le ramener avec moi s'il est dans un si piètre état. Je vais t'en délivrer, Marie-Jeanne, tu as largement fait ta part. Je téléphone à son médecin afin d'avoir son dossier au complet et je saurai mieux à quoi m'en tenir. Mais, ne t'en fais plus, j'arrive, on va s'en occuper, Lauren et moi.

Marie-Jeanne, enfin rassurée, monta se coucher non sans avoir remercié la sainte Vierge qu'elle avait tant priée.

Le lendemain, Roger avait réussi à joindre le médecin de famille de son père qui lui avait dit, après lui avoir promis son dossier complet pour le vendredi :

— Votre père n'en mène pas large, docteur Goudreau. Je ne suis pas sûr qu'il pourra effectuer ce voyage...

— Laissez-le-moi, je lui redonnerai des forces. Mon père m'aime beaucoup, ça va le remonter de m'avoir à ses côtés. Puis, pour le reste, à la grâce de Dieu, mais il ne mourra pas abandonné. Ma sœur fait bien son possible, mais comme vous le savez...

— Oui, je connais Marie-Jeanne depuis longtemps, une brave fille, courageuse en plus, mais ce n'est pas avec elle que votre père va remonter la côte, je crois qu'elle le démoralise, je veux dire...

— Non, docteur, le terme n'est pas trop fort, mais elle ne s'en aperçoit pas. Avant, du temps de sa mère et du reste de la famille, Marie-Jeanne passait inaperçue dans la maison de mon père, mais seule avec lui, c'est une autre histoire, vous comprenez. D'autant plus, j'en suis certain, qu'elle lui a répété que Danielle, maintenant à Toronto, et Léo, pourtant pas loin, ne voulaient pas s'occuper de lui. Alors, je vois à tout dès vendredi et merci de vos bons soins jusqu'à ce jour.

— Il n'y a pas de quoi, votre père est mon patient, mais pas le plus facile, vous allez voir, il crache même les pilules qu'on essaie de lui faire avaler !

Rassurée d'avoir enfin trouvé le bon samaritain, Marie-Jeanne avait téléphoné à Léo pour lui lancer d'un trait :

— Ben là, vous avez fini de vous *pitcher* l'père, Danielle pis toi, Roger s'en vient l'chercher ! Y a du cœur, celui-là !

Le vendredi, tel que promis, Roger Goudreau descendait de l'avion à Dorval et, sautant dans un taxi, il arriva à la demeure de son père en moins de trente minutes.

Marie-Jeanne, contente de le voir apparaître, le fit entrer et, d'un coup d'œil, Roger constata que la maison était fort négligée, que sa demi-sœur n'avait plus le temps de rien faire d'autre que de s'occuper de son père. Puis, s'approchant doucement de la chambre où Mathias, dans sa chaise, suivait des yeux un écureuil qui sautillait dans la cour, il vint vers lui pour lui dire avec tendresse :

— Bonjour, papa.

Le père se retourna et, apercevant son fils dans l'entrée de sa chambre, ses yeux s'embuèrent et il tendit un bras en lui disant :

— Roger, c'est toi ? Comme j'suis content, t'es venu m'voir, comme j'suis heureux, tu peux pas savoir...

S'essuyant les yeux d'un mouchoir en papier à sa portée, Mathias serra la main de son fils dans la sienne et lui avoua :

— J'suis plus en bonne santé, j'ai plus de force, mais à mon âge... J'ai tellement travaillé. Marie-Jeanne, apporte une bière à ton frère !

— Non, papa, je ne bois jamais d'alcool sauf un peu de vin au restaurant. Tiens ! On ira ensemble quand tu seras à Winnipeg avec moi.

— À Winnipeg ? Penses-y pas, mon garçon, j'ai d'la misère à mettre un pied devant l'autre. J'le dis pas à personne, mais j'ai mal partout, j'sens mes os craquer, j'ai tellement travaillé à genoux dans c'te maudit métier !

— Non, tu vas être capable, papa, ce soir et avec moi. Oublie pas que je suis docteur, il y a des fauteuils roulants à l'aéroport et, rendus chez moi, Lauren va nous attendre avec celui que j'ai dans mon cabinet pour les patients mal en point.

— Tu veux que j'parte avec toi à soir ? T'es sérieux ? Léo l'sait-tu ? Pis Danielle ?

— Tout le monde le sait, papa, tu as le souffle court, ne parle plus, laisse-moi faire à présent. Marie-Jeanne va te préparer une petite valise et, pour le reste, on va tout acheter au Manitoba.

— Mais, j'vais habiter où à Winnipeg ?

— Chez nous, papa, Lauren et moi, on va s'occuper de toi, on va te remettre sur pied. T'as rien à craindre, tu vas être bien traité. Anne et Marie ont bien hâte de revoir leur grand-père, elles aussi.

— Ben, si c'est comme ça… grommela Mathias, dans un petit sursaut d'énergie.

Puis, serrant à nouveau la main de Roger pour ne pas qu'il s'échappe, il lui demanda :

— Marie-Jeanne va-tu nous rejoindre quand on sera rendus ? J'peux pas la laisser seule trop longtemps, a compte sur moi.

— Oui, on verra à tout ça, papa, mais d'ici là, dors un peu. On va manger un p'tit quelque chose à l'aéroport et on soupera plus tard dans l'avion. Ça te convient de t'en venir avec moi, au moins ?

— Et comment donc !

Vers sept heures, après avoir embrassé Marie-Jeanne et lui avoir conseillé de prendre soin d'elle, Roger appela un taxi et partit avec son père en le tenant par les deux bras, marchant à reculons devant lui. Puis, à l'aéroport, il demanda un fauteuil roulant qu'on lui apporta voyant l'état du pauvre homme dont les genoux fléchissaient à chaque pas. On le fit monter en premier avec un autre malade qui se déplaçait avec deux cannes pour le soutenir et, sans avoir appelé ni Léo, ni Danielle, ni personne durant son bref séjour, Roger sentit que l'avion quittait la piste pour prendre son envol, bondé de passagers, son vieux père à ses côtés.

Dès qu'elle fut certaine que l'avion avait décollé, Marie-Jeanne s'empressa d'appeler Danielle à Toronto pour lui dire :

— T'as plus à t'en faire, le père est en route pour Winnipeg.

Mal à l'aise, l'aînée des filles, la préférée de son père, avait timidement demandé :

— Roger s'est-il informé de nous ? Il aurait pu téléphoner…

— Pourquoi ? Pour savoir pourquoi t'avais pas eu d'cœur pour ton père ?

— Marie-Jeanne ! Pour l'amour ! Ne deviens pas vilaine !

— Non, y s'est même pas informé de toi, ni de Léo ni de personne. Y s'est juste occupé de p'pa, pis y sont partis, mais j'sais c'qu'y pense de vous autres, ça s'lisait dans ses yeux, ajouta Marie-Jeanne, pour que Danielle se couche le soir avec la conscience plus chargée.

Le manège se répéta avec Léo, à qui elle avait dit que Roger n'avait même pas mentionné son nom et qu'il était parti en emportant son père comme un enfant, dans ses bras, en amplifiant la situation, pour que l'aîné se couche, lui aussi, avec des crampes d'estomac.

Léo lui avait rétorqué :

— Si Roger m'avait parlé, j'lui aurais expliqué la situation, y aurait sans doute compris…

— J'pense pas, Léo, parce que Roger est aussi docteur pis
que les médecins n'aiment pas qu'on laisse crever un parent
sans lui venir en aide. Surtout quand y s'agit d'son père !

Ayant raccroché avant qu'il réplique, satisfaite de ses
reproches, Marie-Jeanne se versa un verre de porto, changea
le lit de son père, fit sa lessive et put se détendre enfin dans
le vivoir avec le tourne-disque descendu de sa chambre et
les albums de Fernand Gignac dispersés sur la table.

Le voyage fut long et pénible pour Roger, qui sentait
que son père avait fait un violent effort pour entreprendre
ce périple. Un déplacement au-dessus de ses forces. Gavant
le paternel de comprimés et de tout ce qui pouvait l'aider,
il se rendait compte que son père ne lui résistait plus. Mais
Mathias avait toutefois réussi à lui dire :

— Toi, j't'écoute parce que t'es mon fils pis un bon docteur à part ça ! Mais, j'ai d'la misère à avaler les pilules trop
grosses… Faut les écraser dans une cuiller… T'en as pas
une plus p'tite ?

Roger sourit et, pour le distraire, lui parla de tante
Flavie et de son mari Donald qui avaient semé des plants de
tomates que les écureuils avaient rongés. Puis, il lui rappela
sa grand-mère Imbault qui avait été si bonne avec lui et de
Toinette, sa mère, dont il ne se souvenait guère. Son père,
tantôt endormi, tantôt réveillé, lui avait murmuré :

— Elle était si belle. J'ai hâte d'aller la retrouver…

Le sentant nostalgique, Roger avait vite changé de sujet
pour lui désigner un petit garçon d'environ deux ans, assez

turbulent sur les genoux de sa maman. Mathias souriait, ça lui rappelait ses enfants, Raymond surtout, à cet âge, alors que Maryvonne criait pour le faire taire.

Puis, comme Mathias refusait de manger quoi que ce soit, Roger lui offrit une menthe pour lui rafraîchir l'haleine. Dans un effort, son père lui murmura :

— Tu sais, j'ai toujours été un bon père pour mes enfants, je leur ai donné tout c'que j'ai pu, quitte à tirer le diable par la queue... Y a juste toi que j'aurais souhaité garder, mais on n'a pas eu l'choix que de t'laisser avec ta grand-mère, tu voulais pas que Maryvonne...

Roger lui avait mis le doigt sur la bouche pour ne pas qu'il se tourmente et, le moribond, changeant de sujet, poursuivit :

— Pis y a Raymond, j'ai pas été correct avec lui. Là, ça revient entre nous, mais y a des choses qui peuvent pas s'effacer... J'm'en veux tellement...

— Arrête, papa, tu vas te mettre à l'envers pour rien. Regarde ! Le petit garçon dort maintenant sur les genoux de sa mère.

Mathias jeta un coup d'œil, mais revint à ses propos en ajoutant :

— Yvette, je l'ai pas tellement aimée, j'étais déjà usé par le travail quand elle est arrivée, c'était celle de trop comme on dit... Mais j'ai pas été responsable de sa maudite maladie, j'ai rien à m'reprocher, c'est pas moi qui mettais les hommes dans son lit... Dieu qu'sa mère a pleuré à cause d'elle !

— Papa, c'est assez, tu es à bout de souffle, repose-toi.

Mais Mathias, fixant le vide, persistait :

— Gaston, j'ai rien à dire, j'ai fait mon possible avec lui aussi, pis marié avec une folle… Léo pis Danielle, j'les ai toujours aimés, y m'ont apporté bien des joies, sauf que là, malade… J'ai entendu Marie-Jeanne leur parler au téléphone, ça m'a crevé le cœur… Mais y ont d'autres chats à fouetter, j'peux pas leur en vouloir…

Un léger répit et Mathias reprit avec les yeux dans l'infini du hublot :

— Pauvre Marie-Jeanne, pas chanceuse celle-là, mais le cœur à la bonne place, elle a beaucoup aidé sa mère pis a s'est occupée d'moi… A mange trop, mais c'est peut-être son asthme qui lui ouvre l'appétit. Une bonne fille quand même… Faudrait la faire venir dès qu'on sera rendus, Roger, elle va avoir les pieds dans les plats sans moi… Pis elle va mourir d'ennui toute seule à la maison… Si seulement on avait pu la marier, sa mère pis moi, mais faut dire qu'elle était entêtée…

— Papa, ferme les yeux, détends-toi, ne pense plus à rien, on approche, on va bientôt nous demander de boucler nos ceintures.

Mais Roger n'alla pas plus loin, son père dormait, la tête appuyée sur son épaule. La descente se fit en douceur, aucune poche d'air, pas la moindre turbulence…

Atterris à Winnipeg, les passagers quittaient l'appareil avec leurs sacs de voyage et remerciaient les hôtesses de l'air de leurs bons services. Le commandant et son copilote restèrent à leur poste dans leur cabine pour voir les gens descendre un à un et, en dernier, l'homme avec ses deux cannes et puis, plus rien. Lauren, au pied de l'escalier mobile avec le fauteuil roulant du bureau de consultation à portée de la main, commençait à s'inquiéter lorsqu'elle aperçut enfin Roger sortir seul de l'avion. L'interrogeant du regard, son mari lui annonça, les yeux embués de larmes :

— C'est fini, Lauren, on l'a perdu, le père est parti avant qu'on atterrisse, il a rendu le dernier souffle sur mon cœur alors qu'il dormait dans mes bras.

Épilogue

Les funérailles de Mathias Goudreau furent célébrées à Winnipeg, à l'église que Roger et Lauren fréquentaient. Anne et Marie étaient en pleurs, la mort soudaine de leur grand-père leur avait fait peur. Flavie était venue avec son mari et, s'agenouillant près du corps lors du dernier matin de recueillement, elle avait murmuré à son beau-frère dans un français qu'elle avait conservé : « Tu peux aller rejoindre Antoinette, ça fait si longtemps qu'elle t'attend. Puis tu as ton autre femme aussi… Te voilà bien mal pris ! » Chuchoté intérieurement, bien entendu, parce que le moment n'était pas à la fête, les mouchoirs humectés s'agitaient près du cercueil.

Danielle et Darren s'étaient déplacés avec leur fils pour les obsèques et, quoique poli, Roger avait été distant avec eux. De même qu'avec Léo, qui était venu avec Gloria pleurer sur la tombe du défunt. Ils avaient causé ensemble aimablement, mais ces derniers n'avaient pas bénéficié de la courtoisie habituelle de Lauren et Roger, qui préféraient soutenir la pauvre Marie-Jeanne arrivée avec un billet d'avion payé par Roger pour s'agenouiller sur le prie-Dieu du cer-cueil de son père et le pleurer abondamment. Danielle s'était approchée d'elle pour la consoler d'une main sur son épaule, mais Marie-Jeanne lui avait dit sans trop la regarder : « Non, laisse, j'ai mon mouchoir. » À l'instar de Roger, avec encore de la rancœur au cœur, elle se tenait à l'écart de sa proche parenté, préférant la compagnie rassurante de Flavie.

Yvette, avisée de la mort de son père au Manitoba, avait télégraphié des fleurs avec son nom sur le petit carton que le fleuriste avait signé pour elle, sous le *Profondes condoléances* de circonstance. Elle avait fait ce geste sur les instances de son vieil amant, qui lui disait qu'on ne lais-sait pas s'en aller ainsi un père qui nous avait donné la vie sans un mot d'adieu... Parce que, si ce n'eût été que d'elle...

Raymond et Mimi avaient fait parvenir par courrier express une carte de sympathie pour qu'elle arrive avant la cérémonie. Le plus jeune fils de Mathias avait certes éprouvé du chagrin en apprenant la triste nouvelle, mais à peine réconcilié et n'ayant pas été appelé par sa sœur pour s'en occuper, il n'avait pas eu vent des derniers jours de son paternel. De plus, comme c'était sa femme qui tenait les cor-dons de la bourse, il n'était pas question de les délier pour payer une messe à son père mort au loin.

Gaston, éloigné de la famille depuis son divorce d'avec Desneiges et de sa liaison avec Gail, sa nouvelle compagne, n'avait même pas levé le petit doigt. Il avait dit à Léo, qui lui avait annoncé la nouvelle au bout du fil :

— J'lui ferai brûler un lampion !

Rien de plus, rien de moins. Pourtant, son père l'avait beaucoup aidé à trouver des emplois sur les chantiers. Il l'avait secondé et encouragé autant que Léo, il l'avait même beaucoup aimé, c'était sa femme, « la furie », qu'il avait détestée, pas lui. Mais Gaston n'avait pas bronché pour autant. L'ingratitude n'avait changé que de prénom, cette fois. Gaston !

Donat Ménard et sa femme Gladys ne s'étaient pas déplacés. Comme si la Saskatchewan était loin du Manitoba. Ils avaient fait parvenir une gerbe quelconque qu'on déposa non loin du cercueil avec un *Our sympathy*. Leurs deux filles, Amanda et Kay, de leur côté, se mirent ensemble pour envoyer un petit bouquet pas trop cher dans un panier tressé.

Ainsi furent célébrées les obsèques de Mathias Goudreau, loin de Cartierville, loin de ses chantiers, loin de ses années sur la rue Casgrain avec Maryvonne et plus loin encore de la paroisse Saint-Édouard, le joli coin de sa vie à deux avec Antoinette qu'il avait tant aimée. Sa belle Toinette à qui il avait promis qu'il irait reposer auprès d'elle, mais le destin en avait décidé autrement. Il avait maintenant deux femmes à rejoindre dans leurs cendres six pieds sous terre et, ensuite, au paradis où l'une fredonnerait de sa voix douce les chansons que l'autre jouerait au piano. Ce qui ne s'était pas avéré comme souhaité pour le cimetière puisque Mathias avait été enseveli en terre étrangère, en sol inconnu, mais dans le lot familial de Roger qui, un jour, viendrait le rejoindre avec sa femme et ses enfants. Une consolation pour Marie-Jeanne qui, émue devant le monument non encore gravé qui surplombait la fosse, pleurait à chaudes larmes.

Ils étaient tous repartis le lendemain alors que le fossoyeur éparpillait les fleurs sur le rectangle de terre humide. Le cercueil, payé par Roger, était de qualité, et c'était lui qui avait déposé sur le dessus du couvercle le coussin de roses blanches que sa femme avait commandé. Lauren et lui n'avaient que souhaité un bon retour à ceux qui s'étaient déplacés, sans même les accompagner à l'aéroport, ce qui avait peiné Darren qui aimait bien son beau-frère. Néanmoins, fort avenant, Roger leur avait dit qu'ils seraient les bienvenus chez lui chaque fois qu'ils viendraient s'agenouiller sur la tombe de leur père. Ce qui était un tantinet consolant, mais qui n'eut guère d'aboutissements. Lauren avait cependant insisté pour que Marie-Jeanne reste un jour de plus avec eux afin d'aller la reconduire le lendemain pour un autre vol en matinée. Ce qu'elle avait fort apprécié, n'ayant guère eu envie de voyager avec la proche parenté. Elle allait, bien sûr, se réconcilier avec Danielle et Léo, et même finir par oublier, mais en ce jour, inconsolable et remuée, la blessure était encore trop fraîche pour qu'elle puisse leur pardonner.

De retour à Montréal, sur les instances de Roger, le notaire fit part du testament de Mathias Goudreau, qui léguait tout ce qu'il possédait à sa fille Marie-Jeanne. Au grand dam des autres, qui se demandaient pourquoi Mathias n'avait pas pensé à ses petits-enfants… Surtout à Michel, songeait Danielle. Son argent, sa maison, tout revenait à Marie-Jeanne, qui pourrait en faire ce qu'elle voudrait. Ne connaissant rien aux affaires, se fiant toujours à son père, Roger l'avait encouragée au bout du fil :

— Ne t'en fais pas, je vais tout t'apprendre. Payer les taxes, ce n'est pas difficile, les autres factures non plus. Tu peux compter sur moi, quoique Léo pourrait aussi t'aider…

Mais Marie-Jeanne refusa la deuxième option, elle s'était prise d'affection pour Roger et ne jurait plus que par lui. Il serait donc le seul à la conseiller, pas même Danielle, qui avait baissé dans son estime depuis son ingratitude envers son père.

Ce qu'il advint des enfants de Mathias avec le temps ? Danielle et Darren ne revinrent pas au Québec, continuant leur vie, cheveux bruns, cheveux gris, à Toronto où ils s'étaient établis. Darren, devenu vice-président de la firme d'ingénieurs qui l'avait employé, détenait un très haut poste de commande. Danielle, infirmière en chef dans un grand hôpital cette fois, se consacra au bien-être des malades malgré l'argent de son mari qui aurait pu l'en soustraire. Sa vocation avait toujours passé avant tout, juste après son amour pour Darren et son fils adoré. Parlant de Mike, instruit dans les meilleurs collèges et universitaire, il suivit les traces de son père comme ingénieur et, tout comme lui, se maria et eut un seul enfant, un fils également.

Léo et Gloria ne quittèrent jamais leur maison de Laval et c'est Léo qui, beaucoup plus tard, devait partir le premier pour l'au-delà. Leurs deux garçons, mariés et pères de famille, avaient fait de leur père, jusqu'à sa mort, un second Mathias avec une marmaille à choyer.

Gaston, loin des siens et par choix, avait vécu jusqu'à soixante-trois ans aux côtés de Gail, sa compagne qu'il avait enfin épousée. Il était mort d'un cancer dont personne n'avait entendu parler. À ses funérailles, Desneiges et Lulu brillèrent par leur absence. Desneiges Clément s'évapora peu à peu de la famille, Gloria reçut de moins en moins de nouvelles d'elle pour, finalement, ne plus en recevoir du tout. Pas plus que de sa Lulu dont on ignorait ce qu'elle était devenue.

Raymond et Mimi vécurent plusieurs autres belles années ensemble jusqu'à ce que sa femme, de dix ans son aînée, rende l'âme avant lui, le laissant seul héritier de ses biens amassés. Plus sérieux avec l'âge, encore serveur au bar où les pourboires étaient généreux, il rencontra une jolie femme encore une fois plus vieille que lui, qu'il épousa avant qu'elle ne change d'idée, la nouvelle fiancée ayant appris qu'il… l'avait trompée !

Marie-Jeanne, malheureusement, ne fit pas long feu avec son argent et sa maison. Dix ans après le décès de son père, elle mourait à son tour d'une violente crise d'asthme qui lui causa un infarctus. À quarante-sept ans seulement. On l'enterra aux côtés de sa mère Maryvonne à qui elle ressemblait tant. Et on fut surpris d'apprendre qu'elle avait, elle aussi, rédigé un testament, léguant sa maison et ses économies à Anne et Marie Goudreau, les filles de Lauren et Roger, maintenant devenues grandes.

Yvette, quant à elle, continua d'être la maîtresse de Max durant quatre ou cinq autres années, jusqu'à ce que le septuagénaire s'aperçoive qu'elle ne lui était pas fidèle et qu'en enquêtant sur son passé, il découvre le pot aux roses et l'étrange « maladie » dont elle souffrait dans les lits de ses amants d'occasion. Anéanti, il rompit, au grand désespoir d'Yvette, qui le supplia de lui laisser au moins sa voiture, son vison, ses bijoux et tout ce dont il l'avait comblée durant leur longue liaison. Max accepta, tout en l'évinçant de l'appartement qu'il lui avait toujours payé. Mais, comme il fallait s'y attendre, un de perdu, dix de retrouvés pour Yvette Goudreau, qui, avec l'un puis l'autre, vécut aux crochets de plusieurs hommes à l'aise. Mais la maladie vint la surprendre alors qu'elle tentait encore, en vain cette fois, de rencontrer un mécène pour ses dernières années. Sans réussir toutefois et en reprenant le travail pour gagner sa vie et trouver le moyen de tromper chaque conjoint qui voulait bien de la femme vieillie et poudrée qu'elle était devenue. Malade un jour, malade toujours ! se disait-elle. Hélas, la belle d'antan mourut subitement, foudroyée comme sa mère, à seulement soixante ans. On se demandait même si elle n'était pas morte d'un effort de trop, toute nue, dans le lit défait d'un parfait inconnu.

À Regina, en Saskatchewan, Donat avait aussi levé les pattes et Gladys souffrait d'une maladie incurable qui frôlait la démence. Ses filles, Amanda et Kay, l'ayant placée en institution, se soucièrent peu d'elle, trop occupées à voyager à travers les pays avec leurs maris et l'argent que leur père radin avait amassé toute sa vie.

Flavie enterra son époux quelques années plus tard et vécut seule, entourée de Roger et des siens, jusqu'à ce qu'elle parte à son tour, nonagénaire. Inhumée dans le lot où reposaient ses parents, les Imbault. C'était Roger, retraité ou presque de la médecine qui, avec vingt-cinq ans de moins que sa tante, s'était occupé des obsèques. Et c'est en pleurant sur la fosse des Imbault que, tenant la main de Lauren d'un côté et de ses deux filles de l'autre, il vit descendre le cercueil de Flavie pour se poser à côté de celui de Donald, enterré avec ses parents dans le lot familial. Sa chère tante Flavie qu'il avait tant aimée. Partie à quatre-vingt-onze ans… Comme si elle s'était retenue de mourir pour ne pas le quitter, elle qui avait été une seconde mère pour lui, après le décès de sa grand-mère chérie.

Les années avaient continué de courir, les saisons en avaient effacé les traces, les maisons avaient surgi ici et là et celle de Mathias Goudreau laissée à Marie-Jeanne, puis à Anne et Marie, avait été vendue et rénovée. Le progressisme s'accentuait, la science faisait des découvertes, le docteur Goudreau de Winnipeg soignait encore quelques patients réguliers malgré son âge avancé, et les Goudreau du premier et du deuxième lit, s'éloignèrent les uns des autres avec le temps. Volontairement ? Qu'en savait-on ! Chacun avait eu sa famille, ses ambitions, ses devoirs, ses chagrins, ses amours, ses enfants… Et on avait réussi au fil des ans à oublier Mathias, le père de cette progéniture qui, à présent, reposait en terre manitobaine, attendant que son fils vienne le rejoindre.

Mais, revenant au moment où le pauvre homme s'était éteint entre ciel et terre, personne n'avait remarqué, sauf Toinette de l'autre côté, que Mathias avait rendu l'âme dans les bras de Roger, le seul de ses enfants qu'il n'avait pas élevé.

f Restez à l'affût des titres à paraître chez
les Éditions Logiques en suivant Groupe Librex :
Facebook.com/groupelibrex
www.edlogiques.com

Cet ouvrage a été composé en Times 13/16
et achevé d'imprimer en août 2017 sur les presses de
Marquis imprimeur, Québec, Canada.

garant   procédé   100% post-   archives   énergie
des forêts   sans chlore   consommation   permanentes   biogaz
intactes®

Imprimé sur du papier 100 % postconsommation, traité sans chlore,
accrédité Éco-Logo et fait à partir de biogaz.